L’HÉRITAGE

DU MÊME AUTEUR
CHEZ POCKET

La firme
L'affaire Pélican
Non coupable
Le couloir de la mort
Le client
Le maître du jeu
L'associé
La loi du plus faible
L'idéaliste
Le testament
L'engrenage
Pas de Noël cette année
La dernière récolte

JOHN GRISHAM

L'HÉRITAGE

Traduit de l'américain
par Patrick Berthon

ROBERT LAFFONT

Titre original :
THE SUMMONS

Édition originale :
Doubleday/Random House, Inc., New York

ISBN : 2-266-13927-4

John Grisham

Américain, John Grisham est né en 1955 dans l'Arkansas. Il exerce pendant dix ans la profession d'avocat, tout en écrivant des romans à ses heures perdues. Il publie en 1989 son premier roman, *Non coupable*, mais c'est en 1991, avec *La firme*, qu'il rencontre le succès. Depuis, *L'affaire Pélican* (1992), *Le couloir de la mort* (1994), *L'idéaliste* (1995), *Le maître du jeu* (1996) et *L'associé* (1999) ont contribué à en faire la figure de proue du « legal thriller ». Mettant à profit son expérience du barreau, il nous dévoile les rouages du monde judiciaire, et aborde par ce biais les problèmes de fond de la société américaine. Aux États-Unis, où il représente un véritable phénomène éditorial, la vente de ses livres se compte en millions d'exemplaires et ses droits d'adaptation font l'objet d'enchères faramineuses auprès des producteurs de cinéma (*La firme*, *L'affaire Pélican*).
Marié, père de deux enfants, John Grisham est l'un des auteurs les plus lus dans le monde.

1.

Elle était arrivée au courrier du matin, avec un bon vieux timbre, à la manière d'autrefois. Le Juge allait sur ses quatre-vingts ans et se défiait des moyens de communication modernes ; il ne voulait pas entendre parler d'e-mail ni même de fax. Il n'avait pas de répondeur et utilisait le téléphone avec circonspection. Assis à son bureau à cylindre, sous le portrait de Nathan Bedford Forrest, il tapait ses lettres avec les deux index, une touche à la fois, courbé sur sa vieille Underwood. Son grand-père avait combattu sous les ordres du général Forrest, à Shiloh et dans tout le Sud. Pour lui, aucun personnage historique n'était plus digne de vénération ; tout au long de ses trente-deux années de carrière, il avait discrètement refusé de siéger le 13 juillet, le jour anniversaire de la naissance de Forrest.

Arrivée à la faculté de droit avec une autre lettre, une revue et deux factures, elle avait été déposée dans le casier du professeur Ray Atlee qui sut immédiatement de quoi il s'agissait : d'aussi loin que remontaient ses souvenirs, ces enveloppes avaient fait partie de sa vie. C'était une lettre de son père, le Juge comme il l'appelait lui aussi.

Le professeur Atlee étudia l'enveloppe en se demandant s'il devait l'ouvrir sur-le-champ ou attendre un peu. Bonnes ou mauvaises nouvelles, on ne pouvait jamais savoir avec le Juge, mais il avait déjà un pied dans la tombe et les bonnes nouvelles se faisaient rares. L'enveloppe semblait contenir une seule feuille, ce qui n'avait rien d'inhabituel. Connu en son temps pour ses interminables sermons, le Juge était économe de ses mots sur le papier.

C'était une lettre importante, il n'y avait pas à en douter. Le Juge ne supportait ni les ragots ni les banalités, il n'était pas homme à parler pour ne rien dire. Boire un thé glacé avec lui sous le porche, c'était refaire la guerre de Sécession, le plus souvent la bataille de Shiloh. Et l'écouter placer une fois encore tout le poids de la défaite des Confédérés sur les épaules du général Pierre Beauregard, un homme trop soucieux de son apparence, à qui il vouerait une haine éternelle.

À soixante-dix-neuf ans, avec un cancer de l'estomac, il n'en avait plus pour longtemps. Trop corpulent, diabétique, fumeur de pipe invétéré, il avait survécu à trois crises cardiaques, sans parler d'une foule de maux en tout genre qui, après l'avoir mis au supplice pendant des années, s'apprêtaient à l'achever. La douleur était permanente. Leur dernière conversation téléphonique, dont Ray avait pris l'initiative — le Juge tenait les appels longue distance pour du vol manifeste —, remontait à trois semaines. Ray l'avait trouvé affaibli, tendu ; ils n'avaient pas parlé plus de deux minutes.

Au dos, en relief, figurait l'adresse en lettres dorées : Chancelier Reuben V. Atlee, 25e District, Tribunal du comté de Ford, Clanton, Mississippi. Ray glissa l'enveloppe dans la revue. Le juge Atlee n'exerçait plus la fonction de chancelier, une sorte de juge aux affaires familiales. Les électeurs l'avaient poussé à la retraite neuf ans plus tôt, une défaite amère dont il ne s'était jamais remis. Trente-deux années de travail assidu au service de ses concitoyens pour se faire balancer au profit d'un adversaire plus jeune, utilisant la radio et la télévision pour diffuser ses messages. Le Juge avait refusé de faire campagne, affirmant qu'il était surchargé de travail, que les électeurs le connaissaient bien et pouvaient lui renouveler leur confiance s'ils le souhaitaient. Pour beaucoup, une telle stratégie frisait l'arrogance ; vainqueur dans le comté de Ford, le Juge avait été battu à plate couture dans les cinq autres.

Il avait fallu trois ans pour le déloger du tribunal. Son bureau du premier étage avait échappé à un incendie et à deux rénovations ; le Juge n'y avait laissé entrer ni les peintres ni les menuisiers. Quand les autorités du comté étaient enfin parvenues à le convaincre qu'il partirait de gré ou de force, il avait commencé à remplir des cartons de dossiers représentant trois décennies de travail, de notes inutiles et de vieux ouvrages poussiéreux. Il avait entassé les cartons chez lui, dans son bureau ; une fois le bureau plein, il les avait alignés dans le couloir, jusqu'à la salle à manger et même dans le vestibule.

Ray salua d'un signe de tête un étudiant assis dans le hall. Devant son bureau il échangea quelques mots avec un collègue. Il entra, donna un tour de clé et posa le courrier au centre de son bureau. Il enleva sa veste, la suspendit à la patère de la porte en enjambant une pile de gros bouquins à la même place depuis six mois et se jura *in petto*, comme il le faisait tous les jours, de mettre de l'ordre. La pièce de quinze mètres carrés était meublée d'un bureau et d'un petit canapé, tous deux couverts de documents pour donner l'impression que Ray était très occupé. Il n'en était rien. Ray donnait en ce semestre de printemps quelques cours sur la législation antitrust. Et il était censé rédiger un livre, un de ces ouvrages arides et ennuyeux sur les monopoles, que personne ne lirait, mais qui ferait bien sur son CV. Ray était titulaire de son poste ; pourtant, comme tous les professeurs de haut niveau, il était soumis à la règle universitaire du « publier ou périr ».

Il prit place à son bureau, repoussa une pile de papiers.

La lettre était adressée au professeur N. Ray Atlee, Université de Virginie, Faculté de droit, Charlottesville, Virginie. L'encre des *e* et des *o* bavait ; le ruban de la machine à écrire n'avait pas été changé depuis dix ans. Le Juge ne se souciait pas non plus du code postal.

Le *N* de son premier prénom était l'initiale de Nathan, en hommage au général Forrest. Le père s'en était violemment pris à son fils quand il avait décidé de laisser tomber le *N* et de s'engager dans la vie avec Ray pour seul viatique.

Les lettres du Juge étaient toujours adressées à la faculté de droit de Charlottesville, jamais au domicile de son fils. Il aimait les titres ronflants et les adresses pompeuses, tenait à ce que personne, jusqu'aux employés de la poste de Clanton, n'ignore que Ray était professeur de droit. Ce n'était pas nécessaire. Son fils enseignait et publiait depuis treize ans : les gens qui comptaient le savaient.

Ray ouvrit l'enveloppe, déplia la feuille de papier à lettres qu'elle contenait. L'en-tête en relief portait le nom du Juge, son ancien titre et son adresse, là encore sans le code postal. Il devait disposer d'une quantité illimitée de papier à lettres.

La lettre était destinée à Ray et à son frère cadet, Forrest, les deux rejetons d'un mariage raté qui avait pris fin en 1969, à la mort de leur mère. Comme toujours, le message était laconique :

Veuillez prendre vos dispositions pour vous présenter dans mon bureau le dimanche 7 mai, à 17 heures, où nous parlerons de l'administration de mes biens.

Bien à vous,

Reuben V. Atlee

La signature caractéristique, plus étriquée qu'autrefois, paraissait mal assurée. Depuis des décennies, le paraphe du Juge s'étalait au bas d'ordonnances et de jugements qui avaient changé une multitude de vies. Divorce, droit de garde, retrait d'autorité parentale, adoption. Il statuait sur des contestations de testaments et d'élections, des actions en bornage. L'écriture du Juge, naguère impérieuse et reconnaissable entre toutes, n'était plus que le griffonnage vaguement familier d'un vieillard malade.

Malade ou pas, Ray savait qu'il serait, à l'heure dite, dans le bureau de son père. Aussi irritante que fût cette convocation en bonne et due forme, son frère et lui, il n'en doutait pas, se présenteraient à l'heure dite devant Son Honneur pour y subir une nouvelle leçon de morale. Cela ressemblait bien au Juge de choisir un jour à sa convenance, sans consultation préalable.

Le juge Atlee, comme la plupart de ses collègues, avait coutume de fixer des dates d'audition et des échéances sans chercher à savoir si elles convenaient à autrui. Une telle attitude s'expliquait et était même justifiée pour un tribunal surchargé de dossiers, lorsque le magistrat avait affaire à des plaideurs peu coopératifs, à des avocats indolents ou trop occupés. Mais le Juge s'était comporté avec sa famille à peu près de la même manière que dans sa salle d'audience ; c'était la principale raison pour laquelle Ray Atlee enseignait le droit en Virginie au lieu d'exercer dans le Mississippi.

Il relut la convocation avant de la poser sur la pile des affaires en cours. Il s'avança vers la fenêtre, regarda la cour pleine de fleurs. Il n'était ni furieux ni amer, seulement agacé de voir, encore une fois, son père tout régenter. Puis il se dit que le Juge n'en avait plus pour longtemps, qu'il devait montrer de l'indulgence. Il n'aurait plus souvent l'occasion de retourner à Clanton.

Le patrimoine du Juge, entouré de mystère, était constitué pour l'essentiel de la demeure familiale, une bâtisse délabrée héritée de l'ancêtre qui avait combattu sous les ordres du général Forrest. Située dans une rue ombragée de la vieille ville d'Atlanta, elle aurait valu plus d'un million de dollars. Pas à Clanton. Entourée de deux hectares de terrain à l'abandon, elle se trouvait à deux cents mètres de la grand-place, mais les parquets s'affaissaient, le toit fuyait, les murs n'avaient pas reçu une seule couche de peinture depuis la naissance de Ray. Ils pourraient la vendre, son frère et lui, une centaine de milliers de dollars, mais l'acquéreur devrait en dépenser le double pour la rendre habitable. Jamais ils n'y vivraient, ni l'un ni l'autre ; Forrest n'y avait plus mis les pieds depuis de longues années.

Elle portait un nom, Maple Run, comme une grande propriété avec domestiques et réceptions. La dernière personne à y avoir travaillé était Irene, la bonne ; depuis sa mort, qui remontait à quatre ans, personne n'avait passé l'aspirateur ni encaustiqué les meubles. Le Juge payait un traîne-savate vingt dollars par semaine pour passer la tondeuse. Il le faisait à contrecœur, estimant que quatre-vingts dollars par mois, c'était du vol.

Dans l'enfance de Ray, sa mère disait toujours Maple Run. Ils ne faisaient pas un dîner à la maison mais à Maple Run, leur courrier n'était pas adressé aux Atlee, 4e Rue, mais à Maple Run. Il n'y avait pas beaucoup d'autres familles à Clanton dont la maison portait un nom.

Quand sa mère avait succombé à une rupture d'anévrisme, ils avaient étendu le corps sur une table du petit salon. Pendant deux jours, toute la ville avait défilé, entrant par le porche, traversant le vestibule, s'arrêtant dans le salon pour rendre le dernier hommage à la défunte avant d'arriver dans la salle à manger où du punch et des gâteaux secs étaient servis. Cachés dans le grenier, Ray et Forrest avaient maudit leur père qui tolérait une telle mise en scène. C'était leur mère qui reposait en bas, encore jeune et jolie, mais raide et livide dans son cercueil, exposée aux yeux de tous.

Forrest avait toujours appelé la maison Maple Ruin.

Elle tirait son nom d'une rangée d'érables au feuillage rouge et jaune qui bordaient autrefois la rue ; les arbres n'avaient pas résisté à une maladie inconnue, mais les souches pourries n'avaient jamais été dégagées. Les quatre énormes chênes qui ombrageaient la pelouse perdaient à l'automne des tonnes de feuilles, en trop grande quantité pour qu'on puisse les ratisser. Deux ou trois fois l'an, une branche tombait quelque part sur la maison ; on attendait souvent très longtemps avant de l'enlever. Au fil des ans et des décennies, la vieille demeure restait debout. Elle prenait des coups mais tenait bon.

C'était encore une belle construction à colonnade de style géorgien, qui, après avoir longtemps perpétué le souvenir des ancêtres, rappelait tristement le déclin d'une famille.

Ray ne voulait pas s'en occuper. Cette maison était peuplée de mauvais souvenirs et il revenait déprimé de chacune de ses visites. De plus, il ne pouvait assumer financièrement l'entretien de cette propriété qu'il aurait fallu raser. Forrest, pour sa part, aurait préféré mettre le feu à la maison plutôt qu'en être propriétaire.

Le Juge tenait pourtant à ce qu'elle revienne à Ray, pour qu'il la garde dans la famille ; le sujet avait été abordé en termes vagues ces dernières années. Ray n'avait jamais trouvé le courage de demander à son père à quelle famille il faisait allusion. Il n'avait pas d'enfants, seulement une ex-femme et pas de nouvelle Mme Atlee en vue. Même chose pour Forrest, avec cette différence que son frère avait une époustouflante collection d'ex-petites amies et qu'il partageait le logement d'Ellie, une peintre et potière de cent trente kilos, de douze ans son aînée.

Que Forrest n'eût pas engendré d'enfants tenait du miracle biologique ; en tout cas, on n'en avait encore découvert aucun.

La lignée des Atlee s'éteignait ; la fin était inéluctable. Ray ne s'en souciait pas : il vivait pour lui-même, pas pour son père ni pour le passé glorieux de ses ancêtres. Il ne revenait d'ailleurs à Clanton que pour les enterrements.

Jamais ils n'avaient abordé la question des autres biens du Juge. La famille avait été fortunée, bien avant le temps de Ray. Il y avait eu des terres, du coton et des esclaves, les chemins de fer, la banque et la politique, l'habituel portefeuille sudiste de valeurs qui, à l'aube du XXe siècle, ne représentaient plus grand-chose au point de vue financier mais avaient longtemps conféré aux Atlee une position en vue.

À l'âge de dix ans, Ray savait que sa famille avait de l'argent. Son père était juge, sa maison portait un nom, ce qui, dans cette région rurale du Mississippi, suffisait pour faire de lui un gosse de riches. De son vivant, la mère de Ray s'était efforcée de convaincre ses garçons qu'ils étaient mieux lotis que la plupart des gens. Ils vivaient dans une belle demeure ; ils étaient presbytériens ; ils passaient tous les trois ans leurs vacances en Floride ; ils allaient de temps en temps à Memphis, où ils dînaient à l'hôtel Peabody ; ils étaient toujours bien habillés.

Ray avait été admis à Stanford. Ses illusions s'étaient envolées quand il avait entendu le Juge déclarer tout de go :

— C'est au-dessus de mes moyens.

— Comment ça ?

— Comme je viens de le dire : je n'ai pas les moyens de payer tes études à Stanford.

— Je ne comprends pas.

— Alors, je vais être clair. Tu fais tes études où tu veux, mais si tu t'inscris à Sewanee, je te les paie.

Ray s'inscrivit à Sewanee ; son père lui versa une allocation qui couvrait à peine les frais d'inscription, l'achat des livres, la pension et la cotisation de sa confrérie. Il s'inscrivit ensuite à la fac de droit de Tulane, à La Nouvelle-Orléans, et subsista tant bien que mal grâce à un emploi de serveur dans un bar à huîtres du Vieux Carré.

Au long de ses trente-deux ans de carrière, le Juge avait perçu un salaire parmi les plus bas du pays. À Tulane, Ray avait lu un rapport sur la rémunération des juges ; il avait appris avec tristesse que ceux du Mississippi ne gagnaient que cinquante-deux mille dollars par an alors que la moyenne nationale s'élevait à quatre-vingt-quinze mille.

Le Juge vivait seul, réduisait au minimum les frais d'entretien de la maison, n'avait pas d'autres mauvaises habitudes que la pipe et fumait un tabac bon marché. Il conduisait une vieille Lincoln, mangeait mal mais beaucoup et portait les mêmes complets noirs depuis les années cinquante. Il avait pourtant un vice : la bienfaisance. Dès qu'il avait de l'argent de côté, il le distribuait.

Nul ne savait à combien se montaient annuellement les libéralités du Juge. Dix pour cent de ses revenus allaient automatiquement à l'Église presbytérienne. L'université Sewanee recevait deux mille dollars par an ; même chose pour les Fils des anciens Confédérés. Ces trois dons étaient intangibles, les autres non.

Le juge Atlee donnait à tous ceux qui demandaient. Un enfant infirme qui avait besoin de béquilles ; une équipe qualifiée pour un tournoi dans une ville lointaine du Mississippi ; une collecte du Rotary pour vacciner des bébés au Congo ; un refuge pour les animaux errants du comté ; un nouveau toit pour le musée de Clanton.

La liste était sans fin. Pour recevoir un chèque, il suffisait d'en faire la demande en quelques mots. Depuis le départ de Ray et de Forrest, le juge Atlee envoyait de l'argent à tous.

Ray se le représentait au milieu du bazar de son bureau poussiéreux, tapant sur sa vieille Underwood de petits mots qu'il glisserait dans ses enveloppes à en-tête de la chancellerie en y joignant des chèques presque illisibles tirés sur son compte de la First National Bank de Clanton : cinquante dollars par-ci, cent dollars par-là, un peu pour tout le monde, jusqu'à ce qu'il ne reste plus rien.

L'inventaire de la succession ne serait pas compliqué ; il y aurait si peu à inventorier. Les antiques ouvrages de droit, des meubles fatigués, des photos de famille et des souvenirs douloureux, des dossiers et des papiers tombés dans l'oubli, tout un fatras qui ferait une belle flambée. Les deux frères accepteraient ce qu'on leur offrirait pour la maison et s'estimeraient heureux s'ils pouvaient récupérer quelque chose des vestiges de la fortune familiale.

Il allait devoir appeler Forrest, une obligation qu'il était toujours enclin à remettre à plus tard. Forrest, c'était une masse de questions et des problèmes infiniment plus compliqués que ceux causés par un vieillard malade et reclus, déterminé à faire cadeau de son argent au premier venu. Forrest était une catastrophe ambulante, un jeune homme de trente-six ans dont le cerveau avait été atteint par toutes les substances légales et illégales circulant dans le pays.

Quelle famille ! songea Ray avec résignation.

Il afficha un avis d'annulation de son cours de 11 heures et partit pour sa séance de thérapie.

2.

Le printemps dans le Piedmont : un ciel dégagé d'un bleu limpide, des contreforts verdoyant à vue d'œil, la vallée de la Shenandoah changeant à mesure que les fermiers traçaient leurs sillons rectilignes. On annonçait de la pluie pour le lendemain, mais les prévisions météo étaient sujettes à caution dans le centre de la Virginie.

Ray avait près de trois cents heures de vol à son actif. Il commençait chaque journée par un jogging de huit kilomètres en gardant un œil sur le ciel : il pouvait courir par tous les temps, pas voler. Il s'était promis — à lui et à sa compagnie d'assurances — de ne jamais piloter de nuit ni de s'aventurer dans les nuages. Pour les petits avions, quatre-vingt-quinze pour cent des accidents se produisaient soit par mauvais temps soit dans l'obscurité ; malgré ses trois années d'expérience, Ray était résolu à rester un dégonflé. « Il y a de vieux pilotes et des pilotes casse-cou, disait l'adage, mais pas de vieux pilotes casse-cou. » Il y croyait dur comme fer.

Et puis cette région de la Virginie était trop belle pour qu'on la survole au milieu des nuages. Il attendait des conditions atmosphériques parfaites : pas de vent pour créer des turbulences et compliquer l'atterrissage, pas de brouillard pour voiler l'horizon et lui faire perdre le cap, pas de menace d'orage ni de risque de buée sur les vitres. Un ciel dégagé au moment du jogging décidait le plus souvent du reste de sa journée. Il pouvait avancer ou reculer son déjeuner, annuler un cours, remettre ses travaux de recherche à une journée — ou une semaine — pluvieuse. Dès que les prévisions météo étaient bonnes, Ray filait au terrain d'aviation, au nord de la ville, à un quart d'heure en voiture de l'université.

À l'école de pilotage Docker il reçut l'habituel accueil viril des trois patrons, Dick Docker, Charlie Yates et Fog Newton, des ex-Marines qui avaient formé la plupart des aviateurs privés du coin. Ils se réunissaient tous les jours dans le Cockpit, une rangée de vieux fauteuils de théâtre disposés dans le bureau de l'école de pilotage, où ils avalaient des litres de café en racontant des anecdotes qui, au fil des heures, devenaient de plus en plus invraisemblables. Les élèves étaient tous traités sans ménagement ; si cela ne leur plaisait pas, tant pis pour eux. Les ex-Marines s'en battaient l'œil : ils touchaient une retraite confortable.

L'arrivée de Ray déclencha une salve de blagues toutes fraîches sur les avocats, pas particulièrement drôles ; la chute était saluée par des rires tonitruants.

— Pas étonnant que vous n'ayez pas d'élèves, lança Ray en remplissant une fiche.

— Où vas-tu ? demanda Docker.

— Juste faire quelques trous dans le ciel.

— Nous allons prévenir le contrôle aérien.

— Vous êtes beaucoup trop occupés pour ça.

Au bout de dix minutes de vannes et de paperasse, Ray fut libre de partir. Pour quatre-vingts dollars de l'heure, il louait un Cessna qui l'emmenait à quinze cents mètres au-dessus du sol, loin des humains, des téléphones, des embouteillages, de ses étudiants et de ses travaux, et, ce jour-là, de son père mourant, de son cinglé de frère et de toutes les complications auxquelles il ne pourrait échapper.

Il y avait de la place pour trente avions légers sur le tarmac du terrain d'aviation, des Cessna pour la plupart, aux ailes hautes et au train d'atterrissage fixe, encore l'avion le plus sûr jamais construit. Mais il y avait aussi des appareils plus sophistiqués. À côté de son Cessna de location se trouvait un Beech Bonanza, un monomoteur de deux cents chevaux, une merveille que Ray aurait pu maîtriser en un mois avec un peu d'entraînement. Il volait près de soixante-dix nœuds plus vite que le Cessna et contenait assez de gadgets et de matériel électronique pour faire baver d'admiration n'importe quel pilote. Le Bonanza était à vendre — quatre cent cinquante mille dollars. Son propriétaire construisait des centres commerciaux et, à en croire les dernières nouvelles en provenance du Cockpit, il voulait un King Air.

Ray s'écarta du Bonanza et concentra son attention sur le petit Cessna. Comme tous les pilotes peu expérimentés, il inspecta soigneusement l'appareil en suivant la check-list. Fog Newton, son instructeur, avait commencé chacune de ses leçons par le récit horrifiant d'un accident mortel provoqué par un pilote trop pressé ou trop paresseux pour utiliser sa check-list.

Quand Ray se fut assuré que tous les équipements extérieurs étaient en parfait état, il ouvrit la porte et boucla son harnais. Le moteur ronronna, les radios s'allumèrent. Il effectua les vérifications précédant le décollage avant d'appeler la tour de contrôle. Un vol régulier le précédait ; dix minutes après être monté dans l'appareil, il reçut l'autorisation de décoller. Il quitta le sol sans heurt et mit le cap à l'ouest, en direction de la vallée de la Shenandoah.

À l'altitude de quatre mille pieds, il survola le mont Afton dont le sommet n'était pas très loin au-dessous de l'appareil. Pendant quelques secondes, le Cessna fut ballotté par des turbulences, mais cela n'avait rien d'exceptionnel. Quand il eut franchi les contreforts et commença à voler au-dessus de la campagne, l'air devint parfaitement calme. La visibilité était officiellement de trente kilomètres, mais, à cette altitude, il voyait beaucoup plus loin. Pas de plafond, pas le moindre nuage. À cinq mille pieds, les pics de la Virginie-Occidentale s'élevèrent lentement à l'horizon. Ray vérifia le bon fonctionnement des équipements de l'avion, régla le mélange de carburant pour prendre le régime de croisière et se détendit pour la première fois depuis qu'il avait pris position sur la piste pour le décollage.

Les conversations radio cessèrent ; elles ne reprendraient pas avant qu'il bascule sur la tour de Roanoke, à soixante-cinq kilomètres au sud. Il décida d'éviter Roanoke et de rester dans l'espace aérien non contrôlé.

Ray savait, pour en avoir fait l'expérience, que des psychiatres de Charlottesville travaillaient pour deux cents dollars de l'heure. L'avion, en comparaison, était bon marché et bien plus efficace ; c'est pourtant un psy qui lui avait conseillé de trouver un nouveau passe-temps et de s'y mettre sans tarder. Il voyait ce psy parce qu'il avait besoin de parler à quelqu'un. Un mois jour pour jour après que l'ex-Mme Atlee eut demandé le divorce, laissé tomber son boulot et quitté le domicile conjugal en emportant ses vêtements et ses bijoux, le tout en moins de six heures, avec une efficacité implacable. En sortant du cabinet du psychiatre, Ray avait pris la route de l'aéroport. À son entrée dans le Cockpit, Dick Docker ou Fog Newton, il ne se rappelait plus lequel, avait lancé sa première vanne.

Il s'en était bien trouvé : quelqu'un s'intéressait à lui. D'autres paroles désobligeantes avaient suivi ; Ray en avait été déconcerté et blessé, mais, en même temps, il s'était aussitôt senti comme chez lui. Voilà comment, depuis trois ans, il survolait dans la solitude d'un ciel pur les Montagnes bleues et la vallée de la Shenandoah en apaisant sa colère, en versant quelques larmes, en racontant ses malheurs au siège vide voisin. Elle est partie pour toujours, répétait le siège vide.

Certaines femmes partent et reviennent. D'autres s'en vont et passent par une douloureuse remise en question. D'autres encore agissent avec détermination, sans un regard en arrière. Le départ de Vicki avait été préparé avec une telle minutie et exécuté avec une telle insensibilité que la première réaction de l'avocat de Ray avait été de lui conseiller de laisser tomber.

Elle avait trouvé de meilleures conditions, comme un sportif changeant d'équipe à la date limite des transferts. Montrez votre nouveau maillot, souriez aux photographes, tracez une croix sur votre ancien stade. Un matin, pendant que Ray travaillait, elle était sortie de la maison pour monter dans une limousine tractant un van qui contenait ses affaires. Vingt minutes plus tard, elle arrivait dans son nouveau foyer, une belle demeure agrémentée d'un élevage de chevaux, à l'est de la ville, où Lew le Liquidateur l'accueillait à bras ouverts, avec un contrat prénuptial. Lew était un prédateur sans scrupule, un spécialiste des raids qui, d'après les renseignements dont Ray disposait, lui avaient permis d'empocher un demi-milliard de dollars. À l'âge de soixante-quatre ans, il avait tout vendu, dit adieu à Wall Street et, pour d'obscures raisons, choisi de s'installer à Charlottesville.

Son chemin avait croisé celui de Vicki. Il lui avait proposé un marché et lui avait fait les enfants que Ray aurait dû engendrer. Avec cette épouse conquise de haute lutte et sa nouvelle famille, il voulait maintenant être pris au sérieux.

« Arrête ! » dit Ray à voix haute.

Il parlait tout seul à cinq mille pieds ; personne ne lui répondait.

Il supposait, il espérait que Forrest ne se droguait pas et ne buvait pas en ce moment, mais cette supposition était habituellement erronée et cet espoir souvent déçu. Après vingt années de cures de désintoxication et de rechutes, il était peu vraisemblable que son frère parvienne un jour à se libérer de ses vices. Ray avait la certitude que Forrest était fauché, un état directement lié à ses penchant morbides ; il chercherait évidemment à récupérer une partie du patrimoine familial.

Ce que le Juge n'avait pas distribué aux œuvres de bienfaisance et aux enfants malades avait été englouti dans les cures de désintoxication de Forrest. De telles sommes y avaient été gaspillées au long de tant d'années que le Juge, comme il était parfaitement capable de le faire, avait banni son fils de sa maison. Pendant trente-deux ans, il avait dissous des mariages, enlevé des enfants à leurs parents pour les placer dans des familles d'accueil, fait enfermer à vie des malades mentaux, expédié en prison des pères défaillants, des décisions sévères et graves, mises à exécution par sa signature apposée au bas d'une feuille. Son autorité lui avait été conférée par l'État du Mississippi ; à la fin de sa carrière, il ne recevait ses ordres que de Dieu.

Si quelqu'un avait la capacité de rejeter un fils, c'était bien le juge Reuben Atlee.

Forrest feignait de ne pas souffrir de son bannissement. Il se posait comme un esprit libre et prétendait ne pas avoir mis les pieds à Maple Run depuis neuf ans. Il était allé voir une fois le Juge à l'hôpital, après un infarctus ; la famille avait été réunie à la demande des médecins. Ce jour-là, au grand étonnement de Ray, il n'avait rien pris.

« Cinquante-deux jours, mon grand », avait-il glissé fièrement à l'oreille de son frère pendant qu'ils attendaient dans le couloir exigu de l'unité de soins intensifs. Après chaque cure de désintoxication, il comptait scrupuleusement les jours.

Ray eût été le premier surpris si le Juge avait prévu de léguer quelque chose à son frère, mais Forrest ferait son possible pour recueillir quelques miettes.

Au-dessus des gorges de la New, près de Beckley,

Virginie-Occidentale, Ray décida de faire demi-tour. Piloter un avion revenait moins cher qu'une analyse, mais ce n'était pas donné et le compteur tournait. S'il tirait le gros lot, il achèterait le Bonanza et passerait son temps à voler. Dans deux ans, il aurait droit à un congé sabbatique, un répit dans les rigueurs de la vie universitaire. On attendrait de lui qu'il termine son pavé de huit cents pages sur les monopoles ; il se donnait une chance sur deux d'y parvenir. Mais son rêve était de louer un Bonanza et de disparaître dans le ciel.

À vingt kilomètres du terrain de destination, il appela la tour qui lui donna ses instructions. Le vent était faible et variable ; l'atterrissage serait un jeu d'enfant. Pendant la finale, à quinze cents mètres de la piste et à quinze cents pieds du sol, tandis que Ray et son petit Cessna effectuaient une descente parfaite, la voix d'un autre pilote se fit entendre sur la fréquence de la tour. « Challenger deux-quatre-quatre-delta-mike », annonçait-il au contrôleur, précisant qu'il se trouvait à vingt kilomètres au nord. Il reçut l'autorisation d'atterrir en deuxième position, derrière le Cessna.

Ray parvint à ne pas penser à l'autre appareil assez longtemps pour réussir un atterrissage modèle ; il s'écarta ensuite de la piste pour se diriger vers le tarmac.

Le Challenger, un jet privé construit au Canada, est équipé de huit à quinze sièges, selon sa configuration. Il relie New York à Paris sans escale, dans des conditions luxueuses, un steward assurant le service à bord. Neuf, l'appareil coûte aux alentours de vingt-cinq millions de dollars, selon les options choisies sur une liste interminable.

Le 244DM appartenait à Lew le Liquidateur qui se l'était approprié en dépouillant de ses actifs une des nombreuses sociétés qu'il avait rachetées. En regardant l'appareil se poser derrière lui, Ray se prit à espérer fugitivement qu'il s'écrase au sol et prenne feu sur la piste, juste pour le spectacle. Mais quand il vit le Challenger rouler à vive allure sur la voie de circulation en direction du terminal, il sentit sa gorge se serrer.

Il n'avait aperçu Vicki que deux fois depuis leur divorce et n'avait aucune envie qu'elle le voie dans un Cessna de vingt ans pendant qu'elle descendait gracieusement la passerelle de son jet luxueux. Peut-être n'était-elle pas à bord, peut-être Lew Rodowski revenait-il seul d'un de ses rendez-vous de prédateur.

Ray coupa l'arrivée de carburant, le moteur se tut ; il s'enfonça dans son siège, de plus en plus bas à mesure que le Challenger se rapprochait.

Avant même que l'appareil s'immobilise, à moins de trente mètres de l'endroit où Ray était tapi, une Suburban d'un noir miroitant s'engagea sur le tarmac, un peu trop vite, les phares allumés, comme si une altesse royale venait d'atterrir à Charlottesville. Deux hommes jeunes en chemise verte et short kaki bondirent du véhicule pour accueillir le Liquidateur et ceux qui l'accompagnaient. La porte du Challenger s'ouvrit, la passerelle se déplia ; la tête dépassant à peine du tableau de bord, Ray observait la scène avec fascination. Il vit d'abord descendre un des pilotes portant deux gros sacs.

Puis Vicki avec les jumeaux, Simmons et Ripley, âgés de deux ans. Pauvres gamins qui, en guise de prénoms, avaient reçu des patronymes asexués d'une mère idiote et d'un père qui en avait déjà engendré neuf avant eux et devait se moquer éperdument du nom de ses rejetons. Ray savait que c'étaient des garçons ; il ne ratait rien, dans son quotidien, des principaux événements de la vie locale — naissances, décès, cambriolages, *et cetera*. Les jumeaux avaient été mis au monde à l'hôpital Martha Jefferson sept semaines et trois jours après que le divorce sans torts prononcés des Atlee fut devenu définitif, sept semaines et deux jours après qu'une Vicki à la grossesse très avancée fut conduite à l'autel par Lew Rodowski qui, pour sa part, convolait pour la quatrième fois.

Serrant les mains des deux garçons, Vicki descendait prudemment les marches. Une fortune d'un demi-milliard de dollars a du bon : les longues jambes de Vicki étaient moulées dans un jean haute couture, des jambes visiblement amincies depuis qu'elle appartenait à la jet-set. En réalité, elle paraissait magnifiquement affamée : les bras comme des allumettes, les fesses plates, les joues creuses. Il ne voyait pas ses yeux dissimulés derrière des lunettes noires enveloppant le haut du visage, la dernière mode d'Hollywood ou de Paris, au choix.

Le Liquidateur n'avait pas fait de sévère régime amaigrissant ; il suivait impatiemment l'épouse du moment et ses derniers marmots. Il prétendait courir des marathons, mais il y avait si peu de vrai dans ce qu'on imprimait à son sujet. Trapu et bedonnant, il avait perdu la moitié de ses cheveux et l'âge avait blanchi ceux qui restaient. À quarante et un ans, on pouvait en donner trente à Vicki ; à soixante-quatre ans, il en faisait soixante-dix. C'est du moins ce que Ray se dit avec satisfaction.

Quand ils arrivèrent à la Suburban, les deux pilotes et les deux chauffeurs finissaient de charger des bagages et de grands sacs de chez Saks et Bergdorf. Un saut à Manhattan pour faire un peu de shopping : quarante-cinq minutes de vol avec le Challenger.

La Suburban démarra sur les chapeaux de roues. Le spectacle était terminé ; Ray se redressa.

S'il n'avait éprouvé pour elle une haine si tenace, il serait resté longtemps dans le siège du Cessna à revivre leur mariage.

Il n'y avait eu aucun signe avant-coureur, pas une prise de bec, aucune altération de leurs rapports. Elle avait simplement trouvé un meilleur parti.

En ouvrant la porte pour respirer, Ray se rendit compte que son col était mouillé de sueur ; il essuya ses sourcils, descendit de l'appareil.

Pour la première fois depuis qu'il avait découvert l'aviation, il regretta d'être venu voler.

3.

La fac de droit se trouvait juste à côté de la fac de sciences économiques, à la pointe septentrionale d'un campus qui s'était considérablement étendu depuis le pittoresque village universitaire dessiné et bâti par Thomas Jefferson.

Dans cette université qui révérait l'architecture de son fondateur, la fac de droit détonnait ; ce n'était qu'un bâtiment moderne de brique et de verre, trapu et bas, sans caractère ni imagination, comme on en construisait dans les années soixante-dix. De récents travaux de restauration et d'aménagement l'avaient pourtant embellie. Elle figurait au nombre des dix meilleures facs de droit du pays, comme le savaient parfaitement tous ceux qui y travaillaient et y étudiaient ; seule une poignée des plus grandes universités privées de la côte Est était mieux classée. Elle attirait un millier d'étudiants sélectionnés et des enseignants de haute volée.

Ray était auparavant professeur de droit financier à l'université Northeastern de Boston et il s'en satisfaisait. Certains de ses écrits avaient retenu l'attention d'une commission de recrutement qui lui avait fait une proposition attrayante : venir enseigner dans le Sud, dans une université mieux cotée. Originaire de Floride, Vicki appréciait la vie citadine mais n'avait jamais réussi à se faire aux rigueurs de l'hiver. Ils s'adaptèrent rapidement au rythme plus calme de Charlottesville. Il fut titularisé, elle décrocha un doctorat en langues romanes. Ils parlaient d'avoir des enfants quand le Liquidateur était venu semer la zizanie dans leur couple.

Quand une femme légitime est enceinte d'un autre homme qui l'emmène avec lui, on aimerait poser à cet homme quelques questions. À elle aussi. Pendant les jours qui avaient suivi le départ de Vicki, tourmenté par ces questions, Ray avait été incapable de fermer l'œil. Mais le temps avait passé et il avait compris qu'il n'aurait jamais l'occasion de les lui poser les yeux dans les yeux. Elles avaient fini par perdre de leur importance. Ce jour-là, en voyant Vicki à l'aéroport, les questions firent un retour en force dans l'esprit de Ray. Il la soumettait encore à un interrogatoire en règle au moment où il se garait sur le parking de la fac, avant de retourner à son bureau.

Il y restait jusqu'en fin d'après-midi ; il n'était pas besoin de prendre rendez-vous. Sa porte était ouverte et il faisait bon accueil à tous ses étudiants. En ce début du mois de mai, avec les premières chaleurs, les visites se faisaient plus rares. En relisant la convocation impérieuse de son père, il ressentit encore de l'agacement devant cette absence de respect d'autrui qui lui était coutumière.

À 17 heures, il donna un tour de clé à la porte de son bureau et sortit du bâtiment pour se rendre à pied dans un complexe sportif du campus. Une rencontre de softball s'y déroulait, la deuxième d'une série de trois, entre les étudiants de troisième année et le corps professoral. Les profs avaient subi une cuisante défaite dans la première. Les deux autres parties n'étaient pas vraiment nécessaires pour déterminer quelle était la meilleure équipe.

Attirés par l'odeur du sang, les étudiants de première et de deuxième année garnissaient en masse les gradins et se pressaient contre la barrière bordant la ligne de première base, où l'équipe des profs tenait un inutile conciliabule. Du côté du champ gauche un groupe d'étudiants de première année, de réputation douteuse, avait pris place autour de deux grandes glacières ; la bière coulait déjà à flots.

Il n'est pas d'endroit plus agréable au printemps que le parc d'une université, songea Ray en cherchant autour du terrain une bonne place pour suivre la rencontre. Des filles en short, une glacière à portée de la main, une atmosphère de fête, des soirées au pied levé : l'été s'annonçait. Il avait quarante-trois ans, il était divorcé et il aurait aimé redevenir étudiant. L'enseignement conserve la jeunesse — tout le monde le disait — et permet de garder de l'énergie ainsi qu'une grande acuité d'esprit. Mais ce dont Ray avait envie, c'était de s'asseoir sur une glacière au milieu des soiffards et de s'occuper des filles.

Derrière l'écran de protection un petit groupe de ses collègues souriait courageusement en regardant l'équipe peu impressionnante des enseignants se mettre en place. Ils étaient nombreux à clopiner ; la moitié d'entre eux portait une genouillère. Ray aperçut Carl Mirk, le vice-doyen de la faculté de droit et son meilleur ami, accoudé à une balustrade, la cravate desserrée, la veste jetée sur l'épaule.

— Notre équipe a piètre allure, lança Ray.

— Attends de les voir jouer, approuva Carl en souriant.

Carl venait de l'Ohio où son père était juge dans une petite ville, un saint local, un patriarche bien entouré. Carl avait pris la fuite, lui aussi, et jurait de ne plus remettre les pieds chez lui.

— J'ai raté le premier match, glissa Ray.

— À se tordre. Dix-sept à zéro à la fin de la deuxième manche.

Le premier coup de batte des étudiants projeta la

balle dans le champ gauche, entre deux adversaires ; un double en perspective. Le temps que les deux professeurs s'élancent vers la balle, tentent de s'en saisir, la poussent du pied en se la disputant et la relancent, le coureur achevait son tour complet.

Le clan des soiffards devint hystérique. Les étudiants installés dans les gradins réclamaient à tue-tête d'autres erreurs.

— Et ça ne va pas s'arranger, affirma Carl.

Il avait raison. Après quelques autres désastres en réception, Ray estima en avoir assez vu.

— Je serai absent en début de semaine prochaine, annonça-t-il pendant un changement de batteur. On me rappelle au pays.

— Je vois que tu brûles d'impatience. Encore un enterrement ?

— Pas tout de suite. Mon père convoque la famille pour parler de sa succession.

— Excuse-moi.

— Je t'en prie. Il n'y a pas grand-chose à partager, pas de pomme de discorde ; ce sera certainement un mauvais moment à passer.

— Ton frère ?

— Je ne sais lequel, de mon frère ou de mon père, sera le plus difficile à supporter.

— J'aurai une pensée pour toi.

— Merci. J'avertirai mes étudiants et je leur donnerai du travail. Ils pourront facilement tout rattraper.

— Quand pars-tu ?

— Samedi. Je devrais être de retour mardi ou mercredi, sauf imprévu.

— Nous t'attendrons. Et j'espère que ces rencontres seront terminées. Une balle roula doucement entre les jambes du lanceur sans qu'il parvienne à la toucher.

— À mon avis, fit Ray, c'est déjà terminé.

Rien ne rendait Ray d'humeur plus massacrante que la perspective de rentrer à Clanton. Il n'y était pas allé depuis plus d'un an et, s'il ne devait jamais y retourner, il ne s'en plaindrait pas.

Il acheta un *burrito* chez un traiteur mexicain et mangea à la terrasse d'un café, près de la patinoire où se réunissait une bande de Goths aux cheveux teints en noir, qui s'amusaient à effrayer les gens normaux. La Grand-rue était devenue une voie piétonne, très agréable, bordée de cafés, de boutiques d'antiquaire et de librairies. Quand il faisait beau, comme c'était souvent le cas, les terrasses des restaurants ne désemplissaient pas de la soirée.

Redevenu célibataire malgré lui, Ray avait quitté son pavillon au charme vieillot pour s'installer dans le centre où la plupart des bâtiments anciens avaient été rénovés et adaptés aux exigences de la vie citadine. Son appartement de six pièces se trouvait au-dessus d'une boutique de tapis persans. Un petit balcon donnait sur la rue piétonne ; une fois par mois au minimum, Ray invitait ses étudiants à manger des lasagnes accompagnées de quelques bouteilles de vin.

La nuit était presque tombée quand il ouvrit la porte de la rue pour monter l'escalier en faisant craquer les marches. Il vivait on ne peut plus seul : ni compagne, ni chien, ni chat, pas même un poisson rouge. Depuis son divorce, il avait rencontré deux femmes qui lui avaient plu, sans essayer de sortir avec elles ; il avait trop peur de revivre une histoire d'amour. Kaley, une étudiante délurée de troisième année lui faisait des avances, mais les défenses de Ray étaient en place. Sa libido était tellement assoupie qu'il avait envisagé de consulter un spécialiste ou de se procurer un remède miracle. En entrant, il alluma les lumières, écouta son répondeur.

Forrest avait appelé, ce qui arrivait rarement, mais il s'y attendait un peu. Son frère, cela lui ressemblait bien, avait juste indiqué son nom sans laisser un numéro où on pouvait le joindre. Ray se fit un thé déthéiné en écoutant un morceau de jazz ; il essayait de gagner du temps en se préparant pour le coup de téléphone qu'il devait donner. Étonnant qu'un appel téléphonique à son frère lui demande un tel effort... Mais chaque conversation avec Forrest lui filait le cafard. Ils n'avaient ni femme ni enfants, rien d'autre en commun qu'un nom et un père.

Ray composa le numéro d'Ellie, à Memphis. Le téléphone sonna longtemps avant qu'elle décroche.

— Bonjour, Ellie, fit-il d'une voix joviale. Ray Atlee à l'appareil.

— Oh ! grogna-t-elle, comme s'il avait déjà appelé une demi-douzaine de fois. Il n'est pas là.

Ça baigne, Ellie, et vous ? Merci de demander de mes nouvelles. Ça fait plaisir d'entendre votre voix. Quel temps fait-il chez vous ?

— Il voulait que je le rappelle, expliqua Ray.

— Je vous l'ai dit, il n'est pas là.

— J'avais entendu. Avez-vous un autre numéro ?

— Pour quoi faire ?

— Pour appeler Forrest. C'est encore à ce numéro que j'ai les meilleures chances de le joindre ?

— Sans doute. Il est ici la plupart du temps.

— Ayez la gentillesse de lui dire que j'ai appelé.

Ellie et Forrest s'étaient rencontrés en cure de désintoxication, elle pour l'alcool, lui pour une quantité de substances illégales. À l'époque, elle pesait quarante-cinq kilos et prétendait n'avoir rien absorbé d'autre que de la vodka pendant la majeure partie de sa vie d'adulte. Elle s'en était sortie, avait dit adieu à la vodka, triplé son poids et embarqué Forrest en prime. Plus une mère qu'une compagne, elle avait fini par lui donner une chambre au sous-sol de sa maison de famille, une sinistre bâtisse de style victorien, près du centre de Memphis.

Ray avait encore le combiné à la main quand la sonnerie retentit.

— Salut, mon grand ! lança Forrest. Tu as appelé ?

— Je t'ai rappelé, pour être précis. Comment vas-tu ?

— J'allais plutôt bien jusqu'à ce que je reçoive une lettre du paternel. Tu en as eu une aussi ?

— Elle est arrivée ce matin.

— Il se croit encore juge et nous prend pour des pères indignes. Tu ne crois pas ?

— Il sera toujours le Juge, Forrest. Tu lui as parlé ?

Un ricanement de mépris, puis un silence.

— Je ne lui ai pas parlé au téléphone depuis deux ans et je n'ai pas mis les pieds à la maison depuis je ne sais combien d'années. Je ne suis même pas sûr d'y aller dimanche.

— Tu iras.

— Tu as des nouvelles de lui ?

— Je l'ai eu au téléphone il y a trois semaines. C'est moi qui ai appelé. Il avait l'air mal en point, Forrest ; à mon avis, il ne fera pas de vieux os. Je pense que tu devrais sérieusement envisager…

— Ne commence pas, Ray. Je ne veux pas de leçon de morale.

Il y eut un blanc, un moment de silence pesant pendant lequel chacun prit une longue inspiration. Issu d'une famille en vue, accro à toutes sortes de drogues, Forrest avait toujours été sermonné, chapitré, accablé de conseils dont il n'avait que faire.

— Excuse-moi, reprit Ray. J'y serai dimanche. Et toi ?

— Je suppose.

— Tu ne prends rien en ce moment ?

Une question indiscrète, mais devenue aussi banale que : « Il fait beau ? » La réponse de Forrest était toujours précise, sans détour.

— Cent trente-neuf jours, mon grand.

— Merveilleux.

Pas tant que ça. Chaque journée sans drogue était un soulagement, mais compter encore les jours au bout de vingt ans avait quelque chose de démoralisant.

— Et j'ai un boulot, ajouta fièrement Forrest.

— Génial. Quel genre de boulot ?

— Je fais le rabatteur pour des avocats, une bande de jean-foutre qui font leur publicité sur le câble et traînent devant les hôpitaux en quête de victimes d'accidents. Je fournis les clients et je touche un pourcentage.

Difficile de s'enthousiasmer pour une activité aussi minable, mais, pour Forrest, n'importe quel boulot était bon à prendre. Il avait été prêteur de caution, huissier, agent de recouvrement, convoyeur de fonds, enquêteur et avait, à un moment ou à un autre de son existence, tâté de tous les emplois subalternes de la profession juridique.

— Pas mal, fit Ray.

Quand Forrest se lança dans le récit d'une échauffourée dans la salle des urgences d'un hôpital, Ray commença à décrocher. Son frère avait aussi travaillé comme videur dans une boîte de strip-tease, une vocation de courte durée : il s'était fait tabasser deux fois dans la même soirée. Il avait passé une année entière à sillonner le Mexique avec une Harley-Davidson flambant neuve, restant on ne peut plus vague sur le financement du voyage. Il avait également essayé de faire de l'intimidation pour le compte d'un usurier de Memphis, mais la violence n'était décidément pas son fort.

Jamais Forrest n'avait été tenté par un travail honnête ; à sa décharge, son casier judiciaire. Deux condamnations pour des affaires de stupéfiants, toutes deux avant l'âge de vingt ans mais qui restaient comme des taches indélébiles.

— Tu vas l'appeler ? demanda brusquement Forrest.

— Non, répondit Ray, je le verrai dimanche.

— À quelle heure penses-tu arriver à Clanton ?

— Je ne sais pas. Vers 5 heures, j'imagine. Et toi ?

— Dieu le père a dit 5 heures, c'est ça ?

— C'est ça.

— Alors, je pense arriver un peu après 5 heures. Salut, mon grand.

Ray tourna une heure autour du téléphone ; il allait appeler son père juste pour dire bonjour. Puis il se dit qu'il pourrait aussi bien le faire le dimanche et de vive voix. Le Juge détestait le téléphone, surtout quand il sonnait le soir et troublait sa solitude. Le plus souvent, il ne répondait même pas ; s'il décrochait, il était si brusque et bourru qu'on regrettait d'avoir appelé.

Il serait vêtu comme d'habitude d'un pantalon noir et d'une chemise blanche parsemée de petits trous de cendres de tabac tombées de sa pipe. D'une chemise empesée, comme il en avait toujours porté. Pour lui, quel que fût le nombre de taches et de brûlures, une bonne chemise en coton devait durer dix ans ; il les faisait nettoyer et empeser toutes les semaines chez Mabe, la blanchisserie de la grand-place. La cravate, aussi vieille que la chemise, était un imprimé aux couleurs ternes. Les bretelles avaient toujours été bleu marine.

Il n'attendrait pas ses fils sous le porche de la demeure familiale mais serait à son bureau, sous le portrait du général Forrest. Il voudrait leur faire croire qu'il avait du travail, même un dimanche après-midi, et que leur venue n'était pas si importante que ça.

4.

Le trajet jusqu'à Clanton prenait quinze heures, un peu plus un peu moins selon le nombre de poids lourds sur les voies à grande circulation et les encombrements à la périphérie des villes. On pouvait le faire en une journée si on était pressé ; Ray ne l'était pas.

Il jeta un sac contenant quelques affaires dans le coffre de son cabriolet Audi TT, une décapotable à deux places qu'il avait depuis moins d'une semaine et quitta Charlottesville sans prévenir personne. Qui se souciait de ce qu'il faisait ? Il avait décidé, dans la mesure du possible, de respecter les limites de vitesse et de ne pas prendre les voies à grande circulation. Il s'était fixé un objectif : éviter toutes les banlieues. Des cartes étaient disposées sur le siège de cuir du passager, avec un thermos de café fort, trois havanes et une bouteille d'eau minérale.

Après avoir roulé quelques minutes vers l'ouest, il s'engagea sur la route touristique des Montagnes bleues et prit la direction du sud en suivant la voie qui serpentait sur les contreforts. L'Audi TT était un modèle 2000, mis en circulation depuis peu. En découvrant une publicité pour cette nouvelle voiture de sport, Ray s'était précipité chez le concessionnaire pour être le premier à en commander une. Il n'en avait pas encore vu d'autre, mais le vendeur lui avait assuré qu'elle aurait du succès.

Il s'arrêta à un point de vue pour décapoter la voiture. Il alluma un cigare, se versa un gobelet de café et reprit la route en respectant la vitesse imposée de soixante-dix kilomètres à l'heure. Même à cette allure, Clanton se rapprochait d'une manière inquiétante.

Quatre heures plus tard, en quête d'une station-service, Ray se trouva arrêté à un feu rouge, dans la rue principale d'une petite ville de Caroline du Nord. Trois avocats passèrent près de lui ; ils parlaient tous en même temps et portaient des serviettes râpées, couvertes d'éraflures, en aussi piteux état que leurs chaussures. Sur sa gauche il vit un tribunal. Il tourna la tête de l'autre côté pour suivre du regard les avocats qui entraient dans un petit restaurant. Il ressentit une faim pressante, une brusque envie de nourriture, mais aussi de voix humaines.

Ils étaient installés à une petite table, près de la vitre, et continuaient de discuter en remuant leur café. Ray prit place à une table voisine et commanda un sandwich mixte à la serveuse, une femme entre deux âges. Un thé glacé et un sandwich ; elle nota scrupuleusement la commande. Le cuisinier doit être encore plus vieux qu'elle, se dit Ray.

Les avocats avaient passé toute la matinée au tribunal, à pinailler à propos d'un terrain en pleine montagne. Le terrain avait été vendu, une plainte déposée ; ils en étaient au procès. Ils avaient présenté des témoins, cité des précédents au juge, contesté tout ce que disait la partie adverse et s'étaient assez échauffés pour éprouver le besoin de souffler.

Caché derrière un journal qu'il faisait semblant de lire, Ray ne perdait pas un mot de leur conversation. Voilà ce que mon père aurait voulu que je fasse, faillit-il dire à voix haute.

Le juge Reuben Atlee rêvait de voir ses deux fils

achever leurs études de droit et revenir s'installer à Clanton. Il aurait mis fin à ses fonctions pour ouvrir avec eux un cabinet sur la grand-place et y exercer leur honorable profession. Il leur aurait appris à bien se comporter, comme des avocats respectables, des avocats de campagne.

Des avocats fauchés, de l'avis de Ray. Comme toutes les petites villes du Sud, Clanton grouillait d'avocats. Ils s'entassaient dans quelques immeubles de bureaux, en face du tribunal. Ils occupaient les postes clés dans la politique locale et la banque, les associations et les conseils d'administration des établissements scolaires, jusqu'aux conseils de paroisse et aux équipes de baseball des plus jeunes catégories d'âge. Quelle aurait été sa place là-dedans ?

Quand il était étudiant, Ray avait travaillé comme stagiaire pendant les vacances d'été, pour aider son père. Sans être payé, comme de juste. Il connaissait tous les avocats de Clanton. D'honnêtes gens dans l'ensemble ; ils étaient trop nombreux, tout simplement.

Forrest ayant mal tourné dès sa jeunesse, il lui avait été d'autant plus difficile de résister au Juge qui faisait pression pour l'entraîner dans une vie de misère distinguée. Il avait tenu bon et, dès la fin de sa première année de droit, s'était promis de ne pas rester à Clanton. Il lui avait fallu une autre année pour trouver le courage de l'annoncer à son père, qui ne lui avait plus adressé la parole pendant huit mois. Quand Ray avait décroché son diplôme, Forrest était en prison. Arrivé en retard à la cérémonie de remise des diplômes, le Juge avait pris place au dernier rang et était parti avant la fin. Le père et le fils ne s'étaient réconciliés qu'après la première crise cardiaque.

L'argent n'était pas la principale raison qui avait poussé Ray à s'éloigner de Clanton. Si le cabinet Atlee & Atlee n'avait jamais vu le jour, c'est qu'il ne voulait à aucun prix rester dans l'ombre de celui qui aurait été l'associé principal.

Le juge Atlee était une grande figure dans une petite ville.

Ray trouva de l'essence à la sortie de l'agglomération et reprit la route touristique serpentant à flanc de colline. Il respectait la limite de vitesse, roulait même parfois au-dessous. Il s'arrêtait aux points de vue pour admirer le paysage. Il étudiait ses cartes pour éviter les grandes villes. Toutes les routes, à un moment ou à un autre, conduisaient au Mississippi.

Près de la frontière de la Caroline du Nord il trouva un vieux motel ; un panneau tordu, aux bords rongés par la rouille proposait des chambres propres, climatisées, équipées de la télévision par câble pour vingt-neuf dollars et quatre-vingt-dix-neuf cents. L'inflation avait suivi l'arrivée du câble : le prix de la chambre était monté à quarante dollars. À côté se trouvait un café ouvert jour et nuit où Ray faillit s'étouffer avec les boulettes de pâte, la spécialité du soir. Après le dîner, il alla s'asseoir sur un banc, devant le motel, et fuma un cigare en regardant passer les rares voitures.

En face, à une centaine de mètres, s'étendait un drive-in abandonné. L'auvent s'était effondré ; des plantes grimpantes et des herbes folles le recouvraient. Le grand écran et la clôture étaient dans le même état pitoyable.

Il y avait eu un cinéma de plein air semblable à Clanton, à l'entrée de la ville, en bordure de la route principale. Il appartenait à une chaîne établie dans le Nord et proposait l'assortiment habituel de comédies faciles, de films d'horreur et de kung-fu qui attiraient la jeunesse du coin et alimentaient les prêches des pasteurs. En 1970, les pontes établis dans le Nord avaient décidé de polluer un peu plus le Sud en diffusant des films cochons.

La pornographie, comme tout le bon et le mauvais,

avait fait une entrée tardive dans l'État du Mississippi. Quand le cinéma de plein air annonça la projection du film *The Cheerleaders*, les automobilistes de passage n'y prêtèrent aucune attention. Quand on précisa qu'il était classé X, les voitures s'arrêtèrent en nombre et des discussions passionnées s'engagèrent dans les cafés de la grand-place. La première projection eut lieu un lundi soir, devant un public restreint, partagé entre la curiosité et l'impatience. Les critiques ayant été favorables, des groupes d'adolescents munis pour la plupart de jumelles se postèrent dès le lendemain soir dans les bois alentour. Ils en revinrent abasourdis. Après la réunion de prière du mercredi soir, les pasteurs s'organisèrent et lancèrent une contre-attaque caractérisée par la contrainte brutale plus que par la finesse tactique.

À l'exemple des manifestants pour le respect des droits civiques, une engeance pour laquelle ils n'éprouvaient aucune sympathie, les ministres du culte avaient conduit leurs ouailles sur la route, jusqu'au drive-in, en brandissant des pancartes et en chantant des hymnes à pleine gorge tout en relevant ostensiblement le numéro d'immatriculation des voitures essayant d'entrer.

Le coup d'arrêt fut brutal. Les exploitants du cinéma déposèrent une plainte. Les représentants de l'Église firent de même et tout cela se termina logiquement dans la salle d'audience du juge Reuben V. Atlee, membre depuis l'enfance de l'Église presbytérienne, descendant des Atlee bâtisseurs du sanctuaire et qui, depuis trois décennies, assurait tous les dimanches dans le réfectoire en sous-sol de l'église le cours d'instruction religieuse donné à des vieilles bigotes.

L'audience s'étendit sur trois jours. Comme personne ne voulait défendre les exploitants, ils se firent représenter par un gros cabinet de Jackson. Une douzaine d'avocats locaux plaidaient contre la projection du film, pour le compte des ministres du culte.

Dix ans plus tard, quand il faisait son droit à Tulane,

Ray avait étudié l'ordonnance rendue par son père dans cette affaire. Conformément aux précédents des tribunaux fédéraux, la décision du juge Atlee protégeait les droits des protestataires avec certaines restrictions. Citant un jugement récent de la Cour suprême dans une affaire d'outrage à la pudeur, il ajoutait que la projection du film pouvait se poursuivre.

Sur le plan judiciaire, sa décision était irréprochable ; sur le plan politique, c'était un fiasco. Elle suscita une levée de boucliers. Le téléphone sonnait la nuit, des menaces anonymes étaient proférées. Les pasteurs montèrent en chaire pour accuser Reuben Atlee de trahison et lui promettre une déroute lors de la prochaine élection.

Le *Clanton Chronicle* et le *Ford County Times* furent submergés par un flot de lettres vilipendant le juge Atlee qui laissait des images obscènes souiller leur communauté sans tache. Quand le Juge en eut assez de toutes les critiques, il décida de s'expliquer en public. Il choisit l'heure et le lieu, un dimanche matin dans l'église presbytérienne. Comme toujours à Clanton, la nouvelle se répandit comme une traînée de poudre. Devant une nombreuse assemblée le Juge descendit l'allée centrale d'une démarche assurée ; il monta du même pas tranquille l'escalier de la chaire. Il mesurait plus d'un mètre quatre-vingts, il était massif, son complet noir lui conférait un air dominateur. « Un juge qui compte les suffrages avant un procès devrait brûler sa robe et quitter le comté où il exerce », commença-t-il d'une voix grave.

Rencognés au balcon, Ray et Forrest avaient toutes les peines du monde à retenir leurs larmes. Ils avaient supplié leur père de les dispenser de cette épreuve ; il avait répliqué qu'il n'était tolérable, en aucune circonstance, de manquer l'office.

Devant ce public de profanes Reuben Atlee expliqua qu'un juge, quelles que soient ses opinions et ses convictions personnelles, est tenu de se conformer aux précédents judiciaires, qu'un bon juge suit la loi alors qu'un juge faible suit la foule. Un juge faible recherche les voix des électeurs, puis il crie au scandale quand on fait appel de ses décisions peu courageuses devant une juridiction supérieure.

« Vous pouvez penser de moi ce que vous voulez, conclut-il devant la foule silencieuse, mais je ne suis pas un lâche. »

Ces paroles résonnaient encore dans la tête de Ray, il revoyait la haute silhouette de son père, seul sur la tribune, tel un colosse.

Au bout d'une semaine, les manifestants se lassèrent, la projection du film pornographique se poursuivit. Puis le kung-fu revint en force et tout le monde fut content. Deux ans plus tard, le juge Atlee fut réélu dans le comté de Ford avec quatre-vingts pour cent des suffrages.

D'une chiquenaude, Ray envoya son cigare au pied d'un arbuste et rentra dans sa chambre. La nuit était douce. Il ouvrit la fenêtre et s'endormit en écoutant passer les voitures dont les bruits de moteur se perdaient dans les collines.

5.

Chaque rue avait son histoire, chaque bâtiment évoquait un souvenir. Ceux qui ont eu la chance de vivre une enfance merveilleuse peuvent parcourir les rues de leur ville natale en se projetant dans leur passé heureux. Les autres y reviennent par devoir et ont hâte de repartir. Au bout d'un quart d'heure, Ray n'avait qu'une envie : quitter Clanton.

La ville avait changé, mais pas tant que cela. Le long des principales voies d'accès, les constructions bon marché et les mobile homes se pressaient les uns contre les autres, le plus près possible de la route pour avoir la meilleure visibilité. Clanton n'avait pas de plan d'occupation des sols. Un propriétaire pouvait construire tout ce qu'il voulait sans permis, sans inspection, sans certificat d'urbanisme, sans en informer ses voisins, sans rien. Des autorisations administratives n'étaient nécessaires que pour les élevages de porcs et les réacteurs nucléaires. Le résultat était un amoncellement sordide qui, d'année en année, devenait plus repoussant.

Dans les quartiers anciens, près de la grand-place, rien n'avait changé. Les longues rues ombragées étaient aussi bien entretenues qu'à l'époque où Ray les sillonnait sur son vélo. La plupart des maisons appartenaient encore à des gens qu'il avait connus. Certains avaient disparu, mais les nouveaux propriétaires tondaient les pelouses et peignaient les volets comme avant. Quelques-unes seulement étaient négligées, deux ou trois abandonnées.

Au cœur du Sud profondément religieux une règle tacite voulait qu'on ne fasse pas grand-chose d'autre le dimanche qu'aller à l'église, s'asseoir sous le porche de sa maison, rendre visite à des voisins et se reposer comme le Seigneur l'avait décidé.

Le ciel était nuageux, la température douce pour un mois de mai ; en parcourant son ancien territoire pour tuer le temps avant l'heure du rendez-vous, Ray laissa quelques bons souvenirs remonter à sa mémoire. Il y avait le stade Dizzy Dean où il avait joué au base-ball dans les équipes de jeunes des Pirates et la piscine municipale où il avait nagé tous les étés, sauf en 1969, quand les autorités avaient préféré la fermer plutôt que d'admettre des enfants de couleur. Il y avait les églises — baptiste, méthodiste, presbytérienne — qui se faisaient face à l'intersection de la 2e Rue et de Elm Street, comme des sentinelles sur le qui-vive, et dont les flèches rivalisaient de hauteur. Elles étaient vides mais, une heure plus tard, les plus pieux des paroissiens assisteraient à l'office du soir.

La grand-place était aussi déserte que les rues qui y aboutissaient. Avec ses huit mille habitants, Clanton était juste assez peuplé pour attirer les hypermarchés qui avaient détruit tant de petites villes. La population était pourtant restée fidèle aux commerçants du centre-ville ; il n'y avait par miracle pas un seul bâtiment inoccupé sur le pourtour de la place. Les commerces de détail se mêlaient aux banques, aux cabinets juridiques et aux cafés, tous fermés en ce dimanche après-midi.

Ray traversa le cimetière en parcourant du regard la section où étaient inhumés les Atlee, dans la partie ancienne, où les sépultures avaient de plus nobles proportions. Certains de ses ancêtres avaient fait construire des monuments pour leurs défunts. Ray avait toujours supposé que l'argent de la famille dont il n'avait pas vu la couleur était enseveli dans ces tombeaux. Il s'arrêta devant la tombe de sa mère, ce qu'il n'avait pas fait depuis des années. Elle était enterrée avec les Atlee, en bordure de la concession familiale ; elle avait toujours été une pièce rapportée.

Bientôt, dans moins d'une heure, il serait assis dans le bureau du Juge, une tasse de thé insipide à la main, écoutant son père lui donner des instructions précises sur la manière dont il souhaitait être porté en terre. Il y aurait des directives et des instructions en nombre ; le Juge était un grand homme qui attachait la plus grande importance à la manière dont il resterait dans la mémoire de la postérité.

Ray repartit et passa devant le château d'eau qu'il avait escaladé à deux reprises ; la seconde fois, la police l'attendait en bas. Il sourit en voyant son lycée, où il n'avait pas remis les pieds depuis la fin de ses études secondaires. Derrière se trouvait le terrain de football où Forrest se jouait de ses adversaires ; son frère avait failli devenir une célébrité locale avant de se faire virer de l'équipe.

Il était 16 h 40, ce dimanche 7 mai. Bientôt l'heure de la réunion de famille.

Il n'y avait aucun signe de vie à Maple Run. La pelouse de l'entrée était fraîchement tondue, la vieille Lincoln noire du Juge garée sur le derrière ; à part cela, rien ne laissait supposer que quelqu'un eût vécu dans cette maison depuis des années.

La façade était dominée par quatre colonnes trapues soutenant un portique. Peintes en blanc à l'époque où Ray vivait à Maple Run, ces colonnes, maintenant recouvertes de lierre et de plantes grimpantes, étaient couronnées par une glycine au feuillage luxuriant qui courait le long du toit. Les allées, les parterres, les arbustes, tout était envahi et étouffé par les mauvaises herbes.

Les souvenirs affluaient, comme à chaque visite, tandis que Ray remontait lentement l'allée en secouant la tête devant l'état pitoyable de la belle demeure tombée en décrépitude. Et un sentiment de culpabilité revenait le hanter. Il aurait dû rester, il aurait dû s'associer avec son père et fonder le cabinet Atlee & Atlee, épouser une jeune fille du pays et engendrer une demi-douzaine de descendants qui auraient vécu à Maple Run en réchauffant les vieux jours du Juge.

Ray claqua sa portière aussi fort que possible, dans l'espoir d'alerter quiconque aurait besoin d'être alerté, mais elle ne produisit qu'un bruit assourdi. La maison la plus proche, à l'est, était occupée par des vieilles filles, une lignée condamnée à s'éteindre depuis des décennies. C'était aussi une construction ancienne, sans les plantes grimpantes ni les mauvaises herbes, plongée dans l'ombre de cinq des plus gros chênes de Clanton.

Les marches et le porche avaient été nettoyés récemment, comme en témoignait un balai posé contre le mur. Le Juge refusait de fermer la maison à clé ; comme il refusait aussi la climatisation, portes et fenêtres restaient ouvertes jour et nuit.

Ray respira un grand coup et poussa la porte qui alla heurter bruyamment le butoir. Il entra, attendit que l'odeur, quelle qu'elle soit, lui monte aux narines. Le Juge avait longtemps vécu avec un vieux chat qui avait pris de mauvaises habitudes et empestait la maison. Le chat était mort ; l'odeur, cette fois, n'avait rien de désagréable. L'air était chaud, chargé de poussière et d'effluves de tabac à pipe.

— Il y a quelqu'un ? lança Ray sans hausser la voix.

Pas de réponse.

Le vestibule, comme le reste de la maison, était utilisé pour entreposer les cartons remplis de vieux dossiers et de paperasses dont le Juge n'avait jamais pu se séparer. Ils étaient là depuis qu'on l'avait chassé du tribunal. Ray jeta un coup d'œil sur sa droite, dans la salle à manger où rien n'avait changé depuis quarante ans, avant de tourner dans le couloir encombré lui aussi de cartons. Quelques pas silencieux et il passa la tête dans l'embrasure de la porte du bureau.

Le Juge se reposait sur le canapé.

Ray repartit aussitôt vers la cuisine où il constata avec étonnement qu'il n'y avait, contrairement à l'habitude, ni vaisselle sale dans l'évier ni bazar sur le plan de travail. Il prit un soda light dans le réfrigérateur et s'assit à la table en se demandant s'il valait mieux réveiller son père ou bien retarder l'inéluctable. Le Juge était malade et avait besoin de se reposer. Ray sirota sa boisson en regardant la grande aiguille de la pendule murale se rapprocher lentement de la verticale.

Forrest viendrait, il en avait la conviction ; la réunion était trop importante. Son frère n'avait jamais été à l'heure de sa vie. Il refusait de porter une montre, prétendait ne jamais savoir quel jour on était et la plupart des gens le croyaient.

Quand les aiguilles de la pendule marquèrent 5 heures, Ray estima avoir assez attendu. Il avait fait un long trajet et voulait passer aux affaires sérieuses. En entrant dans le bureau, il constata que son père n'avait pas bougé. Il demeura indécis une ou deux minutes : il n'osait pas le réveiller et, en même temps, il avait le sentiment d'être un intrus.

Le Juge portait le pantalon noir et la chemise blanche empesée que Ray avait toujours vus sur lui. Des bretelles bleu marine, pas de cravate, des chaussettes et des chaussures noires. Il avait perdu du poids et flottait dans ses vêtements. Son visage émacié était exsangue, ses cheveux clairsemés lissés en arrière. Les mains croisées sur son ventre étaient presque aussi blanches que la chemise.

À côté des mains, attaché à sa ceinture, Ray remarqua un petit sac blanc en plastique. Il s'approcha, sans faire de bruit, pour mieux voir. C'était un sachet de morphine.

Il ferma les yeux un moment, fit du regard le tour de la pièce. Sur le bureau à cylindre, toujours au même endroit, sous le portrait de Nathan Bedford Forrest, la vieille Underwood était à sa place habituelle, à côté d'une pile de papiers. Contre un autre mur se trouvait le grand bureau d'acajou légué par l'ancêtre qui avait combattu sous les ordres du général sudiste.

Au centre de cette pièce où le temps semblait s'être arrêté, Ray commençait à comprendre que son père ne respirait plus. Son esprit s'imprégnait lentement de la réalité. Il toussota : pas la plus petite réaction. Il se pencha pour prendre le poignet gauche du Juge : pas de pouls.

Le juge Reuben V. Atlee était mort.

6.

Il y avait dans un coin un vieux fauteuil en osier avec un coussin lacéré et une couverture effrangée sur le dossier ; personne d'autre que le chat ne l'avait jamais utilisé. Comme c'était le siège le plus proche, Ray se laissa tomber dans le fauteuil. Il y demeura un long moment immobile, les yeux rivés sur le canapé, attendant que son père recommence à respirer, qu'il se réveille, se mette sur son séant et prenne les choses en main en posant la question : « Où est Forrest ? »

Mais le Juge était sans vie. Il n'y avait pas d'autre respiration que le souffle saccadé de Ray, qui s'efforçait de rester maître de lui. La maison était silencieuse, l'atmosphère de plus en plus lourde. Il regarda les mains toutes pâles, paisiblement croisées, attendant qu'elles remuent aussi peu que ce soit. Juste un frémissement, très lent, tandis que le sang recommençait à circuler, que les poumons s'emplissaient d'air et se vidaient. Rien. Son père était raide comme une planche, les mains et les pieds joints, le menton sur la poitrine, comme s'il avait su qu'il allait s'endormir du sommeil éternel. Ses lèvres fermées ébauchaient un sourire ; la drogue puissante avait chassé la douleur.

Ray commençait à reprendre ses esprits et les questions se bousculaient. Depuis combien de temps était-il mort ? Le cancer avait-il eu raison de lui ou bien avait-il abusé de la morphine ? Cela faisait-il une différence ? Était-ce une mise en scène pour ses fils ? Que pouvait bien fabriquer Forrest ? De toute façon, il ne lui serait d'aucun secours.

Seul avec son père pour la dernière fois, Ray refoula ses larmes et s'efforça de repousser les douloureuses questions de circonstance. Pourquoi ne suis-je pas venu plus tôt et surtout plus souvent ? Pourquoi n'ai-je pas écrit ou téléphoné ? La liste pouvait s'allonger indéfiniment.

Il se décida enfin à bouger. Il s'agenouilla lentement devant le canapé, posa la tête sur la poitrine du Juge, murmura : « Je t'aime, papa », et marmonna une courte prière. Quand il se releva, il avait les yeux embués de larmes ; il s'en voulut. Le petit frère n'allait pas tarder à arriver et il tenait à maîtriser la situation sans montrer ses émotions.

Il s'approcha du bureau d'acajou où se trouvaient un cendrier et deux pipes. L'une vide, le fourneau de l'autre plein de tabac fumé depuis peu. Ray eut l'impression, sans en être certain, qu'il était encore tiède. Il se représenta le Juge, la pipe à la bouche, en train de ranger ses papiers à l'intention de ses fils. Quand il avait ressenti la douleur, il s'était étendu sur le canapé ; il avait pris de cette morphine qui le soulageait et s'était laissé glisser dans le sommeil.

À côté de la machine à écrire se trouvait une enveloppe à en-tête sur laquelle le Juge avait tapé : *Dernières volontés de Reuben V. Atlee*. Au-dessous figurait la date de la veille, le 6 mai 2000. Ray sortit du bureau en emportant l'enveloppe. Il prit un autre soda dans le réfrigérateur et s'installa dans la balancelle du porche pour attendre Forrest.

Fallait-il appeler les pompes funèbres pour faire transporter le corps du Juge avant l'arrivée de son frère ? Il s'interrogea longuement avant de se décider à prendre connaissance du testament. C'était un document d'une seule page, sans surprise.

Il allait attendre jusqu'à 18 heures ; si Forrest n'était pas arrivé, il appellerait les pompes funèbres.

Le Juge était encore mort quand Ray revint dans le bureau ; il n'y avait pas à s'en étonner. Il replaça l'enveloppe à côté de la machine à écrire et commença à fourrager dans les papiers, ce qui lui fit un drôle d'effet. Il savait pourtant qu'il serait l'exécuteur testamentaire de son père et qu'il lui faudrait se charger de la paperasse. À lui de faire l'inventaire de la succession, de payer les factures, de faire homologuer le partage des biens et de liquider la succession. Les deux frères se partageraient par moitié les derniers vestiges de la fortune des Atlee ; tout serait clair, relativement simple.

En surveillant l'heure, Ray fureta dans le bureau sous le regard vigilant du général Forrest. Il ne faisait pas de bruit pour ne pas déranger son père. Les tiroirs du bureau à cylindre étaient bourrés de papier à lettres ; il y avait une pile de courrier en attente sur le bureau d'acajou.

Le mur du canapé était couvert de rayonnages remplis de traités de droit que personne n'avait touchés depuis une éternité. À en croire la tradition familiale, jamais mise en question avant la venue de Forrest, les étagères en noyer massif avaient été offertes à la fin du XIXe siècle par un meurtrier que le grand-père du Juge avait fait remettre en liberté. Elles reposaient sur un meuble bas en noyer également, muni de six portes et utilisé comme rangement. Le canapé se trouvait devant le meuble, le cachant presque entièrement ; Ray n'avait jamais regardé ce qu'il contenait.

Une des portes était ouverte : il distingua une pile de cartons vert foncé. Il les connaissait depuis toujours. Ils provenaient de chez Blake & Son, une vieille imprimerie familiale de Memphis chez qui la quasi-totalité des avocats et des juges de l'État se fournissait de temps immémorial. Ray s'accroupit, passa derrière le canapé pour mieux voir. Les étagères étaient sombres.

Un carton sans couvercle se trouvait juste dans l'ouverture de la porte, quelques centimètres au-dessus du sol. Il n'était pas rempli d'enveloppes, mais de billets de banque, des billets de cent dollars. Il y en avait des centaines dans ce carton large de trente centimètres, long de quarante-cinq et haut d'une douzaine. Ray le souleva : il était lourd. Plusieurs dizaines d'autres étaient soigneusement rangés dans les profondeurs du meuble.

Il sortit un deuxième carton rempli, lui aussi, de billets de cent dollars. Pareil pour le suivant. Dans le quatrième, les billets réunis en liasses étaient entourés de bandes de papier jaune portant l'inscription « $2 000 ». Il compta cinquante-trois liasses.

Cent six mille dollars.

Ray longea l'arrière du canapé à quatre pattes en prenant soin de ne rien toucher et de ne pas déranger son père. Il ouvrit les cinq autres portes du meuble ; il y avait une vingtaine de cartons vert foncé de chez Blake & Son.

Il se remit debout, quitta le bureau, traversa le vestibule et sortit prendre l'air sous le porche. La tête lui tournait. Quand il s'assit sur la première marche, une grosse goutte de sueur coula le long de son nez et tomba sur son pantalon.

Même s'il n'avait pas les idées tout à fait claires, Ray était capable de faire un peu de calcul mental. En supposant qu'il y eût vingt cartons contenant chacun cent mille dollars au bas mot, le magot dépassait largement ce que le Juge avait amassé en trente-deux ans de carrière. Sa fonction de magistrat avait occupé tout son temps et il n'avait pas touché grand-chose depuis qu'il avait été chassé de sa place.

Ce n'était pas un joueur et Ray ne pensait pas qu'il eût jamais acheté une seule action.

En entendant le bruit d'une voiture qui approchait, Ray sursauta, craignant que ce ne soit Forrest. Le véhicule passa ; Ray se dressa d'un bond et repartit dans le bureau. Il souleva un pied du canapé pour avancer le meuble d'une quinzaine de centimètres et l'écarter des rayonnages, puis fit de même de l'autre côté. Il s'agenouilla et entreprit de retirer du meuble tous les cartons Blake & Son. Quand il en eut cinq, il les transporta au fond de la cuisine, dans le réduit où Irene, la bonne, rangeait ses balais et ses serpillières. Les balais et les serpillières s'y trouvaient encore ; à l'évidence, personne n'y avait touché depuis la mort d'Irene. Ray enleva quelques toiles d'araignée, puis il posa les cartons par terre. Le réduit n'avait pas de fenêtres et on ne le voyait pas de la cuisine.

Après s'être assuré à la fenêtre de la salle à manger qu'il n'y avait aucune voiture en vue, Ray fila dans le bureau, empila sept cartons et les transporta dans le placard à balais. Un autre coup d'œil par la fenêtre, personne dehors, retour au bureau où le Juge reposait sur le canapé. Deux autres allers et retours jusqu'au placard à balais et il avait terminé. Il y avait vingt-sept cartons en tout, cachés dans un endroit où personne ne les trouverait.

Il était près de 18 heures quand Ray sortit prendre son sac de voyage dans la voiture. Il avait besoin d'une chemise et d'un pantalon propres. Tout ce qu'on touchait dans la maison pleine de poussière et de saleté laissait une trace sur les vêtements. Il se lava, trouva une serviette de toilette dans la salle de bains du rez-de-chaussée. Puis il remit de l'ordre dans le bureau, replaça le canapé et fureta dans toutes les pièces en cherchant d'autres meubles susceptibles de contenir des cartons remplis de billets.

Il était au premier étage, dans la chambre du Juge, où il fouillait dans les placards, quand il entendit le bruit d'une voiture dans la rue. Il descendit l'escalier quatre à quatre et se glissa dans la balancelle au moment où Forrest se garait derrière son Audi. Il respira profondément, essayant de calmer les battements de son cœur.

La mort de son père d'abord, la découverte du magot ensuite l'avaient secoué.

Forrest monta les marches, aussi lentement que possible, les mains enfoncées dans les poches de son pantalon blanc de peintre. Il était chaussé de boots en cuir noir avec des lacets vert fluo. Jamais le même look.

— Forrest, fit Ray à mi-voix.

Forrest se tourna vers la balancelle.

— Salut, mon grand.

— Il est mort.

Forrest s'immobilisa ; il regarda attentivement son frère, puis tourna la tête vers la rue. Il portait un vieux blazer marron sur un tee-shirt rouge, une combinaison que personne d'autre que lui n'aurait osé tenter. Et cela lui allait bien. Premier esprit libre autoproclamé de Clanton, il avait toujours soigné son aspect pour paraître décontracté, excentrique, dans le vent, branché. Il s'était un peu empâté, mais l'embonpoint aussi lui allait bien. Ses longs cheveux blond roux grisonnaient bien plus vite que ceux de son aîné ; il était coiffé d'une casquette de base-ball cabossée des Cubs.

— Où est-il ? demanda Forrest.

— Dans son bureau.

Forrest ouvrit la porte grillagée ; Ray le suivit.

Le cadet s'arrêta à la porte du bureau, hésitant, semblait-il, sur ce qu'il devait faire. Pendant qu'il regardait son père, sa tête s'inclina légèrement sur le côté, si bien que Ray crut, l'espace d'un instant, qu'il allait s'effondrer. Son petit frère s'efforçait de jouer les durs, mais, chez lui, les émotions n'étaient jamais loin de la surface.

— Bon Dieu ! murmura Forrest en se dirigeant d'un pas lourd vers le fauteuil en osier où il se laissa tomber. Il continua de regarder le Juge en secouant la tête.

— Il est vraiment mort ? articula-t-il, les mâchoires serrées.

— Oui, Forrest.

Il déglutit, refoula ses larmes, attendit quelques secondes avant de poser une autre question.

— À quelle heure es-tu arrivé ? Assis sur un tabouret, Ray se tourna pour faire face à son frère.

— Vers 5 heures. En entrant dans le bureau, j'ai cru qu'il se reposait, puis j'ai compris qu'il était mort.

— Désolé que ce soit toi qui l'aies trouvé.

— Il fallait bien que quelqu'un le trouve.

— Qu'est-ce qu'on fait maintenant ?

— On appelle les pompes funèbres.

Forrest hocha la tête comme s'il savait que c'était exactement ce qu'on était censé faire en pareil cas. Il se leva lentement, s'avança d'une démarche flageolante vers le canapé pour prendre les mains de son père.

— Il est mort depuis combien de temps ? demanda-t-il d'une voix rauque, cassée.

— Je ne sais pas. Deux ou trois heures.

— Qu'est-ce que c'est que ça ?

— Un sachet de morphine.

— Tu crois qu'il a un peu forcé la dose ?

— J'espère, répondit Ray.

— Nous aurions dû être là.

— Ne commence pas avec ça.

Forrest fit du regard le tour de la pièce, comme s'il la découvrait, puis il s'avança vers le bureau à cylindre, se pencha sur la machine à écrire.

— Maintenant, il n'aura plus besoin d'un ruban neuf.

— C'est vrai, approuva Ray en jetant un coup d'œil en direction des rayonnages, derrière le canapé. Il y a un testament daté d'hier. Si tu veux le lire.

— Qu'est-ce qu'il dit ?

— Nous partageons tout. Je suis l'exécuteur testamentaire.

— Évidemment.

Forrest fit le tour du bureau d'acajou en laissant son regard courir sur les piles de papiers dont il était recouvert.

— Neuf ans que je n'avais pas mis les pieds dans cette maison, fit-il à mi-voix. Un bail.

— Comme tu dis.

— J'étais passé quelques jours après l'élection pour dire que j'étais désolé que les électeurs ne lui aient pas fait confiance. Puis je lui ai demandé de l'argent et nous nous sommes disputés.

— Ne parle pas de ça maintenant.

Les relations conflictuelles entre le Juge et Forrest étaient le sujet d'histoires à n'en plus finir.

— Cet argent, je n'en ai jamais vu la couleur, grommela Forrest en ouvrant un tiroir du bureau. Je suppose qu'il va falloir fouiller dans tous les coins.

— Oui, mais pas maintenant.

— Tu t'en chargeras, Ray. C'est toi l'exécuteur testamentaire, à toi le sale boulot.

— Il faut appeler les pompes funèbres.

— Il faut d'abord que je boive un coup.

— Non, Forrest, je t'en prie !

— Laisse tomber, Ray. Je bois un coup chaque fois que j'en ai envie.

— Tu l'as déjà prouvé mille fois. J'appelle les pompes funèbres et nous irons attendre sous le porche.

Le premier arrivé fut le policier ; jeune, le crâne rasé, il donnait l'impression d'avoir été interrompu dans sa sieste dominicale. Il posa quelques questions devant la maison, entra pour voir le corps. En attendant de remplir les papiers, Ray prépara un thé instantané, abondamment sucré.

— Cause du décès ? demanda le jeune policier.

— Cancer, maladie de cœur, diabète, vieillesse, répondit Ray, installé à côté de son frère dans la balancelle.

— Ça vous suffit ? ajouta Forrest avec insolence.

Si jamais il avait eu du respect pour l'uniforme, ce n'était plus qu'un lointain souvenir.

— Allez-vous demander une autopsie ?

— Non, répondirent-ils en chœur.

Le policier compléta les formulaires et fit signer Ray et Forrest.

— La nouvelle va se répandre comme une traînée de poudre, glissa Ray tandis que la voiture de police s'éloignait.

— Penses-tu ! Pas dans notre jolie petite ville.

— On a de la peine à le croire, mais les gens jasent par ici.

— Je leur ai donné de quoi s'occuper pendant vingt ans.

— On peut le dire.

Ils étaient épaule contre épaule, leur verre vide à la main.

— Alors, demanda Forrest après un silence, qu'est-ce qu'il y a dans la succession ?

— Tu veux voir le testament ?

— Non, dis-moi, juste comme ça.

— Il a fait l'inventaire de ses biens : maison, mobilier, voiture, livres, six mille dollars à la banque.

— C'est tout ?

— C'est tout ce qui y figure, répondit Ray pour éviter de mentir.

— Il y a certainement bien plus d'argent que ça, insista Forrest, prêt à se mettre à fureter partout.

— Il a dû tout distribuer, reprit posément Ray.

— Et sa pension de retraite ?

— Il l'a encaissée quand il a perdu l'élection. Une grave erreur qui lui a coûté des dizaines de milliers de dollars. J'imagine qu'il a donné tout le reste.

— Tu ne vas pas essayer de m'entuber, Ray ?

— Allons, Forrest, nous n'aurons rien à nous disputer.

— Il avait des dettes ?
— Il disait que non.
— Il n'y a rien d'autre ?
— Tu peux lire le testament, si tu veux.
— Pas maintenant.
— Il l'a signé hier.
— Tu crois qu'il avait tout préparé ?
— J'en ai l'impression.

Un fourgon mortuaire des pompes funèbres Magargel s'arrêta devant l'entrée de Maple Run, puis tourna lentement pour descendre l'allée.

Forrest se pencha en avant, les coudes sur les genoux, le visage enfoui entre les mains et se mit à pleurer doucement.

7.

Le corbillard était suivi par le pick-up de Thurber Foreman, le coroner du comté, un Dodge rouge qu'il conduisait depuis que Ray était étudiant. Ensuite venait le révérend Silas Palmer, de la Première Église presbytérienne, un petit Écossais sans âge qui avait baptisé les deux fils Atlee. Forrest s'éclipsa pour se glisser derrière la maison tandis que Ray accueillait les nouveaux arrivants. Ils offrirent leurs condoléances. M. Magargel et le révérend Palmer semblaient au bord des larmes. Thurber Foreman avait vu assez de cadavres dans sa vie ; n'ayant rien à gagner dans cette affaire, il paraissait pour l'instant indifférent.

Ray les conduisit dans le bureau où ils considérèrent respectueusement le corps du juge Atlee, assez longtemps pour que Thurber décide à titre officiel qu'il était décédé. Cela se fit sans une parole, d'un simple mouvement de tête à l'adresse de M. Magargel, une courte inclinaison du menton qui signifiait : « Il est mort. Vous pouvez l'emmener. » L'ordonnateur des pompes funèbres approuva d'un hochement de tête discret, complétant le rite silencieux qu'ils avaient maintes fois accompli de conserve.

Thurber prit une feuille de papier et posa les questions de routine sur l'état civil du défunt. Nom et prénoms, date et lieu de naissance, proches parents. Pour la deuxième fois, Ray refusa une autopsie.

Il sortit du bureau avec le révérend Palmer pour aller s'asseoir à la table de la salle à manger. Le pasteur était beaucoup plus affecté en apparence que le fils du disparu. Il adorait Reuben et affirmait être un ami proche.

Un service mortuaire digne d'un homme de la stature du Juge devait attirer une foule d'amis et d'admirateurs et nécessitait une soigneuse préparation.

— Nous en avons parlé, Reuben et moi, il n'y a pas si longtemps, déclara le révérend d'une voix rauque, sur le point de s'étrangler.

— C'est bien, fit Ray.

— Il a choisi les psaumes et les passages de l'Évangile ; il a même fait la liste de ceux qui porteraient son cercueil.

Ray n'avait pas eu le temps de penser à ce genre de détail. Peut-être cela lui serait-il venu à l'esprit s'il n'avait pas découvert un magot de plusieurs millions de dollars. Les paroles du révérend parvenaient à son cerveau et il en comprenait le sens, mais son esprit en ébullition, incapable de se fixer sur quoi que ce fût, repartait vers le placard à balais. Il sentait l'inquiétude le gagner à l'idée que Thurber et Magargel étaient seuls avec le Juge dans le bureau. Calme-toi, se répéta-t-il, calme-toi.

— Merci, dit-il au pasteur, sincèrement soulagé de savoir que tout était réglé pour la cérémonie.

L'assistant de Magargel entra avec un chariot qu'il poussa dans le vestibule et eut toutes les peines du monde à faire passer par la porte du bureau.

— Il désirait aussi une veillée, glissa le révérend.

La veillée funèbre était une tradition, un prélude nécessaire à un enterrement réussi, surtout pour les gens âgés. Ray acquiesça de la tête.

— Dans sa maison.

— Non, lança Ray. Pas à la maison.

Il attendait avec impatience d'être seul pour explorer

tous les recoins de la maison, dans l'espoir de trouver une autre planque. Et il était préoccupé par ce qu'il avait caché dans le placard à balais. Combien y avait-il ? Faudrait-il longtemps pour compter le tout ? Étaient-ce de vrais billets ou de la fausse monnaie ? D'où venait cet argent ? Qu'en faire ? Où l'emporter ? À qui en parler ? Il avait besoin d'être seul pour réfléchir, essayer d'y voir plus clair, élaborer un plan.

— Votre père y tenait beaucoup, insista Palmer.

— Je regrette, mon révérend. Nous ferons une veillée funèbre, mais pas ici.

— Puis-je savoir pour quelle raison ?

— Ma mère.

Le pasteur hocha la tête en souriant.

— Je me souviens de votre mère.

— On l'avait étendue là-bas, sur la table du petit salon et, pendant deux jours, toute la ville a défilé devant son corps. Je suis resté caché en haut avec mon frère et nous maudissions notre père de nous infliger ce spectacle.

La voix de Ray était ferme, ses yeux étincelaient.

— Nous ne ferons pas la veillée dans cette maison, mon révérend.

La sincérité de Ray était indéniable, mais il avait aussi la volonté de protéger les lieux. Organiser une veillée funèbre à Maple Run c'était faire nettoyer la maison de fond en comble par une entreprise spécialisée, commander la nourriture à un traiteur, faire livrer des fleurs par un fleuriste. Une activité incessante qui commencerait dès le lendemain matin.

— Je comprends, acquiesça le pasteur.

L'assistant de Magargel repartit en tirant le chariot que son patron poussait du bout des doigts. Le corps du Juge était recouvert de la tête aux pieds par un drap blanc amidonné, soigneusement replié sous lui. Thurber fermant la marche du petit cortège, ils suivirent le vestibule, firent franchir la porte d'entrée et descendre les marches au dernier Atlee à avoir vécu à Maple Run.

Une demi-heure plus tard, Forrest fit son apparition. Il tenait un verre haut à moitié rempli d'un liquide ambré qui n'était pas du thé glacé.

— Ils sont partis ? demanda-t-il en tournant la tête vers l'allée.

— Oui, répondit Ray.

Assis sur les marches du porche, il fumait un cigare. Quand Forrest vint prendre place à ses côtés, il perçut aussitôt des effluves caractéristiques du bourbon.

— Où as-tu trouvé ça ?

— Il avait une planque dans sa salle de bains. Tu en veux ?

— Non. Tu connaissais cette planque depuis combien de temps ?

— Trente ans.

Des mots s'arrêtèrent sur le bord des lèvres de Ray. Les innombrables leçons de morale n'avaient visiblement eu aucun effet ; après cent quarante et un jours d'abstinence, Forrest était en train de siroter un bourbon.

— Comment va Ellie ? demanda Ray en tirant longuement sur son cigare.

— Toujours aussi cinglée.

— Je la verrai à l'enterrement ?

— Non. Elle est montée à cent trente kilos. La limite est à soixante-dix. Au-dessous de soixante-dix kilos, elle accepte de sortir ; au-dessus, elle se boucle chez elle.

— Quand est-elle descendue au-dessous de soixante-dix ?

— Il y a trois ou quatre ans. Elle avait trouvé un drôle de médecin qui lui prescrivait de drôles de pilules. Elle est descendue à quarante-cinq kilos. Le charlatan s'est retrouvé derrière les barreaux et elle a repris quatre-vingt-cinq kilos. Cent trente, c'est son maxi.

Elle se pèse tous les jours et flippe chaque fois que l'aiguille dépasse la limite.

— J'ai dit au révérend Palmer que nous ferions une veillée funèbre, mais pas à la maison.

— C'est toi l'exécuteur testamentaire.

— Tu es d'accord ?

— Absolument.

Une lampée de bourbon pour l'un, une longue bouffée de cigare pour l'autre.

— Et cette salope qui t'a laissé tomber comme une vieille chaussette ? Comment s'appelle-t-elle déjà ?

— Vicki.

— C'est ça, Vicki. Je me suis toujours méfié d'elle, même le jour de ton mariage.

— J'aurais dû faire comme toi.

— Elle habite toujours là-bas ?

— Oui. Je l'ai vue la semaine dernière à l'aéroport, descendant de son jet privé.

— Elle a épousé un vieux débris, c'est ça, un pourri de Wall Street ?

— Tout à fait ça. Si nous parlions d'autre chose ?

— C'est toi qui as abordé le sujet des femmes.

— Une erreur à ne pas commettre.

— Alors, parlons d'argent, poursuivit Forrest après une nouvelle gorgée de bourbon. Où est-il ?

Ray tressaillit et son cœur fit un bond dans sa poitrine. Forrest ne se rendit compte de rien : il regardait la pelouse.

— De quel argent parles-tu ? Il a tout distribué.

— Pourquoi ?

— Chacun fait ce qu'il veut de son argent.

— Pourquoi ne pas nous en laisser un peu ?

Quelques années auparavant, le Juge avait confié à Ray qu'il avait dépensé plus de quatre-vingt-dix mille dollars sur une période de quinze ans pour payer les honoraires des avocats, les amendes et les cures de désintoxication de Forrest. Il pouvait garder de l'argent pour l'alcool et la drogue de Forrest ou bien le distribuer de son vivant à des œuvres de bienfaisance et des familles dans le besoin. Ray avait une profession et se débrouillait seul.

— Il nous a laissé la maison, reprit Ray.

— Qu'est-ce qu'on va en faire ?

— On peut la vendre, si tu veux. Le produit de la vente s'ajoutera au reste. Cinquante pour cent partiront en droits de succession ; nous n'aurons l'argent que dans un an.

— Donne-moi un chiffre.

— Nous pourrons nous estimer heureux si nous avons cinquante mille dollars à partager dans un an.

Il y avait évidemment autre chose. Le magot était en sécurité dans le placard à balais, mais Ray avait besoin d'un peu de temps pour prendre une décision. Était-ce de l'argent sale ? Fallait-il l'inclure dans la succession ? Dans ce cas, cela provoquerait des complications à n'en plus finir. Il faudrait d'abord en expliquer la provenance, puis le fisc en prendrait au moins la moitié. Enfin, Forrest aurait de l'argent plein les poches et s'en servirait probablement pour se tuer.

— Je toucherai donc vingt-cinq mille dollars dans un an, reprit Forrest.

Ray se sentit partagé entre l'inquiétude et le dégoût.

— À peu près.

— Tu veux garder la maison ?

— Non, et toi ?

— Certainement pas. Jamais je ne reviendrai ici.

— Arrête, Forrest.

— Il m'a fichu à la porte, tu le sais. Il m'a dit que j'étais la honte de la famille depuis trop longtemps. Il m'a interdit de franchir le seuil de cette maison.

— Et il s'est excusé.

Une petite gorgée de bourbon.

— C'est vrai, reconnut Forrest. Mais cet endroit me déprime. Tu es l'exécuteur testamentaire, à toi de t'en occuper. Envoie-moi un chèque quand tout sera terminé.

— On pourrait au moins jeter un coup d'œil dans ses affaires.

— Je ne touche à rien, lança Forrest en se levant. J'ai besoin d'une bière. J'ai passé cinq mois au régime sec et j'ai besoin d'une bière. Tu en veux une ? demanda-t-il en se dirigeant vers sa voiture.

— Non.

— Tu viens avec moi ?

Ray avait envie d'accompagner son frère pour être en mesure de le protéger, mais le désir de rester à la maison pour veiller sur l'héritage des Atlee était plus fort. Le Juge ne fermait jamais la maison ; Ray ne savait même pas où étaient les clés.

— Je t'attends ici.

— Comme tu veux.

La visite suivante ne fut pas une surprise pour Ray. Il fouillait dans les tiroirs de la cuisine dans l'espoir de trouver des clés quand il entendit une grosse voix à la porte. Une voix qu'il n'avait pas entendue depuis des années mais qui ne pouvait appartenir qu'à Harry Rex Vonner.

Harry Rex l'écrasa longuement contre sa poitrine en répétant qu'il avait du chagrin ; il fallut du temps à Ray pour se dégager de son étreinte. Grand, costaud, ventru, un peu balourd et négligé, Harry Rex vénérait le juge Atlee et était prêt à tout pour ses deux garçons. Brillant avocat à l'étroit dans une petite ville, c'est toujours vers lui que le Juge s'était tourné quand Forrest avait eu des démêlés avec la justice.

— À quelle heure es-tu arrivé ? demanda-t-il à Ray.

— Vers 5 heures. Je l'ai découvert dans son bureau.

— Je ne l'avais pas vu depuis quinze jours ; j'étais retenu au tribunal. Où est Forrest ?

— Parti acheter de la bière.

Installés dans les fauteuils à bascule encadrant la balancelle, ils s'imprégnèrent de la gravité de la nouvelle.

— Je suis content de te revoir, Ray.

— Moi aussi, Harry Rex.

— Je n'arrive pas à croire qu'il soit mort.

— Moi non plus. Je n'imaginais pas qu'un jour il ne serait plus là.

Harry Rex s'essuya les yeux du revers de sa manche.

— Ça me fait vraiment de la peine, reprit-il d'une voix tremblotante. C'est bien simple, je n'en reviens pas. Quand je l'ai vu il y a une quinzaine, il se déplaçait normalement et il avait toute sa tête. Il souffrait sans jamais se plaindre.

— Les médecins lui avaient donné un an, ça fait à peu près le compte. Mais je croyais qu'il continuerait à s'accrocher.

— Eh oui ! Sacré vieux Reuben !

— Tu veux un thé ?

— Avec plaisir.

Ray se leva pour aller remplir deux verres de thé glacé qu'il rapporta sous le porche.

— Ce ne sera pas très bon, s'excusa-t-il. C'est de l'instantané. Harry Rex goûta et fit une moue.

— Il a au moins le mérite d'être frais.

— Nous n'échapperons pas à la veillée funèbre, Harry Rex, mais je ne veux pas que ce soit à la maison. As-tu une idée ?

Une demi-seconde de réflexion suffit à Harry Rex dont le visage s'éclaira d'un large sourire.

— Et si nous le mettions dans l'enceinte du tribunal, au premier étage de la rotonde, sa dépouille exposée en grand apparat ?

— Tu parles sérieusement ?

— Pourquoi pas ? Il aurait adoré. Toute la ville défilerait pour lui rendre un dernier hommage.

— Ça me plaît.

— Une idée de génie, crois-moi. Je vais en parler au shérif et demander l'autorisation. Tout le monde sera ravi. Avez-vous choisi le jour des obsèques ?

— Mardi.

— Nous ferons donc la veillée demain après-midi. Veux-tu que je dise quelques mots ?

— Bien entendu. Et si tu organisais tout ça ?

— D'accord. Vous avez choisi un cercueil ?

— Nous pensions le faire demain matin.

— Prenez du chêne, rien d'autre. J'ai enterré maman l'an dernier, dans un cercueil de chêne : c'était de toute beauté. Magargel peut en faire venir un de Tupelo en deux heures. Et laissez tomber le caveau, c'est de l'arnaque. Tu es poussière et tu retourneras en poussière. On met le corps en terre et il se décompose. Les épiscopaliens sont dans le vrai.

Un peu étourdi par ce flot de conseils, Ray n'en était pas moins reconnaissant à Harry Rex. Le Juge ne parlait pas du cercueil dans son testament, mais il spécifiait qu'il voulait un caveau. Et une belle pierre tombale. Un Atlee se devait d'être inhumé dignement auprès de ses ancêtres.

Si quelqu'un connaissait un peu les affaires du Juge, c'était assurément Harry Rex. Les deux hommes regardèrent un moment en silence les ombres s'étirer sur la pelouse de Maple Run.

— J'ai l'impression qu'il a distribué tout ce qu'il avait, glissa Ray d'un ton aussi détaché que possible.

— Ça ne m'étonnerait pas. Et toi ?

— Non.

— Il y aura à ses obsèques quantité de gens qui ont bénéficié de sa générosité. Des enfants handicapés, des malades sans couverture sociale, des jeunes Noirs à qui il a permis de faire des études supérieures, tous les pompiers bénévoles du comté, les associations locales, les meilleures équipes sportives, les écoliers qui ont fait un voyage scolaire en Europe. Quand notre Église a envoyé quelques médecins à Haïti, le Juge a donné mille dollars.

— Tu vas à l'église maintenant ?

— Depuis deux ans.

— Il y a une raison particulière ?

— Je me suis remarié.

— Tu en es à combien ?

— Quatre. J'aime vraiment la dernière.

— Elle a de la chance.

— Beaucoup.

— L'idée de la veillée au tribunal me plaît bien, Harry Rex. Tous ces gens dont tu viens de parler pourront lui rendre un dernier hommage. Il sera facile de se garer, il y aura des places assises pour tout le monde.

Forrest tourna dans l'allée à toute allure. Il écrasa la pédale de frein, s'arrêtant à quelques centimètres de la Cadillac d'Harry Rex. Il descendit de sa voiture, s'avança d'un pas lourd dans la lumière déclinante du soir, chargé de packs de bières.

8.

Dès qu'il fut seul, Ray s'installa dans le fauteuil d'osier, face au canapé vide. Il essaya de se convaincre que la vie sans son père ne serait pas fondamentalement différente de ce qu'elle avait été loin de lui. Il prendrait les choses comme elles venaient et se contenterait d'un deuil discret. Fais semblant, se dit-il, règle tout ce qu'il y a à régler ici et reprends dès que possible la route de la Virginie.

Le cabinet de travail de son père n'était éclairé que par une lampe à l'abat-jour poussiéreux, posée sur le côté du bureau à cylindre ; des ombres longues et profondes avaient pris possession du reste de la pièce. Il s'occuperait des papiers le lendemain, pas ce soir.

Ce soir, il devait réfléchir.

Soutenu par Harry Rex, aussi ivre que lui, Forrest était parti. L'alcool, comme d'habitude, l'avait rendu sombre ; il voulait rentrer à Memphis. Ray lui avait proposé de rester.

— Dors sous le porche si tu ne veux pas entrer dans la maison, avait-il suggéré, sans insister, afin d'éviter une dispute.

Harry Rex avait déclaré qu'en temps normal il aurait invité Forrest chez lui, mais sa nouvelle épouse était une dure à cuire qui n'aurait probablement pas supporté la présence de deux ivrognes.

— Tu n'as qu'à rester ici, avait répété Harry Rex.

Mais Forrest n'avait pas voulu en démordre. Déjà têtu quand il n'avait rien bu, il devenait intraitable après quelques verres. L'ayant maintes fois constaté, Ray avait gardé le silence pendant qu'Harry Rex discutait.

Forrest avait réglé la question en décidant qu'il allait prendre une chambre au motel Deep Rock, à la sortie nord de la ville.

— C'est là que je retrouvais la femme du maire, il y a quinze ans, affirma-t-il.

— C'est plein de puces, objecta Harry Rex.

— J'y ai de beaux souvenirs.

— La femme du maire ? demanda Ray.

— Fais comme si tu n'avais pas entendu, glissa Harry Rex. Depuis leur départ, quelques minutes après 23 heures, la maison se faisait de plus en plus silencieuse.

La porte d'entrée était munie d'un loquet, celle du patio d'une targette. La porte de la cuisine, la seule donnant sur l'arrière de la maison, avait une poignée et une serrure qui ne fonctionnait pas. Le Juge était incapable d'utiliser un tournevis ; Ray avait hérité de son manque d'habileté manuelle. Toutes les fenêtres étaient soigneusement fermées. Jamais la demeure familiale, il en était certain, n'avait été aussi bien protégée depuis des décennies. Si nécessaire, il dormirait dans la cuisine, d'où il pourrait surveiller le placard à balais.

Seul dans le sanctuaire de son père, il prépara mentalement une nécrologie du Juge pour ne pas penser au magot.

Devenu pour la première fois chancelier du 25e District en 1959, Reuben V. Atlee avait été réélu haut la main tous les quatre ans, jusqu'en 1991. Trente-deux années de service. Une carrière de magistrat exemplaire, dont la cour d'appel n'avait réformé les décisions qu'en de rares occasions. Il était souvent sollicité par des collègues pour juger des affaires trop sensibles dans leur juridiction, donnait des conférences à la faculté de droit du Mississippi, avait écrit des centaines d'articles sur la pratique, la procédure et l'évolution du droit. Il avait décliné à deux reprises une nomination à la Cour suprême de l'État ; il ne voulait tout simplement pas renoncer à son activité de magistrat.

Quand il ne portait pas la robe, le juge Atlee se mêlait de toutes les affaires locales : politique, associations, écoles, églises. Bien peu de choses étaient réalisées dans le comté de Ford sans son aval et bien peu de projets auxquels il s'opposait voyaient le jour. Il avait, à un moment ou à un autre, été membre de tous les conseils d'administration, participé à toutes les conférences, appartenu à tous les comités. Il sélectionnait discrètement les candidats aux postes de l'administration locale et contribuait tout aussi discrètement à faire battre ceux qui n'avaient pas sa bénédiction.

Pendant le peu de temps libre qui lui restait, il étudiait l'histoire et la Bible, et il rédigeait des articles juridiques. Pas une seule fois il n'avait joué au base-ball avec ses fils, pas une seule fois il ne les avait emmenés pêcher.

Il suivait dans la tombe son épouse Margaret, morte brutalement d'une rupture d'anévrisme en 1969. Il laissait deux fils.

Et il avait réussi en chemin à détourner une fortune en espèces.

La clé du mystère se trouvait peut-être sur le bureau, quelque part dans les piles de papier, ou au fond d'un des tiroirs. Son père avait certainement laissé une explication, au moins une trace. Quelque chose pour le mettre sur la voie. Jamais dans le comté de Ford personne n'avait eu un bas de laine de deux millions de dollars et il était inimaginable de garder une telle somme en espèces.

Il devait savoir précisément à combien elle s'élevait. Il avait déjà vérifié deux fois dans la soirée que l'argent était toujours là ; le seul fait de compter les cartons Blake & Son le rendait nerveux. Il attendrait le petit matin, à la lumière du jour, avant que la ville commence à s'animer. Il voilerait les fenêtres de la cuisine et sortirait un carton après l'autre.

Peu avant minuit, Ray transporta un petit matelas d'une chambre du bas dans la salle à manger ; il le plaça à sept ou huit mètres du placard à balais, à un endroit d'où il voyait l'allée et la maison voisine. À l'étage, il trouva le pistolet du Juge, un Smith & Wesson de calibre .38, dans le tiroir de sa table de nuit. Sur un oreiller imprégné d'humidité, sous une couverture en laine qui sentait le moisi, il essaya en vain de trouver le sommeil.

Le bruit venait de l'autre côté de la maison ; une fenêtre qui battait, sans doute. Mais il fallut un moment à Ray pour mettre ses idées en place, se rappeler où il était, comprendre la nature du bruit. Des coups légers, une secousse plus forte, puis le silence. Ray s'appuya sur un coude et saisit le Smith & Wesson sur son matelas. La maison était bien plus sombre qu'il ne l'aurait voulu : toutes les ampoules ou presque étaient grillées et le Juge avait été trop radin pour les remplacer.

Trop radin avec vingt-sept cartons remplis de billets de banque.

Mets des ampoules sur la liste, dès demain matin…

Le bruit reprit, trop fort, trop précipité pour être produit par des feuilles ou des branches agitées par le vent. Toc, toc, toc, puis un coup plus fort, une poussée, comme si quelqu'un voulait forcer la fenêtre.

Il y avait deux voitures devant la maison. Le premier imbécile venu pouvait voir qu'elle était occupée ; à l'évidence, le rôdeur s'en fichait. Il devait avoir une arme, lui aussi, et savait certainement mieux s'en servir que Ray. Il rampa jusqu'au bout du vestibule, se tortillant comme un crabe, la poitrine haletante. Il s'immobilisa dans l'entrée obscure, écouta le silence. Le doux silence. Allez-vous-en, se répéta-t-il intérieurement. Je vous en prie, allez-vous-en !

Toc, toc, toc. Il repartit vers la chambre de derrière, le pistolet braqué devant lui. Il se demanda, trop tard, s'il était chargé. L'arme que le Juge gardait dans sa table de nuit devait être chargée. Le bruit s'intensifiait ; il venait d'une petite chambre autrefois utilisée pour loger des amis mais qui, depuis des décennies, ne servait plus qu'à entreposer du bric-à-brac. Ray poussa doucement la porte avec la tête, ne vit rien d'autre qu'un empilement de cartons. La porte continua de tourner sur ses gonds et heurta un lampadaire qui bascula et tomba avec fracas près de la première des trois fenêtres obscures.

Ray faillit appuyer sur la détente. Retenant son souffle, il demeura immobile sur le plancher gondolé pendant ce qui lui sembla durer une éternité. L'oreille tendue, le front couvert de sueur, il écrasait des araignées mais n'entendait rien. Les ombres montaient et descendaient ; le vent agitait le feuillage et en haut, près du toit, une branche caressait le mur de la maison.

Ce devait être le vent. Le vent et les fantômes de Maple Run, un lieu hanté par les esprits, à en croire sa mère, une vieille demeure où des gens étaient passés de vie à trépas. Elle prétendait qu'on avait enterré des esclaves dans la cave, que leurs âmes en peine erraient dans la maison.

Le Juge détestait ces histoires de fantômes. Il n'y croyait pas.

Quand Ray se redressa enfin, il ne sentait plus ses genoux ni ses coudes. Il se mit debout, s'adossa au chambranle de la porte et surveilla les trois fenêtres, prêt à faire feu. S'il y avait réellement eu un rôdeur, le fracas l'avait manifestement effrayé. Mais plus le temps passait, plus Ray se persuadait que tout ce qu'il avait entendu n'était dû qu'au vent.

Forrest avait fait le bon choix. Son motel, aussi minable fût-il, était certainement plus tranquille que la vieille demeure.

Toc, toc, toc ! Il se laissa tomber par terre, plus terrifié que jamais ; cette fois, le bruit venait de la cuisine. Il prit la décision tactique de se déplacer à quatre pattes au lieu de ramper ; en arrivant dans le vestibule, il avait les genoux en feu. Il s'arrêta devant la porte vitrée de la salle à manger et attendit. Le sol était noir, mais la lumière du porche filtrant à travers les stores projetait une clarté laiteuse au plafond et en haut des murs.

Ray se demanda ce que faisait exactement un professeur de droit d'une université prestigieuse à quatre pattes dans le noir, un pistolet à la main, en proie à une terreur sans nom, tout cela parce qu'il voulait protéger une fortune en billets de banque découverte par hasard dans la maison de son enfance. Trouve donc une réponse, mon vieux !

La porte de la cuisine ouvrait sur un caillebotis. Quelqu'un marchait dehors, juste derrière la porte ; il percevait distinctement les pas. Le bouton de la porte commença à tourner en grinçant, le petit bouton commandant la serrure défectueuse. Le rôdeur avait pris la décision hardie de passer par la porte au lieu de se glisser par une fenêtre.

Ray était un Atlee, dans sa maison de famille. Dans l'État du Mississippi, on était en droit de faire usage d'une arme pour se protéger. Pas un tribunal ne reprocherait à quiconque d'avoir employé un moyen radical en pareille circonstance. Ray s'accroupit près de la table de la cuisine, visa le haut de la fenêtre de l'évier et pressa doucement la détente. Un coup de feu tiré de l'intérieur dans le silence de la nuit et faisant voler une vitre en éclats devrait suffire à terrifier un cambrioleur.

Quand la porte recommença à battre, il appuya plus

fort ; le percuteur claqua à vide. Il n'y avait pas de balles. Le barillet tourna ; il pressa de nouveau la détente. Toujours rien. Pris de panique, Ray saisit sur le passe-plat le pichet dans lequel il servait le thé glacé et le lança de toutes ses forces en direction de la porte. En fracassant la vitre, le récipient, à la grande satisfaction de Ray, fit plus de bruit qu'une balle n'aurait pu en faire. Dans son affolement, il actionna un interrupteur et se rua vers la porte, le pistolet au poing, en hurlant : « Foutez le camp, foutez le camp ! » Il ouvrit la porte avec violence, ne vit personne dehors. Il poussa un long soupir et retrouva une respiration normale.

Il passa une demi-heure à balayer les éclats de verre en faisant autant de bruit que possible.

Le policier s'appelait Andy ; c'était le neveu d'un ancien camarade de lycée de Ray. Les liens de parenté furent établis en trente secondes et ils commencèrent à parler football en inspectant l'extérieur de la maison. Aucune trace d'effraction sur les fenêtres du rez-de-chaussée. Rien d'autre que du verre autour de la porte de la cuisine. À l'étage, Ray chercha des balles pendant qu'Andy passait de pièce en pièce. Ces recherches ne donnèrent rien. Ray prépara un café qu'ils burent sous le porche en discutant tranquillement dans la nuit. Andy était le seul policier de service ; il avoua qu'il n'avait pas grand-chose à faire. « Il ne se passe jamais rien le lundi de si bonne heure. Les gens dorment ; ils se préparent à reprendre le boulot. » Il ne se fit pas beaucoup prier pour brosser le tableau de la délinquance dans le comté de Ford : vols de pick-up, rixes dans les boîtes de nuit, trafic de stupéfiants dans la ville basse, le quartier sensible. Pas un homicide en quatre ans, glissa-t-il avec fierté. Une banque avait été attaquée deux ans plus tôt. Il poursuivit son bavardage, prit une deuxième tasse de café. Ray était disposé à lui en servir — à en faire d'autre si nécessaire — jusqu'aux premières lueurs du jour. Il était rassuré par la présence visible d'une voiture de police devant la maison.

Andy prit congé à 3 h 30. Ray demeura étendu une heure sur le matelas, regardant les trous du plafond, serrant un pistolet qui ne servait à rien. Il lutta contre le sommeil en échafaudant des stratégies pour protéger le magot. Les projets d'investissement pouvaient attendre. L'urgent était d'élaborer un plan qui lui permettrait de sortir l'argent du placard à balais, puis de la maison et de le mettre en lieu sûr. Serait-il obligé de le transporter en Virginie ? Peut-être, puisqu'il ne pouvait pas le laisser à Clanton. Et quand aurait-il l'occasion de le compter ?

À la longue, la fatigue d'une journée riche en émotions eut raison de lui et il sombra dans le sommeil. Les coups reprirent ; il n'entendit rien. La porte de la cuisine, bloquée par une chaise et un bout de corde, fut secouée et poussée sans que le boucan le réveille.

9.

La lumière du jour le tira du sommeil à 7 h 30. L'argent était toujours là, intact. Les fenêtres et les portes, à ce qu'il lui semblait, n'avaient pas été forcées. En buvant son premier bol de café à la table de la cuisine, il prit une décision d'importance : dans l'hypothèse où quelqu'un en voulait à l'argent, il ne pouvait le laisser une seconde sans surveillance.

Mais les vingt-sept cartons de chez Blake & Son ne tiendraient pas dans le coffre de sa petite Audi.

Coup de téléphone à 8 heures : c'était Harry Rex. Il annonça que Forrest était arrivé à bon port, au motel Deep Rock, que les autorités locales acceptaient qu'une cérémonie soit organisée à 16 h 30 dans la rotonde du tribunal, qu'il avait déjà déniché une soprano et une garde d'honneur et qu'il préparait un éloge funèbre pour le cher disparu.

— Et le cercueil ? demanda-t-il sans reprendre son souffle.

— Nous avons rendez-vous avec Magargel à 10 heures, répondit Ray.

— Très bien. N'oublie pas d'en choisir un en chêne. C'est ce que voulait le Juge.

Ils passèrent quelques minutes à parler de Forrest, une conversation qu'ils avaient déjà eue maintes fois.

Ray raccrocha et se mit aussitôt à l'œuvre. Il ouvrit les fenêtres et tira les stores pour être en mesure de voir et d'entendre, au cas où il se présenterait des visiteurs. La nouvelle de la mort du juge Atlee avait commencé à circuler dans les cafés de la grand-place ; des visites étaient possibles.

Il y avait trop d'ouvertures dans cette maison et il ne pouvait monter la garde en permanence. Si quelqu'un voulait le magot, il mettrait la main dessus ; pour plusieurs millions de dollars, une balle dans la tête de Ray constituerait un excellent investissement.

Il fallait changer l'argent de place.

Il sortit le premier carton du placard à balais, fit tomber les billets dans un sac-poubelle noir. Le contenu de huit autres cartons suivit le même chemin. Arrivé à un million de dollars, il souleva la poche de plastique, la transporta jusqu'à la porte de la cuisine et s'assura qu'il n'y avait personne dehors. Il rapporta les cartons vides où il les avait trouvés, sous les rayonnages. Après avoir rempli deux autres sacs-poubelle, il fit reculer sa voiture jusqu'au bord du caillebotis, aussi près de la porte que possible, puis il fouilla les alentours du regard. Pas de présence humaine. Personne d'autre que les vieilles filles de la maison voisine ne vivait à proximité ; myopes comme des taupes, elles n'arrivaient même pas à voir la télévision dans leur propre salon. En faisant des allers et retours à toute vitesse, il jeta les sacs en vrac dans le coffre. Il crut qu'il n'allait pas fermer, mais réussit à le claquer ; en entendant le déclic de la serrure, il se sentit beaucoup mieux.

Il ne savait pas comment il s'y prendrait à son retour en Virginie pour décharger le magot et transporter les sacs d'un parking à son appartement, dans un quartier piéton animé. Il s'en préoccuperait plus tard.

Le motel Deep Rock avait son propre restaurant, une salle exiguë, mal aérée, où flottaient des relents de graillon. Ray n'y était jamais entré, mais l'endroit semblait parfait pour prendre son petit déjeuner le lendemain de la mort du juge Atlee. Les trois cafés de la place devaient déjà bruire d'anecdotes et de souvenirs du disparu ; Ray préférait rester à l'écart.

Forrest avait l'air à peu près bien ; Ray l'avait souvent vu moins présentable. Il ne s'était ni changé ni douché, mais cela n'avait rien d'inhabituel pour lui. Les yeux rouges mais pas gonflés, il affirma qu'il avait bien dormi et qu'il avait besoin de manger gras. Ils commandèrent des œufs et du bacon.

— Tu as l'air fatigué, glissa Forrest en avalant une grande gorgée de café noir.

— Ça va, fit Ray, qui se sentait épuisé. Deux ou trois heures de sommeil et ça repart pour un tour.

Il tourna la tête vers son Audi garée tout près de la porte ; il était prêt, s'il le fallait, à dormir dans la voiture.

— C'est bizarre, reprit Forrest. Quand je n'ai rien pris, je dors comme un bébé ; huit, neuf heures d'affilée, d'un sommeil profond. Mais quand je suis chargé, je ne dépasse pas cinq heures. Et d'un mauvais sommeil.

— Simple curiosité : quand tu n'as rien pris depuis un moment, est-ce que tu penses à la fois suivante où tu boiras.

— Toujours. Le désir monte, comme pour le sexe. On peut s'en passer un certain temps, mais la tension s'accumule ; tôt ou tard, il faut se soulager. Alcool, sexe, drogue, je finis toujours par céder.

— Tu n'avais donc rien pris pendant cent quarante jours ?

— Cent quarante et un.

— Quel est le record ?

— Quatorze mois. Après une cure de désintox payée par notre père bien-aimé, il y a quelques années, dans une clinique géniale. J'ai arrêté longtemps, puis j'ai rechuté.

— Pourquoi ? Qu'est-ce qui t'a fait rechuter ?

— Toujours pareil. Un toxico peut rechuter n'importe où, n'importe quand, pour n'importe quelle raison. On n'a pas trouvé le remède à ça. Ton frère est un toxico, tout simplement.

— Tu n'as pas décroché ?

— Bien sûr que non. Hier soir, c'était le bourbon et la bière ; ce sera la même chose ce soir et demain. Mais, avant la fin de la semaine, je serai passé à des trucs plus durs.

— Tu en as vraiment envie ?

— Non, mais je sais comment ça se passe.

La serveuse apporta le petit déjeuner. Forrest beurra rapidement un biscuit dans lequel il mordit à belles dents.

— Le vieux est mort, Ray, j'en reviens pas, reprit-il dès qu'il eut terminé sa bouchée.

Ray aussi était désireux de changer de sujet. S'ils restaient sur les défauts de Forrest, ils n'allaient pas tarder à s'engueuler.

— Je me croyais prêt ; j'avais tort.

— Quand l'as-tu vu pour la dernière fois ?

— En novembre, après son opération de la prostate. Et toi ?

Forrest prit le temps de réfléchir en versant quelques gouttes de Tabasco sur ses œufs brouillés.

— À quand remonte sa crise cardiaque ?

Il y avait eu tellement de maladies et d'interventions chirurgicales qu'il était difficile de s'y retrouver.

— Il en a eu trois.

— Celle de Memphis.

— C'était la deuxième, affirma Ray. Il y a quatre ans.

— Oui, à peu près. Je suis allé le voir à l'hôpital. J'habitais à cinq cents mètres ; c'était la moindre des choses.

— De quoi avez-vous parlé ?

— De la guerre de Sécession. Il croyait encore que le Sud avait gagné.

Ils sourirent à cette évocation et mangèrent un moment en silence, jusqu'à l'arrivée d'Harry Rex. À peine assis, l'avocat se servit un biscuit et entreprit d'expliquer dans le détail la cérémonie grandiose qu'il était en train d'organiser à la mémoire du Juge.

— Tout le monde veut aller se recueillir à Maple Run, ajouta-t-il, la bouche pleine.

— Hors de question, riposta Ray.

— C'est ce que je me tue à leur dire. Vous avez invité des gens ce soir ?

— Non, répondit Forrest.

— Il aurait fallu ? interrogea Ray.

— C'est la tradition ; soit au domicile du défunt, soit au funérarium. Mais si vous ne faites rien, ce n'est pas grave. On ne se vexera pas, on ne vous fera pas la gueule.

— Une veillée au tribunal et un enterrement ne leur suffisent pas ? s'étonna Ray.

— Si, ça ira.

— Je ne passerai pas la nuit au funérarium, à serrer dans mes bras des vieilles qui m'ont cassé du sucre sur le dos pendant vingt ans, déclara Forrest. Tu le feras si ça te chante, mais ne compte pas sur moi.

— Passons à autre chose, fit Ray.

— C'est l'exécuteur testamentaire qui parle, ricana Forrest.

— Quel exécuteur ? demanda Harry Rex.

— Il y avait sur le bureau un acte de dernière volonté daté de samedi, expliqua Ray. Un testament olographe d'une page par lequel il nous instituait colégataires, dressait la liste de ses biens et me nommait exécuteur testamentaire. Et il demande que tu te charges de la succession.

Harry Rex cessa de mastiquer. D'un doigt boudiné il

se frotta l'arête du nez en laissant son regard courir d'un bout à l'autre de la salle.

— Curieux, murmura-t-il, visiblement troublé.

— Qu'y a-t-il ?

— J'ai rédigé un testament pour lui le mois dernier.

Plus personne ne mangeait. Ray et Forrest échangèrent un regard qui n'exprimait rien ; ni l'un ni l'autre ne savait ce que son frère pensait.

— Je suppose qu'il a changé d'avis, reprit Harry Rex.

— Qu'y avait-il dans l'autre testament ? demanda Ray.

— Je n'ai pas le droit de le dire. Le testament d'un client reste confidentiel.

— Je ne vous suis plus, les gars, protesta Forrest. Pardonnez-moi de ne pas être un homme de loi.

— Le seul testament qui compte est le dernier, expliqua Harry Rex. Il annule tous les testaments antérieurs ; ce que le Juge avait stipulé dans celui que j'ai préparé est sans effet.

— Pourquoi ne peux-tu pas nous dire ce qui s'y trouvait ? insista Forrest.

— Je n'ai pas le droit, en tant qu'avocat, de parler du testament d'un client.

— Mais celui que tu as préparé n'est plus valable, si j'ai bien compris ?

— C'est vrai, mais je n'ai le droit de rien dire.

— Des conneries, tout ça, lâcha Forrest en fusillant Harry Rex du regard.

Tout le monde respira un grand coup et se remit à manger.

Ray avait tout de suite compris qu'il lui faudrait voir l'autre testament et que le plus tôt serait le mieux. S'il faisait allusion au magot, Harry Rex était au courant de son existence. Et, s'il était au courant, Ray serait obligé de le sortir sans tarder du coffre de la voiture, de remettre les billets dans leurs cartons et de replacer le tout à l'endroit où il l'avait trouvé. L'argent serait officiellement inclus dans la succession.

— Il n'a pas gardé une copie de l'autre testament dans son bureau ? interrogea Forrest sans s'adresser directement à Harry Rex.

— Non.

— Tu en es sûr ?

— Presque, répondit Harry Rex. Quand on rédige un nouveau testament, on détruit le précédent ; on ne veut pas que quelqu'un tombe sur un ancien et le fasse authentifier. Certaines personnes refont leur testament tous les ans. Nous autres, gens de justice, avons appris à détruire ceux qui sont caducs. Votre père était intransigeant là-dessus : il faut détruire un testament révoqué.

Le fait qu'un ami aussi proche qu'Harry Rex refuse de leur faire part de ce qu'il savait sur les dernières volontés de leur père avait jeté un froid. Ray décida d'attendre d'être seul avec l'avocat pour le cuisiner.

— Magargel attend, dit-il à Forrest.

— Je sens qu'on va bien rigoler.

Le cercueil en noble bois de chêne descendit l'allée sur un chariot tendu de velours pourpre, tiré par M. Magargel et poussé par un de ses employés. Il était suivi par les deux fils du défunt. Derrière venait une garde d'honneur des scouts, en short kaki impeccablement repassés, des fanions à la main.

Comme Reuben V. Atlee s'était battu pour sa patrie, on avait recouvert son cercueil de la bannière étoilée. Un contingent de réservistes de l'arsenal se mit au garde-à-vous quand le cercueil de l'ex-capitaine Atlee s'immobilisa au centre de la rotonde. Harry Rex était là, vêtu d'un complet noir de bonne coupe, devant une longue rangée de fleurs et de couronnes.

La moitié des avocats du comté assistaient à la cérémonie ; à la demande d'Harry Rex, on leur avait attribué un secteur à proximité du cercueil. Tous les fonctionnaires de la ville et du comté, le personnel du greffe, les policiers et leurs adjoints étaient présents. Quand Harry Rex s'avança, un frémissement parcourut l'assistance ; plus haut, aux deux niveaux supérieurs du bâtiment, des curieux, penchés sur les rampes métalliques, ne perdaient pas une miette du spectacle.

Ray portait un complet marine tout neuf, acheté quelques heures auparavant dans l'unique magasin de prêt-à-porter de la ville. À trois cent dix dollars, c'était le plus cher ; M. Pope, le propriétaire, avait insisté pour lui faire une ristourne. Celui de Forrest était gris anthracite ; il coûtait deux cent quatre-vingts dollars — avant la ristourne — et Ray le lui avait offert. Forrest, qui n'avait pas porté un costume depuis vingt ans, s'était juré de ne pas faire d'exception pour l'enterrement. Harry Rex avait été obligé de hausser le ton.

Autour du cercueil se tenaient les fils d'un côté, Harry Rex de l'autre. Sur le couvercle, Billy Boone, l'inamovible gardien du tribunal, avait placé un portrait du juge Atlee. Offert dix ans plus tôt par un artiste local, tout le monde savait qu'il ne plaisait guère au Juge. Il l'avait mis dans son bureau, près de la salle d'audience, derrière une porte afin que nul ne puisse le voir. Après sa défaite, les autorités locales l'avaient fait accrocher en haut d'un mur de la grande salle du tribunal.

Des programmes avaient été imprimés pour « Les adieux au juge Reuben Atlee ». Ray étudia attentivement le sien ; il n'avait pas envie de laisser son regard courir sur l'assistance. Tous les yeux étaient braqués sur lui et sur son frère. Le révérend Palmer commença par une prière interminable. Ray avait pourtant insisté pour que la cérémonie soit brève : il y avait l'enterrement le lendemain.

Les scouts firent un pas en avant avec leur drapeau, puis la sœur Oleda Shumpert, de l'Église du Saint-Esprit de Dieu dans le Christ, s'avança pour chanter : « Rassemblons-nous à la rivière ». Une interprétation poignante, *a cappella*, bien sûr ; elle n'avait pas besoin d'accompagnement. Le chant fit monter des larmes aux yeux dans l'assemblée, y compris pour Forrest qui colla l'épaule contre celle de son frère et garda la tête baissée.

Debout près du cercueil, écoutant la voix ample qui emplissait la rotonde de ses chaudes sonorités, Ray prit conscience pour la première fois du poids de la mort de son père. Il pensa à tout ce qu'ils auraient pu faire ensemble, maintenant que Forrest et lui étaient des hommes, tout ce qu'ils n'avaient pas fait quand ils n'étaient que des enfants. Mais il avait choisi de vivre sa vie, le Juge avait vécu la sienne et cela leur avait convenu ainsi.

Ray se répétait qu'il n'était pas bien de revenir sur le passé parce que son père venait de disparaître. Quoi de plus naturel, après la mort d'un de ses parents, que de regretter de ne pas avoir fait plus du vivant du disparu ? Le fond du problème était que le Juge en avait longtemps voulu à son fils aîné de quitter Clanton et que, depuis son départ du tribunal, il avait mené une existence recluse.

Ray surmonta ce moment de faiblesse. Il n'avait pas à battre sa coulpe sous prétexte qu'il avait choisi une voie différente de celle que son père souhaitait.

Harry Rex se lança dans l'éloge funèbre qu'il avait promis de ne pas faire durer trop longtemps.

— Nous sommes réunis aujourd'hui pour faire nos adieux à un vieil ami, commença-t-il. Nous savions tous que ce jour viendrait, nous espérions qu'il arriverait le plus tard possible.

Il énuméra les moments marquants de la carrière du Juge avant d'évoquer sa première rencontre avec le grand homme, trente ans plus tôt, quand il n'était encore qu'un jeune diplômé. Il représentait un client dans une affaire simple de divorce qu'il s'était débrouillé pour perdre.

Les avocats du coin, qui connaissaient l'histoire par

cœur, éclatèrent d'un rire jovial au moment où il le fallait. Ray se tourna vers eux ; frappé par l'importance du groupe qu'ils formaient, il se demanda comment ils pouvaient être si nombreux dans une si petite ville ? Il en connaissait à peu près la moitié. Les plus âgés, ceux qu'il avait connus dans son enfance ou pendant ses études, avaient pris leur retraite ou n'étaient plus de ce monde. Il n'avait jamais vu la plupart des jeunes.

Eux, bien sûr, le connaissaient tous : il était le fils du juge Atlee.

Ray commençait à comprendre qu'un départ rapide, dès la fin des obsèques, ne pourrait être que provisoire. Il serait obligé de revenir sous peu à Clanton pour un passage devant le juge avec Harry Rex, l'ouverture de la succession, la préparation de l'inventaire et les différentes tâches incombant à un exécuteur testamentaire. Ce serait simple, tout pourrait être réglé en quelques jours. Mais il faudrait des semaines, des mois peut-être avant qu'il parvienne à résoudre le mystère du magot de son père.

Un des avocats assistant à la cérémonie savait-il quelque chose ? L'argent ne pouvait provenir que d'une décision de justice ; Reuben Atlee n'avait pas eu de vie en dehors du monde judiciaire. En considérant leur groupe, Ray ne voyait pas qui était assez riche pour être à l'origine de la fortune cachée dans le coffre de sa voiture. Des avocats sans le sou exerçant dans une petite ville, qui avaient du mal à payer leurs factures et trimaient à qui mieux mieux. Des gagne-petit. Le cabinet Sullivan employait huit ou neuf collaborateurs qui représentaient les banques et les compagnies d'assurances ; ils avaient à peine de quoi fréquenter le corps médical au country-club.

Pas un seul avocat du comté ne roulait sur l'or. Irv Chamberlain, avec ses grosses lunettes et sa moumoute de mauvaise qualité, possédait des milliers d'hectares transmis de génération en génération, mais il ne pouvait vendre les terres, faute d'acquéreurs. Le bruit courait qu'il fréquentait les nouveaux casinos de Tunica.

En écoutant Harry Rex d'une oreille distraite, Ray continua de s'interroger. Quelqu'un était dans le secret, quelqu'un connaissait l'origine du magot. Était-ce un membre du barreau du comté de Ford ?

La voix d'Harry Rex commença à chevroter ; l'éloge funèbre touchait à sa fin. Il remercia l'assistance, annonça que la dépouille du Juge serait exposée au tribunal jusqu'à 22 heures. Il indiqua que la procession passerait devant Ray et Forrest ; la foule s'écarta docilement et forma une longue file qui s'étirait jusqu'à la porte.

Une heure durant, Ray fut obligé de distribuer des sourires et des poignées de main, de remercier avec affabilité tous ceux qui s'étaient déplacés. Il entendit des dizaine d'anecdotes sur son père, des évocations émues de vies transformées par le grand homme. Il fit comme s'il se souvenait du nom de tous ceux qui le connaissaient. La procession passait d'abord devant les deux frères avant d'avancer jusqu'au cercueil où chacun se recueillait devant le mauvais portrait du Juge, puis on se dirigeait vers l'aile ouest du tribunal pour remplir les registres de condoléances. Harry Rex passait de l'un à l'autre avec des attitudes de politicien.

Au beau milieu de cette épreuve, Forrest disparut après avoir murmuré à Harry Rex qu'il voulait rentrer à Memphis et qu'il en avait marre de la mort.

— La file fait le tour du tribunal, glissa un peu plus tard l'avocat à l'oreille de Ray. Cela va durer des heures.

— Trouve quelque chose pour m'éviter ça, répondit Ray sur le même ton.

— Tu as besoin d'aller aux toilettes, reprit Harry Rex, juste assez fort pour que les premiers de la file entendent.

— Oui, fit Ray en s'écartant.

Ils s'éloignèrent en parlant à voix basse d'un air important, se glissèrent dans un couloir étroit. Quelques secondes plus tard, ils sortaient du tribunal par une porte latérale.

Ils montèrent dans la voiture de Ray, commencèrent à faire le tour de la grand-place en observant la scène de loin.

Au fronton du bâtiment, le drapeau américain était en berne. Une foule encore nombreuse faisait patiemment la queue pour rendre un dernier hommage au juge Atlee.

10.

Vingt-quatre heures à Clanton et Ray n'avait qu'une envie : partir. Après la veillée funèbre, il dîna avec Harry Rex chez Claude, le restaurant noir au sud de la grand-place ; ils prirent le plat du jour, du poulet grillé accompagné de haricots blancs si épicés que le thé glacé était servi au litre. Harry Rex se réjouissait de la réussite de sa cérémonie grandiose ; le repas terminé, il se montra impatient de retourner au tribunal pour surveiller la fin de la veillée.

À l'évidence, Forrest ne passerait pas la nuit à Clanton. Ray espérait sans trop y croire qu'il était déjà de retour à Memphis, chez Ellie, et qu'il ne faisait pas de bêtises. Combien de fois pourrait-il rechuter avant d'y perdre la vie ? Harry Rex estimait qu'il y avait une chance sur deux que Forrest soit là le lendemain pour assister aux obsèques.

Dès qu'il fut seul, Ray sauta dans sa voiture et quitta Clanton en roulant vers l'ouest, sans destination particulière. De nouveaux casinos avaient poussé en bordure du fleuve, à une centaine de kilomètres ; à chacun de ses passages dans le Mississippi, on parlait de plus en plus de cette nouvelle industrie. Les jeux d'argent avaient été légalisés dans l'État dont le revenu par habitant était le plus bas de tout le pays.

Au bout d'une heure et demie de route, il s'arrêta pour prendre de l'essence. Tandis qu'il remplissait le réservoir, son regard fut attiré par un motel flambant neuf, de l'autre côté de l'autoroute. Tout était nouveau dans ce qui avait été des champs de coton. Routes, motels, fast-foods, stations-service, panneaux publicitaires, tout avait été créé pour les casinos, à deux kilomètres de là.

Le motel avait des chambres sur deux niveaux ; les portes ouvraient sur le parking. Il semblait ne pas y avoir grand monde. Ray paya quarante dollars une chambre pour deux personnes au rez-de-chaussée, sur l'arrière. Il n'y avait aucun autre véhicule à proximité ; il gara l'Audi tout près de sa porte et trente secondes lui suffirent pour transporter les trois sacs-poubelle dans la chambre.

Le magot occupait tout un lit. Convaincu que c'était de l'argent sale, il ne prit pas le temps de l'admirer. Et les billets devaient être marqués. Peut-être même étaient-ils faux. En tout état de cause, il n'allait pas les conserver.

Il n'y avait que des coupures de cent dollars, certaines neuves, les autres ayant circulé un peu. Aucune n'était véritablement usagée, aucune n'était datée d'avant 1986 ni d'après 1994. La moitié des billets étaient liés ensemble pour former des liasses de deux mille dollars. Ray commença par ceux-là : cent mille dollars en coupures de cent dollars faisaient un tas de près de quarante centimètres de haut. Ray comptait l'argent sur un lit, puis disposait soigneusement les tas de billets sur l'autre. Il agissait avec méthode ; il avait tout son temps. Il prenait les billets, les frottait entre le pouce et l'index, les portait parfois à ses narines pour les sentir. Ils n'avaient pas l'air faux.

Trente et un tas, plus quelques billets : trois millions cent dix-huit mille dollars pour être précis. Un trésor dissimulé dans la demeure délabrée d'un homme qui n'avait pas gagné la moitié de cette somme dans sa carrière.

Impossible de ne pas admirer la fortune étalée sur le lit. Combien de fois dans sa vie aurait-il l'occasion de contempler trois millions de dollars ? À qui cela était-il donné ? Assis dans un fauteuil, le menton entre les mains, il ne pouvait détacher les yeux des tas de billets parfaitement alignés. Les mêmes questions revenaient sans cesse à son esprit : d'où venait cet argent et à qui était-il destiné ?

Le claquement d'une portière de voiture le ramena à la réalité. L'endroit était parfait pour se faire dévaliser ; quand on se déplace avec une fortune en billets de banque, tout le monde devient un voleur potentiel.

Il replaça l'argent dans les grandes poches de plastique, remit le tout dans le coffre de sa voiture et prit la direction du casino le plus proche.

Son expérience des jeux d'argent se limitait à une virée à Atlantic City — un week-end avec deux de ses collègues qui avaient lu un livre sur les jeux de dés et partaient avec la conviction qu'ils allaient faire sauter la banque. Ils n'avaient pas réussi. Ray, qui n'était pas versé dans les jeux de cartes, avait choisi de s'installer à une table de black-jack à cinq dollars la mise. Au bout de deux journées épouvantables passées dans une ambiance assourdissante, il s'était retiré avec soixante dollars de gains en se jurant de ne jamais recommencer. Les pertes de ses collègues n'avaient jamais été établies avec précision, mais Ray avait appris que les joueurs réguliers masquent la vérité sur leurs résultats.

Pour un lundi soir, il y avait du monde au Santa Fe Club, un quadrilatère de la taille d'un terrain de football, qui avait poussé comme un champignon. Une tour de dix étages accolée au bâtiment accueillait les joueurs, des retraités venus du Nord pour la plupart, qui n'auraient jamais imaginé se rendre un jour dans le

Mississippi mais qui étaient attirés par les nombreuses machines à sous et le gin offert aux tables de jeu.

Ray avait dans sa poche cinq billets pris dans cinq liasses différentes. Il s'avança vers une table de black-jack libre, posa le premier billet devant la croupière à moitié endormie.

— Allez-y.

— Cent dollars en jeu ! lança la croupière par-dessus son épaule. Elle ramassa le billet, le palpa distraitement et le mit en jeu.

Il doit être bon, se dit Ray en se détendant un peu ; elle en voit du matin au soir. La croupière battit le premier paquet de cartes et distribua. Elle atteignit tout de suite vingt-quatre, ramassa le billet du trésor caché du juge Atlee et posa deux plaques noires sur la table. Ray les laissa en jeu : deux cents dollars la mise, des nerfs d'acier. La croupière distribua prestement les cartes ; avec quinze points sur les cartes retournées, elle se servit un neuf. Ray avait maintenant quatre plaques noires. En moins d'une minute, il avait gagné trois cents dollars.

En faisant tinter les quatre plaques dans sa poche, Ray traversa le casino d'un pas nonchalant. Il passa d'abord par les machines à sous où les joueurs, des gens âgés, l'air hébété, vissés sur leur siège, tiraient sans fin sur le levier en rivant sur le cadran un regard vide. À la table de craps, l'ambiance était chaude ; une bande tapageuse de péquenauds braillait des instructions auxquelles il ne comprenait rien. Il s'arrêta un moment, fasciné par le roulement des dés, les hurlements accompagnant les mises, les jetons qui changeaient de main.

À une autre table de black-jack, il misa le deuxième billet de cent dollars avec l'aisance d'un flambeur averti. Le croupier l'approcha de son visage, le leva vers la lumière, le frotta entre deux doigts. Il l'apporta au chef de table qui se montra immédiatement soupçonneux. L'homme saisit une sorte de loupe qu'il colla contre son œil gauche et examina le billet comme un chirurgien. Au moment où Ray s'apprêtait à tourner les talons pour se fondre dans la foule, il entendit un des deux employés déclarer : « Il est bon. » Il ne savait pas lequel avait rendu son verdict ; il lançait autour de lui des regards affolés pour repérer des gardes armés. Le croupier revint avec le billet douteux et le plaça devant Ray. Quelques secondes plus tard, la reine de cœur et le roi de pique apparaissaient devant lui ; il venait de gagner pour la troisième fois d'affilée.

Comme le croupier était bien réveillé et que son supérieur venait d'effectuer une inspection minutieuse du billet, Ray décida de régler la question une fois pour toutes. Il sortit de sa poche les trois autres coupures de cent dollars et les posa sur la table. Le croupier les examina et haussa légèrement les épaules.

— Vous voulez de la monnaie ?

— Non. Je joue le tout.

— Trois cents dollars en espèces, annonça le croupier d'une voix forte.

La tête du chef de table apparut aussitôt derrière son épaule. Ray décida de rester sur ses deux cartes, un dix et un six. Le croupier avait un dix et un quatre ; il retourna le valet de carreau et Ray gagna pour la quatrième fois. Les billets furent aussitôt remplacés par six plaques noires. Ray en possédait maintenant dix, mille dollars, mais il avait aussi la quasi-certitude que les trente mille autres billets entassés dans le coffre de sa voiture n'étaient pas de la fausse monnaie. Il laissa une plaque pour le personnel et alla boire une bière.

Le bar était surélevé de deux ou trois mètres, de sorte qu'il était possible de prendre un verre en ayant une vue générale de toute l'activité du casino. On pouvait aussi suivre sur une dizaine d'écrans des rediffusions de matches de base-ball, de courses de stock-cars ou de rencontres de bowling. Mais les paris sur les événements sportifs n'étaient pas encore autorisés.

Ray avait conscience des risques encourus dans le casino. Il ne s'agissait pas de fausse monnaie, mais il fallait maintenant savoir si les billets étaient marqués d'une manière ou d'une autre. La méfiance du second croupier et de son supérieur suffirait certainement pour que les billets soient examinés de très près dans la salle de surveillance. Ray avait la certitude d'avoir été filmé, comme tout le monde. Les systèmes de surveillance d'un casino sont sophistiqués ; il le tenait de ses deux collègues qui rêvaient de faire sauter la banque.

Si l'examen des billets déclenchait des signaux d'alarme, il leur serait facile de le retrouver.

Mais où s'adresser pour savoir à quoi s'en tenir ? Il ne pouvait tout de même pas se présenter à la caisse de la First National Bank de Clanton, une poignée de billets à la main, et demander à Mme Dempsey de bien vouloir lui dire s'ils étaient bons. La caissière n'avait jamais vu de fausse monnaie et, deux heures plus tard, toute la ville saurait que le fils du juge Atlee avait les poches pleines d'argent de provenance douteuse.

Il avait pensé attendre son retour en Virginie pour aller voir son avocat qui confierait dans la plus grande discrétion quelques billets à quelqu'un qui s'y connaissait. Mais il ne pouvait attendre aussi longtemps. Si les billets étaient faux, il les brûlerait ; sinon, il ne savait pas très bien ce qu'il en ferait.

Il but lentement sa bière pour leur laisser le temps d'envoyer deux gros bras en complet noir lui demander de bien vouloir les suivre. Cela ne se passerait pas comme ça, Ray le savait. Si l'argent était marqué, il leur faudrait plusieurs jours pour établir sa provenance.

Et même s'il se faisait prendre avec des billets marqués, que pourrait-on lui reprocher ? Il avait trouvé l'argent au domicile de son père décédé, dans la maison dont il hériterait avec son frère. Il était l'exécuteur testamentaire à qui incombait la charge de protéger les biens composant la succession. Il disposait de plusieurs mois pour déclarer l'existence de ces espèces au tribunal des successions et aux services fiscaux. Si le Juge avait acquis l'argent par des voies illégales, il était décédé. Ray n'avait rien fait de mal, du moins pour le moment.

Il repartit à la première table de black-jack, misa cinq cents dollars. Le regard de la croupière croisa celui de son chef qui s'approcha d'un pas nonchalant, en se tapotant l'oreille, comme si un enjeu de cinq cents dollars à une table de black-jack était monnaie courante au Santa Fe Club. La croupière distribua un as et un roi à Ray ; elle fit glisser vers lui sept cent cinquante dollars.

— Aimeriez-vous boire quelque chose ? demanda le chef de table, avec un sourire découvrant des dents pourries.

— Une Beck, répondit Ray.

Une hôtesse apparut comme par magie et lui servit sa bière.

Il misa cent dollars à la donne suivante et perdit, puis il fit prestement glisser trois plaques sur la table et gagna. Il gagna huit des dix donnes suivantes, avec des enjeux allant de cent à cinq cents dollars, comme s'il savait précisément ce qu'il faisait. Le chef de table restait derrière la croupière. Ils avaient certainement sur les bras un joueur qui comptait les cartes, un professionnel du black-jack qu'il fallait avoir à l'œil et même filmer. Les autres casinos en seraient informés.

S'ils avaient su la vérité.

Après avoir perdu plusieurs donnes à deux cents dollars la mise, Ray, pour s'amuser, poussa sans hésiter dix plaques sur la table. De la petite bière ; il avait trois millions dans son coffre. Quand la croupière lui distribua deux reines pour un total de vingt points, il garda le visage impassible de celui qui a l'habitude de gagner.

— Désirez-vous manger, monsieur ? demanda le chef de table.

— Non, merci.

— Pouvons-nous faire quelque chose pour vous ?
— Si vous pouviez me trouver une chambre.
— Chambre pour deux ou suite ?

Un ringard aurait répondu : « Une suite, bien sûr. » Pas Ray.

— Une chambre fera l'affaire.

Il n'avait pas l'intention de rester, mais, après deux bières, il estimait préférable de ne pas prendre la route. Il ne voulait pas se faire arrêter par un flic. Et s'il venait à l'esprit du flic de fouiller le coffre de la voiture ?

— Comme vous voudrez, monsieur. Je vous réserve une chambre.

Ray joua encore une heure en équilibrant les gains et les pertes. L'hôtesse passait toutes les cinq minutes pour lui proposer à boire, lui faire perdre sa lucidité ; il faisait durer sa première bière. À un moment, pendant que la croupière battait les cartes, il compta trente-neuf plaques.

À minuit, il commença à bâiller ; il n'avait pas beaucoup dormi la nuit précédente. La clé de la chambre était dans sa poche. Si l'enjeu n'avait pas été limité à mille dollars à cette table, il aurait joué tous ses gains pour partir en beauté. Il plaça dix plaques noires dans le cercle et fit black-jack. Dix autres plaques et la croupière dépassa vingt et un. Ray ramassa ses gains, laissa quatre plaques pour le personnel et partit changer les autres à la caisse. Il avait passé trois heures dans le casino.

La fenêtre de sa chambre, au cinquième étage, donnait sur le parking ; sa voiture étant directement visible, il se sentait obligé de la surveiller. La fatigue était là, mais il n'arrivait pas à dormir. Il approcha un siège de la fenêtre et essaya de somnoler, mais son esprit ne pouvait rester en repos.

Son père avait-il découvert les casinos ? Le jeu pouvait-il être la source de sa fortune, un petit vice lucratif sur lequel il avait gardé le silence ?

Plus il se répétait que cette idée était tirée par les cheveux, plus il était convaincu d'avoir découvert l'origine du magot. Le Juge, à sa connaissance, n'avait jamais joué en Bourse, mais, si tel était le cas, pourquoi garder des billets de banque, pourquoi les cacher au fond d'un meuble, dans son bureau ? Et il y aurait eu des tonnes de paperasse.

Même dans l'hypothèse où il aurait vécu la double vie d'un magistrat véreux, il n'y avait pas au fin fond du Mississippi trois millions de dollars à toucher en pots-de-vin. Et se laisser acheter impliquait bien trop de monde.

L'argent ne pouvait venir que d'un casino, où les espèces circulaient. Ray venait de gagner six mille dollars en quelques heures. La chance du débutant, certainement, mais le jeu est toujours affaire de chance. Peut-être le Juge avait-il été doué pour les cartes ou les dés, peut-être avait-il gagné le jackpot dans une machine à sous ? Il vivait seul, ne répondait à personne. Comment le savoir ?

Peut-être avait-il gagné gros. Mais trois millions de dollars en sept ans, cela faisait beaucoup.

Les casinos étaient-ils obligés de déclarer des gains substantiels réalisés par leurs clients ? Y avait-il des déclarations fiscales ou autres à remplir ?

Et pourquoi avoir caché cet argent ? Pourquoi ne pas l'avoir distribué comme le reste ?

Peu après 3 heures, Ray cessa de se torturer les méninges et quitta la chambre qu'il occupait à titre gracieux. Il dormit dans sa voiture jusqu'au lever du soleil.

11.

La porte d'entrée était entrebâillée, un signe inquiétant à 8 heures du matin, dans une maison inoccupée. Ray la considéra un long moment, hésitant à entrer tout en sachant qu'il n'avait pas le choix. Il la poussa légèrement, les poings serrés, comme si un voleur pouvait encore être à l'intérieur, et respira profondément. La porte tourna sur ses gonds en grinçant affreusement ; quand la lumière du jour glissa jusqu'aux cartons empilés dans le vestibule, Ray découvrit des traces laissées par des chaussures boueuses. Après s'être introduit dans la maison en passant par-derrière, l'intrus, pour une raison ou pour une autre, avait choisi de ressortir par la porte du porche.

Ray sortit lentement le pistolet de sa poche.

Les vingt-sept cartons verts de chez Blake & Son étaient éparpillés dans le bureau du Juge. Derrière le canapé renversé les portes du meuble soutenant les rayonnages étaient ouvertes. Le bureau à cylindre ne semblait pas avoir été touché, mais des papiers jonchaient le plancher.

L'intrus avait sorti les cartons du meuble ; les trouvant vides, il les avait écrasés et lancés aux quatre coins de la pièce dans un accès de fureur. Dans le silence de la maison inoccupée, Ray imagina la violence de la scène et sentit un frisson le parcourir.

Le magot du Juge pouvait lui coûter la vie.

Il reprit ses esprits, remit le canapé sur ses pieds et ramassa les papiers. Il rassemblait les cartons quand il entendit du bruit à l'avant ; il jeta un coup d'œil par la fenêtre, vit une femme d'âge mûr à la porte.

Claudia Gates avait connu le Juge mieux que personne. Elle avait été sa greffière d'audience, sa secrétaire, son chauffeur et bien d'autres choses encore, à en croire les rumeurs qui couraient depuis l'enfance de Ray. Pendant près de trente ans, elle avait sillonné les six comtés du 25e District en compagnie du Juge, quittant souvent Clanton à 7 heures du matin pour ne revenir que bien après la tombée de la nuit. Quand ils ne tenaient pas audience, ils partageaient le bureau du Juge ; elle tapait les comptes rendus pris en sténo tandis qu'il s'occupait de la paperasse.

Un avocat du nom de Turley les avait surpris un jour dans une situation compromettante ; le pauvre avait commis l'erreur d'en parler autour de lui. Il avait perdu tous les litiges soumis au tribunal de la chancellerie pendant un an et n'avait plus eu un seul client. Au bout de quatre ans, le juge Atlee avait réussi à le faire radier du barreau.

— Bonjour, Ray, lança Claudia par le treillis de la porte d'entrée. Je peux entrer ?

— Je vous en prie, fit-il en tirant la porte.

Ray et Claudia n'avaient jamais eu de sympathie l'un pour l'autre. Il avait toujours eu l'impression qu'elle recevait l'attention et l'affection dont Forrest et lui-même étaient privés ; de son côté, Claudia voyait en Ray une menace. Tout le monde dans l'entourage du Juge était à ses yeux une menace.

Claudia avait peu d'amis, encore moins d'admirateurs. Dure et sèche à force de passer son temps dans les prétoires, elle se conduisait avec l'arrogance de celle qui a l'oreille du grand homme.

— Si tu savais comme je suis triste, Ray.

— Moi aussi.

En passant devant le bureau, Ray ferma la porte.

— N'entrez pas, dit-il à Claudia, qui n'avait pas remarqué les traces de pas sur le sol.

— Il faut être gentil avec moi, Ray.

— Pourquoi ?

Dans la cuisine, Ray prépara un café et ils s'assirent l'un en face de l'autre.

— Je peux fumer ?

— Ça m'est égal.

Fume tant que tu veux, ma vieille ! Les costumes noirs de son père avaient toujours été imprégnés de l'odeur âcre des cigarettes de Claudia. Le Juge la laissait fumer en voiture, dans son propre bureau et probablement au lit. Partout sauf dans la salle d'audience.

Respiration sifflante, voix râpeuse, réseau de rides enserrant les yeux. Ah ! les joies du tabac !

Elle avait pleuré, ce qui, chez elle, n'était pas dépourvu de signification. Un été où il travaillait avec son père, Ray avait eu le malheur de suivre une affaire pathétique de mauvais traitements infligés à un enfant. Le récit des sévices avait été si bouleversant que tout le monde, juge et avocats compris, était ému aux larmes. Seule Claudia avait conservé un visage impassible et l'œil sec.

— Je n'arrive pas à croire qu'il soit mort, reprit-elle en soufflant une bouffée de tabac vers le plafond.

— Il était mourant depuis cinq ans, Claudia. On ne peut pas dire que ce soit une surprise.

— C'est triste quand même.

— Très triste, mais, à la fin, il souffrait beaucoup. La mort est arrivée comme une délivrance.

— Il ne voulait pas que je vienne le voir.

— Nous n'allons pas revenir sur une vieille histoire.

L'histoire en question, selon la version que l'on choisissait, avait nourri bien des conversations à Clanton pendant près de deux décennies. Quelques années après la mort de la mère de Ray, Claudia avait divorcé de son mari pour des raisons qui n'avaient jamais été très claires. La moitié de la ville était convaincue que le Juge lui avait promis le mariage : l'autre moitié inclinait à penser qu'un Atlee n'épouserait jamais une personne de basse extraction, que Claudia avait divorcé parce que son mari l'avait surprise avec un autre homme. Les années passant, ils avaient continué à jouir des avantages de la vie maritale sans les inconvénients de la cohabitation. Claudia tannait le Juge pour qu'il régularise ; il remettait la chose à plus tard. À l'évidence, la situation lui convenait parfaitement.

Elle avait fini par poser un ultimatum, commettant une grave erreur stratégique ; Reuben Atlee n'était pas homme à céder à un ultimatum. Un an avant qu'il soit déboulonné de son siège, Claudia avait épousé un homme de neuf ans son cadet. Le Juge l'avait virée séance tenante ; on en avait fait des gorges chaudes dans les cafés de la grand-place et les clubs de tricot. Au bout de quelques années d'une union houleuse, le nouvel époux de Claudia était décédé. Elle s'était retrouvée seule, le Juge aussi. Mais elle l'avait trahi en se remariant ; il ne le lui avait jamais pardonné.

— Où est Forrest ? reprit-elle.

— Il ne devrait pas tarder à arriver.

— Comment va-t-il ?

— Comme d'habitude.

— Tu veux que je parte ?

— À vous de voir.

— Je préférerais parler avec toi, Ray. Il faut que je parle à quelqu'un.

— Vous n'avez donc pas d'amis ?

— Non. Reuben était mon seul ami.

Ray tiqua en l'entendant appeler le Juge par son

prénom. Elle ficha une cigarette entre ses lèvres poisseuses de rouge, un rouge pâle en signe de deuil, pas le carmin qu'elle arborait autrefois. Elle avait au moins soixante-dix ans, mais ne paraissait pas son âge. Encore droite et mince, elle portait une robe ajustée qu'aucune autre septuagénaire du comté n'aurait osé mettre. Elle avait des diamants aux oreilles, un autre en bague ; Ray était incapable de dire s'ils étaient vrais. Elle portait aussi un joli pendentif et deux bracelets en or.

C'était une vieille coquette, mais elle avait encore du sex-appeal. Il demanderait à Harry Rex qui elle fréquentait ces temps-ci.

— De quoi voulez-vous parler ? demanda Ray en resservant du café.

— De Reuben.

— Mon père est mort. Je n'aime pas revenir sur le passé.

— On ne peut pas essayer d'être amis ?

— Non. Nous nous sommes toujours mutuellement méprisés. Nous n'allons pas nous embrasser maintenant, devant son cercueil. À quoi cela rimerait-il ?

— Je suis une vieille femme, Ray.

— Et moi, je vis en Virginie. Nous irons à l'enterrement et nous ne nous reverrons plus. Qu'en dites-vous ?

Elle alluma une autre cigarette, versa quelques larmes. Ray pensait à la pagaille du bureau : que dirait-il à Forrest si son frère débarquait maintenant et voyait les traces de boue et les cartons jonchant le sol ? Et s'il découvrait Claudia attablée dans la cuisine, il était capable de lui sauter à la gorge.

Sans jamais en avoir eu la preuve, les deux frères avaient longtemps soupçonné leur père de lui avoir versé un salaire bien supérieur à celui d'une simple greffière. Un supplément en échange des services supplémentaires qu'elle fournissait. Qui n'en aurait gardé du ressentiment ?

— Je veux quelque chose, un souvenir, c'est tout.

— Pour vous souvenir de moi ?
— Tu es comme ton père, Ray. Je m'incruste.
— C'est de l'argent que vous voulez ?
— Non.
— Vous êtes fauchée ?
— Je n'ai pas de gros revenus.
— Il n'y a rien pour vous ici.
— Tu as lu son testament ?
— Oui. Votre nom n'y figure pas.

Elle versa encore quelques larmes, tandis que Ray bouillait en silence. Elle avait eu sa part vingt ans plus tôt, quand lui, jeune étudiant en droit, faisait le service dans un bar et se nourrissait de beurre de cacahouètes chaque fin de mois pour ne pas se faire virer de son appartement minable. Elle était toujours au volant d'une Cadillac neuve pendant que Forrest et lui conduisaient un tas de ferraille. Il leur fallait vivre en fils de famille désargentés alors qu'elle avait les toilettes et les bijoux.

— Il a toujours promis de prendre soin de moi, reprit-elle.

— Il s'est dégagé de cette promesse il y a bien des années, Claudia. Oubliez tout ça.

— Je ne peux pas. Je l'aimais tellement.

— Ce n'était que du sexe et de l'argent, pas de l'amour. Je ne tiens pas à en parler.

— Qu'y a-t-il dans la succession ?

— Rien. Il a tout distribué.

— Comment ?

— Vous avez bien entendu. Vous vous souvenez comme il aimait envoyer des chèques ; cela n'a fait qu'empirer après votre départ.

— Et sa retraite ?

Fini les larmes. Les yeux verts étaient secs et étincelants ; on parlait de gros sous.

— Il l'a encaissée un an après sa défaite. Une erreur monumentale, mais je n'étais pas au courant. Il commençait à perdre la boule. Après avoir touché l'argent, il en a gardé un peu pour ses besoins et a distribué le reste aux mouvements de scoutisme, au Lions club, aux Fils des Confédérés, à l'Association de protection des champs de bataille historiques et j'en passe.

Si son père avait été un juge véreux, ce que Ray se refusait à croire, Claudia serait au courant de l'existence du magot. À l'évidence, elle ne savait rien. Si elle avait su quelque chose, l'argent ne serait pas resté caché dans le bureau. En admettant qu'elle ait vu les trois millions, tout le comté serait au courant ; dès qu'elle avait un peu d'argent, il fallait qu'elle le montre. En regardant la vieille femme pitoyable assise en face de lui il se dit qu'elle ne devait pas avoir grand-chose à montrer.

— Je croyais que votre second mari avait de l'argent, glissa Ray avec une cruauté inutile.

— Moi aussi, fit-elle en esquissant un sourire.

Ray ne put retenir un petit rire. Puis ils se mirent à rire franchement tous les deux ; l'atmosphère se détendit sensiblement. Claudia avait toujours été connue pour son franc-parler.

— Mais vous ne l'avez jamais trouvé.

— Pas un sou. Il avait une jolie petite gueule et neuf ans de moins que moi.

— Je me souviens de lui. L'affaire avait fait scandale.

— C'était un beau parleur de cinquante et un ans qui m'a fait croire qu'il avait des intérêts dans le pétrole. Nous avons foré comme des fous pendant quatre ans sans jamais rien trouver.

Le rire de Ray sonna clair. Il ne se rappelait pas avoir jamais eu une conversation sur le sexe et l'argent avec une femme de soixante-dix ans. Elle devait avoir un réservoir d'histoires : les morceaux choisis de Claudia.

— Vous êtes en pleine forme, Claudia. Vous avez le temps d'en trouver un autre.

— Je suis fatiguée, Ray. Vieille et fatiguée. Il faudrait encore tout lui apprendre : le jeu n'en vaut pas la chandelle.

— Comment a fini le numéro deux ?

— Emporté par une crise cardiaque. Je n'ai même pas grappillé mille dollars.

— Le Juge en a laissé six mille.

— C'est tout ? s'écria-t-elle, incrédule.

— Ni actions ni bons, rien d'autre qu'une vieille maison et six mille dollars à la banque.

Elle baissa les yeux, secoua la tête ; elle ne mettait pas en doute les paroles de Ray. Claudia ignorait tout du magot.

— Qu'allez-vous faire de la maison ? reprit-elle.

— Forrest veut y mettre le feu et toucher l'argent de l'assurance.

— L'idée n'est pas mauvaise.

— Nous allons la mettre en vente.

Ils entendirent du bruit sous le porche, puis on frappa à la porte. Le révérend Palmer venait parler du service funèbre qui aurait lieu deux heures plus tard. Claudia prit Ray par le bras en se dirigeant vers sa voiture et l'étreignit au moment de prendre congé.

— Je regrette de ne pas avoir été plus gentille avec vous deux, murmura-t-elle quand il ouvrit la portière.

— À tout à l'heure, Claudia. Nous nous verrons à l'église.

— Il ne m'a jamais pardonné, Ray.

— Moi, je vous pardonne.

— Sincèrement ?

— Oui. Maintenant, nous sommes amis.

— Merci du fond du cœur.

Elle l'étreignit encore une fois, les joues humides de larmes. Il l'aida à monter dans sa voiture, une Cadillac, comme toujours.

— Et toi, Ray, demanda-t-elle juste avant de mettre le contact, t'a-t-il pardonné ?

— Je ne crois pas.

— Moi non plus.

— Cela n'a plus d'importance maintenant. Nous allons le mettre en terre comme il convient.

— Il se conduisait parfois comme un vieux salaud, tu sais ? fit-elle en souriant à travers ses larmes.

Ray ne put s'empêcher de rire. L'ex-maîtresse de son défunt père venait de traiter le grand homme de salaud.

— Oui, fit-il en hochant le tête. Il faut dire les choses comme elles sont.

12.

Le juge Atlee descendit l'allée centrale dans son beau cercueil de chêne et s'arrêta devant l'autel, au pied de la chaire où le révérend Palmer, en robe noire, attendait. Le cercueil restait fermé, au grand désappointement de la majeure partie de l'assistance, fidèle à la vieille tradition sudiste qui consistait à regarder une dernière fois le défunt pour rendre plus intense encore le chagrin provoqué par sa perte. « Pas question », avait répondu posément Ray à Magargel qui lui demandait s'il devait enlever le couvercle. Quand tout fut en place, le révérend Palmer étendit lentement les bras, puis les baissa pour inviter les fidèles à s'asseoir.

Sur sa droite, au premier rang, la famille — les deux fils — avait pris place. Ray portait son nouveau complet et paraissait fatigué. Forrest, en jean et veste de daim noir, avait l'air frais comme un gardon. Le deuxième rang était occupé par Harry Rex et ceux qui portaient le cercueil. Derrière se trouvait une brochette de magistrats cacochymes qui avaient eux-mêmes un pied dans la tombe. De l'autre côté étaient réunies des personnalités de tout poil : des politiciens, un ancien gouverneur, deux membres de la Cour suprême du Mississippi. Jamais une assemblée de si haute volée n'avait été vue à Clanton.

Le sanctuaire était plein à craquer. Il y avait des gens debout, le long des murs, sous les vitraux et il ne restait plus une place au balcon.

La salle du sous-sol, qui avait été sonorisée, accueillait aussi quantité d'amis et d'admirateurs.

Ray n'en revenait pas de voir une telle affluence ; Forrest regardait déjà sa montre. Arrivé avec un quart d'heure de retard, il s'était fait incendier par Harry Rex. Il avait prétendu que son complet neuf était sale et qu'Ellie lui avait assuré que la veste de daim noir qu'elle lui avait offerte des années plus tôt serait parfaite pour l'occasion.

Comme elle en était à cent trente kilos, elle refusait de sortir de chez elle, ce dont Ray et Harry Rex se félicitaient. Elle avait réussi à empêcher Forrest de se charger, mais ce n'était que partie remise. Pour une infinité de raisons, Ray avait hâte de rentrer en Virginie.

Le pasteur commença par un bref et vibrant message de remerciement pour la vie d'un grand homme. Puis il présenta à l'assistance un chœur de jeunes chanteurs qui s'était distingué à l'occasion d'un concours national, à New York. À en croire le révérend Palmer, le Juge leur avait remis trois mille dollars pour le voyage. Le chœur interpréta avec beaucoup de sentiment deux chants que Ray n'avait jamais entendus.

Le premier éloge funèbre — il ne devait, conformément aux instructions de Ray, y en avoir que deux brefs — fut prononcé par un vieux monsieur qui eut toutes les peines du monde à monter en chaire, mais qui était doté d'une voix dont la force et l'ampleur surprirent l'assistance. Il avait fait son droit avec le Juge des siècles auparavant. Il raconta deux anecdotes qui n'avaient rien de drôle et le volume de sa voix commença à décliner.

Le pasteur lut un passage de l'Évangile et offrit des paroles de réconfort à ceux qui avaient perdu un être cher, même s'il était arrivé au terme naturel de sa vie.

Le second éloge funèbre fut prononcé par un jeune Noir du nom de Nakita Poole, une célébrité locale, issu d'une famille modeste du quartier chaud de la ville. Sans l'aide d'un professeur de chimie, il aurait abandonné ses études dès l'âge de quinze ans et serait devenu un délinquant de plus. Le Juge avait fait la connaissance du jeune homme dans sa salle d'audience, à l'occasion d'une sordide histoire de famille, et s'était intéressé à lui. Poole avait des dons exceptionnels en sciences et en mathématiques. Premier de sa classe, il avait demandé à s'inscrire dans les meilleures universités et avait été accepté partout. Le Juge avait envoyé de vigoureuses lettres de recommandation et usé de toute son influence. Nakita avait choisi Yale. Sa bourse d'études couvrait toutes ses dépenses ; il ne lui manquait que l'argent de poche. Pendant quatre ans, le Juge lui avait écrit toutes les semaines ; dans chaque enveloppe, il glissait un chèque de vingt-cinq dollars.

— Je n'étais pas le seul à recevoir ses lettres et ses chèques, affirma-t-il devant l'assistance muette. Nous étions nombreux dans ce cas.

Nakita était maintenant docteur en médecine ; il s'apprêtait à partir deux ans en Afrique comme bénévole.

— Je peux vous assurer que ces lettres me manqueront, conclut-il, faisant monter les larmes aux yeux des dames.

Le coroner, Thurber Foreman, lui succéda. Il était depuis longtemps de tous les enterrements et le Juge avait explicitement demandé qu'il chante *Just a Closer Walk with Thee* en s'accompagnant de sa mandoline. Il le fit magnifiquement, étreint par l'émotion, les joues ruisselant de larmes.

Forrest commença à s'essuyer discrètement les yeux tandis que Ray gardait le regard fixé sur le cercueil en ressassant les mêmes questions. D'où venait l'argent ?

Qu'avait fait son père ? Que pensait-il que deviendrait le magot après sa mort ?

Le révérend fit une brève oraison et le cercueil du juge Atlee quitta le sanctuaire. M. Magargel escorta Ray et Forrest dans l'allée centrale, jusqu'au parvis de l'église où une limousine attendait près du fourgon mortuaire. La foule suivit et se dirigea vers les voitures pour se rendre au cimetière.

Comme dans toutes les petites villes le passage d'un cortège funèbre était un événement à Clanton. La circulation s'arrêta. Ceux qui n'étaient pas dans le convoi se trouvaient sur les trottoirs, suivant d'un regard empreint de tristesse le corbillard et l'interminable file de voitures. Les membres des forces de police, en uniforme, bloquaient rues, ruelles et parkings.

Le convoi passa devant le tribunal où le personnel, tête baissée, était aligné sur le trottoir. Les commerçants de la grand-place étaient sortis de leur boutique pour un dernier adieu au juge Atlee.

Il fut inhumé dans la concession de famille, au côté de son épouse oubliée depuis longtemps, au milieu de ses ancêtres révérés. Il serait le dernier Atlee à être porté en terre dans le comté de Ford. Personne ne le savait, personne n'en avait cure. Ray voulait se faire incinérer et ses cendres seraient répandues au-dessus des Montagnes bleues. Forrest avait conscience d'être plus proche de la tombe que son frère aîné, mais il n'avait pas réfléchi aux détails. Il n'avait qu'une certitude : il ne serait pas enterré à Clanton. Ray le poussait à se faire incinérer, Ellie était séduite par l'idée d'un monument funéraire ; Forrest préférait ne pas s'attarder sur le sujet.

Le cortège funèbre se tassa tant bien que mal sous et autour d'un dais cramoisi bien trop petit, tendu par Magargel au-dessus de la fosse et de quatre rangées de sièges pliants ; il en aurait fallu mille.

Les genoux de Ray et de Forrest touchaient presque le

cercueil. En écoutant distraitement le révérend Palmer, au bord de la sépulture de son père, Ray était assailli par d'étranges pensées. Il voulait rentrer chez lui. La fac et ses étudiants lui manquaient. Il avait envie d'être aux commandes d'un avion et de contempler la vallée de la Shenandoah à une altitude de cinq mille pieds. Il se sentait fatigué, irritable et ne voulait pas passer deux heures au cimetière à échanger des banalités avec des gens qui l'avaient connu en culottes courtes.

L'épouse d'un prédicateur pentecôtiste chanta pour finir *Amazing Grace* d'une voix sublime de soprano qui se répercuta sur les ondulations de terrain du vieux cimetière, apportant le réconfort aux défunts, l'espoir aux vivants. Pendant cinq minutes, le temps sembla s'arrêter ; même les oiseaux avaient suspendu leur vol.

Tandis qu'un soldat jouait un dernier air de trompette, on replia le drapeau et on le tendit à Forrest qui sanglotait et transpirait à grosses gouttes sous sa veste de daim. Les dernières notes s'évanouirent entre les arbres, Harry Rex se mit à pleurer bruyamment dans leur dos. Ray se pencha en avant, une main sur le cercueil, pour un dernier adieu à son père, puis il resta prostré, les coudes sur les genoux, le visage enfoui dans les mains.

La foule se dispersa rapidement : c'était l'heure du déjeuner. Ray se dit que s'il restait dans cette attitude, les yeux rivés sur le cercueil, on ne viendrait pas l'importuner. Forrest s'appuya lourdement sur son épaule et ils demeurèrent immobiles, donnant l'impression de pouvoir rester ainsi jusqu'à la tombée du jour. Reprenant ses esprits, Harry Rex joua le rôle de porte-parole de la famille. À l'entrée de la tente, il remercia les personnalités de s'être déplacées, complimenta le révérend Palmer pour le service mortuaire, loua la soprano pour son émouvante interprétation, expliqua à Claudia qu'elle ne pouvait pas rester avec les deux frères et ainsi de suite. Les fossoyeurs attendaient sous un arbre, la pelle à la main.

Quand tout le monde se fut retiré, y compris Magargel et ses employés, Harry Rex se laissa tomber sur la chaise pliante la plus proche de Forrest ; ils restèrent tous trois assis un long moment, regardant droit devant eux, incapables de se décider à partir. Le seul bruit était le ronronnement lointain d'une pelle mécanique. Forrest et Ray ne l'entendaient pas ; on n'enterre son père qu'une fois.

Quelle importance pouvait avoir le temps pour un fossoyeur ?

— Pour un bel enterrement, ce fut un bel enterrement, déclara enfin Harry Rex, un expert en la matière.

— Il en aurait été fier, glissa Forrest.

— Il aimait les enterrements, ajouta Ray, mais ne supportait pas les mariages.

— Moi, j'aime les mariages, reprit Harry Rex.

— À combien en es-tu ? interrogea Forrest. Quatre ou cinq ?

— Quatre, série en cours.

Un homme en tenue des services municipaux s'approcha lentement.

— Désirez-vous que nous le descendions maintenant ?

demanda-t-il d'une voix douce. Ni Ray ni Forrest ne savaient que répondre.

— Allez-y, répondit Harry Rex sans hésitation.

L'homme actionna une manivelle. Le cercueil s'enfonça très lentement dans la fosse ; ils le regardèrent descendre jusqu'à ce qu'il repose au fond du trou creusé dans la terre rouge.

— Voilà, c'est terminé, déclara Forrest.

Ils déjeunèrent de *tamales* accompagnés d'un soda dans un drive-in des faubourgs, loin des établissements bondés du centre où ils savaient que des importuns viendraient leur glisser quelques mots de sympathie. Ils s'installèrent à une table de pique-nique en bois, protégée par un grand parasol et regardèrent passer les voitures.

— Quand repars-tu ? demanda Harry Rex à Ray.

— Demain, à la première heure.

— Nous avons encore du travail.

— Je sais. Faisons-le cet après-midi.

— Quel genre de travail ? s'enquit Forrest.

— L'évaluation des biens. Nous ouvrirons la succession dans une quinzaine de jours, dès que Ray pourra revenir. Il faut commencer à mettre le nez dans les papiers du Juge pour voir ce qu'il y aura à faire.

— C'est le boulot de l'exécuteur testamentaire, non ?

— Tu peux nous donner un coup de main.

La bouche pleine, Ray pensait à sa voiture. Il l'avait garée dans une rue passante, près de l'église presbytérienne ; elle devait être en sécurité.

— Je suis allé au casino hier soir, lança-t-il.

— Lequel ? demanda Harry Rex.

— Santa Fe Club, je crois, le premier que j'ai trouvé. Tu le connais ?

— Je les ai tous faits, répondit Harry Rex du ton de celui qui s'est juré de ne plus y mettre les pieds.

Exception faite des drogues illégales, il avait tâté de tous les vices.

— Moi aussi, glissa Forrest qui avait tous les vices sans exception. Cela s'est bien passé ?

— J'ai gagné deux mille dollars au black-jack. En prime, on m'a offert une chambre.

— Moi, je l'ai payée, la chambre, grogna Harry Rex. J'ai même dû payer pour tout l'étage.

— J'aime leurs consos gratuites, ajouta Forrest.

La gorge serrée, Ray décida de tendre ses filets.

— J'ai trouvé une boîte d'allumettes du Santa Fe sur le bureau du Juge. Il y passait de temps en temps ?

— Bien sûr, répondit Harry Rex. Nous y allions tous les deux, une fois par semaine. Il aimait les dés.

— Le paternel ? lança Forrest. Il jouait ?

— Eh oui !

— Voilà donc où est passé le reste de mon héritage. Ce qu'il n'a pas distribué, il l'a perdu au jeu.

— Pas du tout, ton père était un bon joueur.

Ray faisait mine d'être aussi surpris que son frère, mais il se sentait soulagé d'avoir découvert un premier indice, aussi fragile fût-il. Il semblait impossible que le Juge ait pu amasser une telle fortune en jouant aux dés une fois par semaine.

Il se promit d'en reparler à Harry Rex quand ils seraient seuls.

13.

Sentant sa fin prochaine, le Juge s'était appliqué à mettre ses affaires en ordre. Les dossiers importants, rassemblés dans son bureau, étaient faciles à trouver.

Ils commencèrent par le bureau d'acajou. Un tiroir contenait dix années de relevés de comptes, classés par ordre chronologique. Ses déclarations de revenus se trouvaient dans un autre. D'épais registres contenaient la liste de tous les dons faits à qui le demandait. Le plus grand des tiroirs était bourré de dizaines de dossiers en papier kraft. Impôts fonciers, dossiers médicaux, actes notariés et vieux titres de propriété, factures en attente, congrès de juristes, courrier de ses médecins, pension de retraite. Ray passa les dossiers en revue sans les ouvrir, sauf celui qui contenait les factures à régler. L'une d'elles — treize dollars et quatre-vingts cents pour une réparation de tondeuse — était datée de la semaine précédente.

— Cela fait toujours une drôle d'impression de fouiller dans les papiers de quelqu'un qui vient de mourir, affirma Harry Rex. Je me sens sale, comme si j'étais un voyeur.

— Plutôt un détective à la recherche d'indices, glissa Ray.

Ils se tenaient chacun d'un côté du bureau, en bras de

chemise, devant des piles de documents. Forrest se rendait utile à sa manière habituelle : après avoir descendu la moitié d'un pack de six bières en guise de dessert, il cuvait dans la balancelle.

Mais Forrest était présent, il ne les avait pas quittés pour s'embarquer dans une de ces frasques dont il était coutumier ; il lui était si souvent arrivé de disparaître comme par enchantement. S'il avait fait un scandale à l'enterrement de son père, personne à Clanton ne s'en serait vraiment étonné. Un mauvais point de plus pour cet incorrigible fils Atlee, une histoire de plus à raconter.

Ils trouvèrent dans le dernier tiroir des objets personnels du Juge : stylos, pipes, photographies de groupe à des congrès du barreau, vieux portraits de Ray et Forrest, son acte de mariage et l'acte de décès de leur mère. Une enveloppe froissée, cachetée contenait sa nécrologie découpée dans le *Clanton Chronicle* daté du 12 octobre 1969 et accompagnée d'une photographie. Ray lut le texte et tendit la coupure de journal à Harry Rex en lui demandant s'il se souvenait d'elle.

— Oui, je suis allé à son enterrement. C'était une jolie femme qui n'avait pas beaucoup d'amis.

— Pourquoi ?

— Elle était originaire du delta du Mississippi, où la plupart des gens descendent d'une famille aristocratique. C'est ce que le Juge recherchait, mais ça ne passait pas très bien par ici. Elle avait cru faire un mariage d'argent. En ce temps-là, un juge ne gagnait pas lourd et elle se donnait beaucoup de mal pour être mieux que les autres.

— Tu ne l'aimais pas ?

— Pas vraiment. Elle me prenait pour quelqu'un de mal dégrossi.

— Quelle idée !

— J'étais très attaché à ton père, Ray, mais on n'a pas versé beaucoup de larmes aux obsèques de ta mère.

— Un enterrement suffira pour aujourd'hui.

— Excuse-moi.
— Qu'y avait-il dans le testament que tu lui as fait ? Le dernier.
Harry Rex posa la coupure de journal sur le bureau et s'enfonça dans le fauteuil. Il tourna la tête vers la fenêtre placée derrière Ray.
— Le Juge voulait instituer un fidéicommis auquel irait le produit de la vente de la maison. En ma qualité d'administrateur j'aurais eu le plaisir de vous distribuer l'argent au compte-gouttes. Mais ses premiers cent mille dollars, poursuivit-il avec un mouvement de tête en direction du porche, auraient été reversés sur la succession. C'est la somme que le Juge estimait que Forrest lui devait.
— Une idée désastreuse.
— J'ai essayé de l'en dissuader.
— Grâce au ciel, il a brûlé le testament.
— Comme tu dis. Il savait que c'était une mauvaise idée, mais il voulait protéger Forrest de lui-même.
— Comme nous essayons de le faire depuis vingt ans.
— Il avait envisagé toutes les possibilités. Il avait voulu te léguer la totalité des biens, privant Forrest de sa part, mais il savait que cela provoquerait des heurts. Furieux à l'idée que vous ne vivriez jamais ici, ni l'un ni l'autre, il m'a demandé de préparer un autre testament dans lequel il faisait don de la maison à l'église. Mais il ne l'a pas signé. Quand Palmer l'a mis hors de lui avec sa position sur la peine de mort, il a changé d'avis et décidé qu'il ferait vendre la propriété à son décès et que l'argent irait à des œuvres de bienfaisance.
Harry Rex étendit les bras jusqu'à ce que sa colonne vertébrale craque. Il avait subi deux opérations du dos et devait fréquemment changer de position.
— J'imagine, poursuivit-il, qu'il vous a convoqués, Forrest et toi, pour décider ensemble de ce qu'il convenait de faire de son patrimoine.

— Alors pourquoi ce testament de dernière minute ?

— Nous ne le saurons jamais. Peut-être en avait-il assez de souffrir. Je le soupçonne d'avoir pris goût à la morphine, comme c'est souvent le cas à la fin. Peut-être savait-il que ses jours étaient comptés.

Ray plongea les yeux dans ceux du général Nathan Bedford Forrest qui, du haut de son mur, depuis près d'un siècle, contemplait la pièce d'un regard grave. Il ne faisait aucun doute dans son esprit que le Juge avait choisi de mourir sur le canapé pour que le général puisse l'aider dans cette dernière épreuve. Le général savait. Il savait comment et quand le Juge avait rendu le dernier soupir. Il savait d'où venait le magot. Il savait qui s'était introduit nuitamment dans la maison pour saccager le bureau.

— A-t-il, à un moment ou à un autre, couché Claudia sur son testament ? reprit Ray.

— Jamais. Il avait la rancune tenace, tu le sais bien.

— Elle est passée ce matin.

— Qu'est-ce qu'elle voulait ?

— Je crois qu'elle venait chercher de l'argent. Elle a dit que le Juge avait promis de prendre soin d'elle et elle voulait savoir ce qu'il y avait dans le testament.

— Tu le lui as dit ?

— Avec un plaisir non dissimulé.

— Ne t'inquiète pas pour cette femme, elle s'en sortira toujours. Tu te souviens du vieux Walter Sturgis, un entrepreneur de Karraway, radin comme pas deux ?

Harry Rex connaissait tout le monde, les trente mille âmes du comté : les Noirs, les Blancs et maintenant les Mexicains.

— Ça ne me dit rien.

— Le bruit court qu'il a un demi-million de dollars ; elle a jeté son dévolu sur lui. Elle lui fait porter des chemises de golf et fréquenter le country club. Il raconte à ses vieux copains qu'il prend du Viagra tous les jours.

— Bravo !

— Elle le mettra sur la paille.

Sous le porche, Forrest changea de position ; les chaînes de la balancelle grincèrent. Ils attendirent que le silence revienne.

— Voici l'estimation de la maison, reprit Harry Rex en ouvrant un dossier. Nous l'avons fait faire l'an dernier par un expert de Tupelo, probablement le meilleur du nord du Mississippi.

— Combien ?

— Quatre cent mille.

— Vendu.

— J'ai trouvé l'estimation optimiste. Le Juge, comme tu peux t'en douter, croyait qu'elle valait un million.

— Bien sûr.

— Je pense que trois cent mille serait un chiffre plus raisonnable.

— Nous n'arriverons pas à la moitié. Quels éléments sont pris en compte pour l'estimation ?

— Tout est là. Surface au sol, terrain, charme, prix de vente de propriétés comparables.

— Donne-moi un exemple.

Harry Rex feuilleta le dossier.

— En voilà un. Une maison de la même époque, même surface, douze hectares de terrain, à la périphérie de Holly Springs, vendue huit cent mille dollars il y a deux ans.

— Ce n'est pas Holly Springs.

— Tu as raison.

— Nous sommes dans une ville d'avant la guerre de Sécession, avec quantité de maisons anciennes.

— Tu veux que je porte plainte contre l'expert ?

— Oui, faisons-lui un procès. Combien donnerais-tu pour la maison ?

— Pas un radis. Tu veux une bière ?

— Non.

Harry Rex se dirigea pesamment vers la cuisine et revint avec une grande canette de Pabst Blue Ribbon.

— Je ne comprends pas pourquoi il achète ça, marmonna-t-il avant de descendre d'un trait le quart de la canette.

— Cela a toujours été sa marque préférée.

Harry Rex écarta deux lamelles du store, ne vit rien d'autre que les jambes pendantes de Forrest.

— Je n'ai pas l'impression que l'héritage le préoccupe beaucoup.

— Il est comme Claudia. Tout ce qu'il veut, c'est un chèque.

— Qui pourrait lui coûter la vie.

Ray trouvait rassurant de voir Harry Rex partager ses inquiétudes. Il attendit que l'avocat revienne près de lui ; il voulait observer son regard.

— D'après sa dernière feuille d'impôts, glissa-t-il, le Juge a gagné moins de neuf mille dollars l'an dernier.

— Il était malade, fit Harry Rex en s'étirant et en cambrant le dos avant de se laisser tomber dans le fauteuil du bureau. Mais il jugeait encore quelques affaires jusqu'à ces derniers mois.

— Quelle sorte d'affaires ?

— Un peu de tout. Je pense à ce gouverneur d'extrême droite, un néonazi, il y a quelques années…

— Je me souviens de lui.

— Il priait à tout bout de champ quand il était en campagne, vantait les valeurs familiales, s'opposait à tout, sauf aux armes à feu. Mais il aimait les femmes. Sa légitime l'a surpris en galante compagnie et un énorme scandale a éclaté. Pour des raisons évidentes, personne à Jackson n'a voulu se charger de l'affaire ; on a demandé au Juge d'arbitrer le différend.

— Il y a eu un procès ?

— Oh ! oui. Un procès retentissant, pas joli-joli. La femme du gouverneur en savait long sur son mari qui croyait pouvoir intimider le Juge. Elle a récupéré la maison et la plus grande partie de l'argent. Aux dernières nouvelles, il vivait au-dessus du garage de son frère, avec des gardes du corps, naturellement.

— As-tu jamais vu mon père se laisser intimider ?

— Jamais. Pas une seule fois en trente ans.

Tandis qu'Harry Rex prenait une gorgée de bière, Ray parcourut une autre déclaration de revenus. Tout était calme : les ronflements de Forrest reprirent sous le porche.

— J'ai trouvé de l'argent, déclara Ray.

Rien ne passa dans les yeux d'Harry Rex. Ni connivence, ni étonnement, ni soulagement. Pas de battement de cils, pas de plissement de paupières.

— Combien ? demanda-t-il après un silence, avec un léger haussement d'épaules.

— Un plein carton. Des questions allaient suivre ; Ray avait essayé de s'y préparer.

Harry Rex attendit un peu avant de poser la première d'un ton détaché.

— Où ?

— Ici, dans le meuble qui est derrière le canapé. Des billets dans un carton, plus de quatre-vingt-dix mille dollars.

Jusqu'à présent, il n'y avait pas eu de mensonge. Il n'avait pas dit toute la vérité mais il n'avait pas menti. Pas encore.

— Quatre-vingt-dix mille dollars, répéta Harry Rex d'une voix un peu trop forte au goût de Ray, qui indiqua le porche d'un signe de tête.

— En billets de cent dollars, précisa-t-il à mi-voix. Tu ne vois pas d'où pourrait venir cet argent ?

Harry Rex prit une goulée de bière et plissa les yeux en regardant droit devant lui.

— Je ne vois pas.

— Le jeu ? Tu as dit qu'il aimait les dés.

Une autre gorgée de bière.

— Ouais, peut-être. Les casinos sont ouverts depuis

six ou sept ans et nous y allions ensemble une fois par semaine. Au début.

— Tu as arrêté ?

— J'aurais bien aimé. Entre nous, j'y étais tout le temps fourré. Je jouais si souvent que je ne voulais pas que ton père le sache. Chaque fois que j'y allais avec lui, je jouais petit jeu ; le lendemain, j'y retournais en douce et je perdais tout ce que je voulais.

— Combien as-tu perdu ?

— Parlons plutôt du Juge.

— D'accord. Est-ce qu'il gagnait ?

— Le plus souvent. Les soirs de chance, il pouvait gagner deux mille dollars.

— Et les soirs de malchance ?

— Cinq cents dollars, la limite qu'il s'était fixée. Quand il perdait, il savait s'arrêter. C'est le secret de la réussite au jeu : savoir s'arrêter et avoir le courage de quitter la table en y laissant des plumes. Il le faisait, pas moi.

— Il y allait sans toi ?

— Je l'ai surpris une fois. Je jouais au black-jack dans un nouveau casino — il y en a quinze maintenant, on a le choix —, quand une altercation a éclaté à une table de craps, pas très loin de la mienne. Dans la bousculade j'ai vu le Juge. Il s'était coiffé d'une casquette de base-ball pour ne pas être reconnu. Ses déguisements ne devaient pas être très réussis ; j'ai entendu des rumeurs. Des tas de gens fréquentent les casinos et il ne passait pas toujours inaperçu.

— Il y allait souvent ?

— Qui sait ? Il ne parlait à personne. Un client, un des fils Higginbotham qui vendent des voitures d'occasion, m'a raconté qu'il avait vu le juge Atlee à trois heures du matin à l'Île au trésor. Je me suis dit que ton père devait aller jouer très tard pour ne pas être vu.

Ray fit un calcul rapide. Si le Juge avait joué trois fois par semaine pendant cinq ans en gagnant chaque fois deux mille dollars, ses gains auraient atteint à peu près un million et demi.

— Tu crois qu'il aurait planqué quatre-vingt-dix mille dollars ? demanda Ray en songeant que c'était une somme bien modeste.

— Tout est possible, mais pourquoi cacher cet argent ?

— Pas la moindre idée.

Ils réfléchirent un moment en silence ; Harry Rex termina sa bière et alluma un cigare. Le ventilateur poussif du plafond dispersait mollement la fumée. Harry Rex souffla une grosse volute en direction de l'appareil.

— Les gains réalisés dans les casinos sont taxés, reprit-il. Comme ton père ne voulait pas que l'on sache qu'il jouait, peut-être a-t-il préféré garder l'argent en espèces.

— Les casinos ne font pas remplir une déclaration à partir d'une certaine somme ?

— Je n'ai jamais rempli de papiers.

— Mais si tu avais gagné ?

— Tu as raison. Un de mes clients avait gagné onze mille dollars aux machines à sous ; on lui a fait remplir un formulaire destiné au fisc.

— Et pour les dés ?

— Quand on encaisse plus de dix mille dollars, on est tenu de les déclarer. En deçà, il ne se passe rien. Comme un dépôt en espèces au guichet d'une banque.

— Le Juge ne devait pas vouloir qu'il reste une trace de ses gains.

— Certainement pas.

— Il n'a jamais parlé d'argent liquide, d'une cagnotte, quand vous faisiez ses testaments.

— Jamais. Cet argent est un secret, Ray ; je n'en connais pas la provenance. Je ne sais pas quelle idée il avait derrière la tête, mais il savait certainement qu'on le découvrirait.

— Exact. La question est maintenant de savoir ce que nous allons en faire.

Harry Rex opina du bonnet en fichant le cigare entre ses lèvres. Ray renversa la tête en arrière, regarda tourner le ventilateur. Ils réfléchirent un long moment à ce qu'il convenait de faire de l'argent ; ni l'un ni l'autre ne voulait proposer de continuer à le dissimuler. Quand Harry Rex se leva pour aller chercher une autre bière, Ray en demanda une.

À mesure que le temps s'écoulait, il devenait évident qu'ils n'aborderaient plus, du moins ce jour-là, le sujet de l'argent du Juge. Quelques semaines plus tard, quand la succession serait ouverte, que l'inventaire serait dressé, la question pourrait revenir sur le tapis. Mais ce n'était pas une certitude.

Pendant deux jours, Ray s'était demandé s'il était souhaitable de parler à Harry Rex de ce qu'il avait trouvé ; pas tout le magot, juste une partie. Après l'avoir fait, il se trouvait devant plus de questions que de réponses.

Les indices étaient maigres. Le Juge aimait les dés et c'était un bon joueur, mais il paraissait peu vraisemblable qu'il ait empoché trois millions de dollars en sept ans. Qu'il n'en soit resté aucune trace semblait absolument impossible.

Ray reprit les déclarations de revenus tandis qu'Harry Rex épluchait les registres des dons.

— À quel expert-comptable vas-tu t'adresser ? demanda Ray, rompant un long silence.

— Il y a le choix.

— Quelqu'un d'ici ?

— Non, je ne travaille pas avec eux. Clanton est une petite ville.

— J'ai l'impression que la situation fiscale est en ordre, poursuivit Ray en refermant un tiroir.

— Il ne devrait pas y avoir de difficultés, sauf pour la maison.

— Mettons-la en vente dès que possible. Elle ne partira pas facilement.

— Combien en veux-tu ?
— Commençons à trois cent mille.
— Veux-tu faire des travaux pour la remettre en état ?
— Nous n'avons pas d'argent, Harry Rex.

Juste avant la tombée du jour, Forrest annonça qu'il en avait par-dessus la tête de Clanton, de l'atmosphère funèbre, de cette vieille baraque déprimante qu'il n'avait jamais aimée, de Ray et d'Harry Rex, et qu'il rentrait à Memphis où des femmes superbes et des fêtes effrénées l'attendaient.
— Quand reviens-tu ? demanda-t-il à Ray.
— Dans deux ou trois semaines.
— Pour l'homologation ?
— Oui, répondit Harry Rex. Nous passerons devant le juge du tribunal des successions. Tu peux nous accompagner, naturellement, mais ta présence n'est pas indispensable.
— Je ne mets pas les pieds dans un tribunal. J'ai déjà donné, merci.
Ray accompagna Forrest jusqu'à sa voiture.
— Ça ira ? demanda-t-il, uniquement parce qu'il se sentait obligé de montrer qu'il se souciait de lui.
— T'inquiète pas pour moi. À bientôt, mon grand.
Forrest était pressé de partir, avant que son frère lâche une idiotie.
— Appelle-moi pour me dire quand tu reviens.
Il mit le moteur en marche. Ray savait qu'il allait s'arrêter sur la route de Memphis, soit dans un bar avec un billard dans l'arrière-salle, soit dans une boutique où il achèterait un pack de bières qu'il descendrait en conduisant. Forrest avait surmonté l'épreuve de la mort de son père avec beaucoup de cran, mais la tension s'accumulait en lui. Le contrecoup serait terrible.
Harry Rex, comme d'habitude, mourait de faim. Il demanda à Ray s'il avait envie d'une friture de poissons-chats.

— Pas vraiment.

— Parfait. Un nouveau restaurant vient d'ouvrir au bord du lac.

— Il s'appelle comment ?

— La Cabane aux poissons-chats.

— Tu plaisantes ?

— Non, c'est délicieux.

Ils dînèrent sur une terrasse vide surplombant une zone marécageuse en bordure du lac. Harry Rex mangeait du poisson-chat deux fois par semaine, Ray une fois tous les cinq ans. Le cuisinier n'avait pas lésiné sur la pâte à frire ni sur l'huile d'arachide ; Ray savait que la nuit serait longue, pour bien des raisons.

Il dormit dans son ancienne chambre, le pistolet chargé près de la main, les volets clos, la porte verrouillée, les trois sacs-poubelle bourrés de billets au pied du lit. Difficile dans ces conditions de laisser son regard courir dans l'obscurité de la chambre et de faire resurgir les souvenirs d'enfance qui auraient dû s'y trouver. La maison était sombre et froide en ce temps-là, surtout après la mort de sa mère.

À défaut de souvenirs d'enfance, il essaya pour s'endormir de compter des plaques noires d'une valeur de cent dollars que le Juge rapportait des tables de dés à la caisse d'un casino. Il s'abandonnait à son imagination, comptait sans retenue, mais restait loin de la fortune entassée près de son lit.

14.

La grand-place de Clanton avait trois cafés-restaurants, deux pour les Blancs, un pour les Noirs. La clientèle du Tea Shoppe était composée en majorité de cols blancs travaillant dans les banques, au tribunal et dans les commerces ; les conversations roulaient le plus souvent sur la Bourse, la politique, le golf. Le restaurant noir, Chez Claude, existait depuis quarante ans et proposait la meilleure cuisine.

Le Coffee Shop était le lieu de prédilection des fermiers, des policiers et des ouvriers qui y parlaient football et chasse au gibier à plume. Harry Rex s'y sentait bien, comme une poignée d'autres avocats qui aimaient prendre leurs repas en compagnie de ceux qu'ils représentaient. L'établissement ouvrait à 5 heures du matin, tous les jours sauf le dimanche ; à 6 heures, en général, il était bondé. Ray se gara sur la place et ferma soigneusement toutes les portes de sa voiture. Le soleil commençait à poindre au-dessus des collines. Il avait quinze heures de route ; si tout se passait bien, il serait à Charlottesville avant minuit.

Harry Rex avait pris une table donnant sur la place. Un quotidien de Jackson déjà plié et déplié au point de n'être plus utilisable était étalé devant lui.

— Quoi de neuf ? demanda Ray.

Il n'y avait pas la télévision à Maple Run.

— Rien du tout, marmonna Harry Rex sans détacher les yeux d'un éditorial. Je t'enverrai les nécros. Tu veux lire ça, ajouta-t-il en faisant glisser vers Ray un bout de journal froissé de la taille d'un livre de poche.

— Non, il faut que je prenne la route.

— Tu déjeunes d'abord ?

— Oui.

— Dell ! rugit Harry Rex en se tournant vers le fond de la salle.

Au comptoir et aux tables se pressaient des hommes — rien que des hommes — qui mangeaient en discutant.

— Dell travaille encore ici ? s'étonna Ray.

— Elle ne vieillit pas, répondit Harry Rex en faisant de grands signes à la serveuse. Sa mère a quatre-vingts ans, sa grand-mère est centenaire. Elle nous enterrera tous.

Dell n'aimait pas qu'on la siffle comme un chien. Elle apporta une cafetière, la mine renfrognée, mais son visage s'éclaira quand elle reconnut Ray.

— Ça fait bien vingt ans que je t'avais pas vu ! s'écria-t-elle en lui sautant au cou. Elle s'assit à la table, prit Ray par le bras et l'assura qu'elle prenait part à sa douleur.

— C'était un bel enterrement, non ? coupa Harry Rex.

— Je n'en ai jamais vu de si beau, affirma Dell, comme si cela pouvait réconforter Ray et l'impressionner.

— Merci, fit-il, les larmes aux yeux, non à cause du chagrin, mais du mélange de parfums bon marché qui flottait lourdement autour d'elle.

— Qu'est-ce que vous voulez manger ? reprit-elle en se dressant d'un bond. Je vous invite.

Harry Rex choisit des crêpes et des saucisses, une grande portion pour lui, une petite pour Ray. Dell disparut dans un nuage d'effluves capiteux.

— Tu as une longue route à faire. Les crêpes te tiendront au corps.

Après trois jours passés à Clanton, Ray avait l'impression que tout lui tenait au corps. Il avait hâte de reprendre ses longues courses dans la campagne et de retrouver une cuisine plus légère.

À son grand soulagement, personne d'autre ne l'avait reconnu. De si bonne heure, les avocats n'étaient pas encore arrivés et personne d'autre ne connaissait assez bien le Juge pour avoir assisté à son enterrement. Les policiers locaux et les ouvriers mécaniciens, trop pris par leurs blagues, ne levaient pas le nez pour regarder autour d'eux. Voyant que Dell tenait sa langue, Ray se détendit après la première tasse de café ; il se laissa porter par le bourdonnement des conversations et les éclats de rire.

Quand Dell revint, elle apporta à manger pour huit : des crêpes, un chapelet de saucisses, des biscuits rebondis, une jatte de beurre, une autre de confiture maison. Mais pourquoi servir des biscuits avec des crêpes ?

— Ton père était très gentil, glissa-t-elle à l'oreille de Ray en lui tapotant l'épaule.

Elle pivota sur ses talons et partit prendre une autre commande.

— Ton père avait bien des qualités, marmonna Harry Rex en recouvrant ses crêpes d'une épaisse couche de sirop de mélasse, mais il n'était pas gentil.

— Absolument, acquiesça Ray. Il venait ici ?

— Pas à ma connaissance. Il ne prenait pas de petit déjeuner, il ne supportait ni la foule ni les menus propos, il aimait dormir aussi tard que possible. Ce n'était pas un endroit pour lui. Depuis neuf ans, on ne l'a pas beaucoup vu en ville.

— Où Dell l'a-t-elle connu ?

— Au tribunal. Une de ses filles a eu un enfant d'un homme marié et père de famille. Une sale histoire.

Harry Rex engloutit une bouchée de crêpe à étouffer

un cheval ; un gros morceau de saucisse suivit le même chemin.

— Il va sans dire que tu as suivi l'affaire de près ?

— Évidemment, acquiesça Harry Rex en mastiquant vigoureusement. Le Juge a bien traité la jeune femme.

Ray se sentit obligé de prendre à son tour une grosse bouchée de crêpe ; quand il se pencha pour porter la fourchette à sa bouche, le sirop de mélasse se mit à couler partout.

— Ton père était une légende vivante, Ray, tu le sais. Les gens d'ici avaient beaucoup d'affection pour lui ; il a toujours recueilli quatre-vingts pour cent des voix des électeurs du comté.

Ray hocha la tête en terminant sa crêpe ; elle était chaude et grasse, pas très goûteuse.

— Si nous dépensons cinq mille dollars pour remettre la maison en état, poursuivit Harry Rex, la fourchette en l'air, nous récupérerons plusieurs fois la mise. Ce serait un bon investissement.

— Cinq mille dollars pour faire quoi ?

— D'abord la nettoyer, répondit l'avocat en s'essuyant la bouche. Laver, désinfecter, briquer les sols et les murs, astiquer les meubles pour qu'elle ne sente plus mauvais. Ensuite, peindre l'extérieur et le rez-de-chaussée. Réparer le toit pour que les plafonds ne soient plus tachés. Tondre la pelouse et arracher les mauvaises herbes pour rendre l'extérieur plus attirant. Je peux trouver des gens qui se chargeront de tout ça.

Il avala une énorme bouchée de crêpe, attendit la réponse de Ray.

— Il n'y a que six mille dollars à la banque.

Passant près de leur table, Dell réussit, sans donner l'impression d'interrompre son mouvement, à remplir les deux tasses et à tapoter l'épaule de Ray.

— Il y en a d'autres dans le carton que tu as trouvé, glissa Harry Rex en coupant une grosse portion de crêpe.

— Alors, on l'utilise ?

— J'ai réfléchi à la question, fit l'avocat en avalant une goulée de café. En fait, j'ai passé la plus grande partie de la nuit à y réfléchir.

— Résultat ?

— Il y a deux choses, l'une importante, l'autre pas.

Harry Rex enfourna une nouvelle bouchée de taille plus modeste et poursuivit en s'aidant de son couvert pour donner de la force à ses paroles.

— D'abord, d'où vient cet argent ? Nous aimerions le savoir, mais ce n'est pas véritablement important. S'il a dévalisé une banque, il est mort. S'il a beaucoup gagné au casino en échappant au fisc, il est mort. S'il aimait simplement avoir de l'argent à portée de la main, si tu as trouvé son bas de laine, il est encore mort. Tu me suis ?

Ray haussa les épaules comme pour montrer qu'il attendait des explications plus précises. Harry Rex mit à profit cette interruption pour engloutir deux ou trois morceaux de saucisse avant de reprendre son monologue, le couteau dans une main, la fourchette dans l'autre.

— La deuxième question est de savoir ce que tu vas faire de la cagnotte. Voilà l'important. En supposant que personne ne soit au courant de son existence.

— Probablement, acquiesça Ray. Le carton était caché.

Il se remémora les coups, les fenêtres secouées, revit les emballages de Blake & Son éparpillés dans le bureau et piétinés. Il ne put s'empêcher de jeter un coup d'œil en direction de sa voiture, le coffre plein, prête à prendre la route.

— Si tu inclus l'argent dans la succession, la moitié ira au fisc.

— Je le sais bien, Harry Rex. Que ferais-tu à ma place ?

— Je suis mal placé pour te répondre. Je suis en

guerre avec l'administration fiscale depuis dix-huit ans et sur le point de perdre. Qu'ils aillent se faire voir !

— C'est l'avocat qui parle ?

— Non, l'ami. Si tu veux un avis professionnel, sache que tous les biens composant le patrimoine doivent être inventoriés, conformément à la loi de l'État du Mississippi.

— Merci.

— À ta place, je prendrais vingt mille dollars que je mettrais dans la succession pour régler les factures et j'attendrais aussi longtemps que possible pour remettre à Forrest la moitié qui lui revient.

— Voilà ce que j'appelle un avis professionnel.

— Non, ce n'est rien d'autre que du bon sens.

Le mystère des biscuits fut résolu quand Harry Rex les attaqua.

— Tu en veux un ? demanda-t-il à Ray.

— Merci.

Il en coupa deux par la moitié, les beurra, étala une épaisse couche de confiture, puis, au dernier moment, ajouta un morceau de saucisse.

— Sûr ?

— Oui, je suis sûr. Tu crois que les billets pourraient être marqués ?

— Seulement s'ils ont servi pour une rançon ou si c'est de l'argent de la drogue. À ma connaissance, Reuben Atlee ne touchait pas à ces choses-là. Qu'est-ce que tu en penses ?

— Bon, tu peux dépenser cinq mille dollars.

— Tu ne les regretteras pas.

Un petit homme en pantalon et chemise kaki s'avança jusqu'à leur table, un grand sourire aux lèvres.

— Excuse-moi de te déranger, Ray, fit-il en tendant la main. Je ne sais pas si tu me reconnais, je suis Loyd Darling. J'ai une ferme à l'est de la ville.

Ray lui serra la main en se levant à demi. Loyd

Darling, le plus gros propriétaire terrien du comté, lui avait autrefois enseigné le catéchisme.

— Quel plaisir de vous revoir !

— Reste assis, fit Loyd Darling en posant délicatement la main sur son épaule. Je voulais juste te dire que je compatis à ta douleur.

— Merci, monsieur Darling.

— Ton père était un homme bien. Toutes mes condoléances.

Ray inclina la tête en silence. Harry Rex avait cessé de manger ; il semblait au bord des larmes. Dès que Loyd Darling se fut éloigné, il reprit son couvert et se lança dans une dénonciation implacable des abus du fisc. Ray ne put avaler qu'une ou deux autres bouchées : il était gavé. En faisant semblant d'écouter, il se prit à penser à tous les braves gens qui avaient une profonde admiration pour son père, à tous les Loyd Darling qui révéraient le vieux magistrat.

Et si le magot ne provenait pas des casinos ? Si une monstrueuse arnaque avait été commise par le Juge ? Dans la salle bondée du Coffee Shop, les yeux fixés sur les lèvres d'Harry Rex, sans entendre ce qu'il disait, Ray Atlee prit une décision. Il se promit que si l'argent entassé dans son coffre provenait d'une opération réprouvée par la morale, personne n'en connaîtrait jamais l'existence. Il ne porterait pas atteinte à la réputation sans tache du juge Reuben Atlee.

Il en prit l'engagement avec lui-même, le scella par une poignée de main, en fit le serment, le jura devant Dieu. Personne n'en saurait jamais rien.

Ils se séparèrent sur le trottoir, devant un des nombreux cabinets d'avocats bordant la grand-place. Harry Rex l'écrasa contre sa poitrine ; Ray essaya de lui rendre son étreinte, mais il avait les bras plaqués sur les côtes.

— Je n'en reviens toujours pas, tu sais, murmura Harry Rex, l'œil embué de larmes.

— Je sais, je sais.

Tandis qu'Harry Rex s'éloignait en secouant la tête et en refoulant ses larmes, Ray sauta dans son Audi et démarra sans se retourner. Quelques minutes plus tard, il sortait de la ville, laissant derrière lui l'ancien drive-in où le cinéma pornographique avait fait son apparition, la fabrique de chaussures où son père avait servi de médiateur pour mettre fin à une grève. Laissant tout derrière lui. Il arriva dans la campagne, loin de la ville de son enfance, loin de la légende vivante. Jetant un coup d'œil au compteur de vitesse, il constata qu'il roulait à plus de cent quarante kilomètres à l'heure.

Il y avait deux choses à éviter : la police de la route et une collision par l'arrière. Le trajet serait long, l'heure de son arrivée à Charlottesville devait être calculée avec précision. Trop tôt, il y aurait encore du monde dans les rues piétonnes. Trop tard, un policier municipal faisant sa ronde risquait d'être intrigué et de poser des questions.

À la frontière du Tennessee, il s'arrêta pour faire le plein et aller aux toilettes. Il avait bu trop de café. Et trop mangé. Il appela Forrest sur son portable : pas de réponse. Il n'en tira aucune conclusion ; avec Forrest, on ne savait jamais à quoi s'en tenir.

Il reprit la route en veillant à ne pas dépasser quatre-vingt-dix kilomètres à l'heure. Le temps s'écoula, le comté de Ford retomba dans l'oubli. Tout le monde vient de quelque part et il y avait pire que Clanton sur cette terre. Mais s'il devait ne jamais y retourner, il ne s'en porterait pas plus mal.

Les examens s'achèveraient la semaine suivante, la remise des diplômes devait avoir lieu huit jours plus tard, puis ce seraient les vacances d'été. Censé consacrer son temps à ses recherches et à la rédaction de son ouvrage, il n'aurait pas de cours à assurer pendant les trois mois à venir. En un mot, vraiment pas grand-chose à faire.

Il retournerait à Clanton, prêterait serment pour devenir l'exécuteur testamentaire de la succession de son père. Il suivrait les conseils d'Harry Rex pour toutes les décisions à prendre. Et il chercherait à résoudre le mystère du magot.

15.

Ayant eu largement le temps de mettre au point ce qu'il avait à faire, Ray ne fut pas surpris outre mesure que rien ne se passe comme prévu. Il arriva à une heure propice : 23 h 20, un mercredi. Il avait espéré trouver une place de stationnement le long du trottoir, à quelques mètres de la porte de son immeuble, mais il n'était pas le seul à avoir eu cette idée. Les voitures étaient garées à touche-touche ; malgré son anxiété, il constata avec satisfaction qu'elles avaient toutes une contravention glissée sous un balai d'essuie-glaces.

Il pouvait rester en double file le temps de faire des allers et retours jusqu'à la porte ; cela risquait d'attirer l'attention. Le petit parking situé derrière l'immeuble disposait de quatre places dont une lui était réservée, mais la grille était fermée à 23 heures.

Il fut donc contraint de se rabattre sur un parking souterrain obscur et presque entièrement vide, à trois cents mètres de là, un garage vaste et profond, à plusieurs niveaux, complet du matin au soir mais étrangement désert la nuit venue. Il avait envisagé cette possibilité pendant le trajet, en préparant son offensive ; c'était la solution la moins attrayante, la dernière sur la liste des moyens imaginés pour transporter l'argent. Il se gara au niveau supérieur, prit son sac de voyage, ferma les portières et abandonna la voiture, rempli d'inquiétude. Il marcha vite, en lançant des coups d'œil autour de lui, comme si des bandes armées étaient en embuscade. Ses jambes et son dos étaient ankylosés par les longues heures de conduite, mais il avait du pain sur la planche.

L'appartement était exactement tel qu'il l'avait laissé ; il en éprouva un curieux soulagement. Trente-quatre messages l'attendaient, sans doute des collègues et des amis ayant cherché à le joindre pour présenter leurs condoléances. Il les écouterait plus tard.

Au fond du petit placard de l'entrée, sous une couverture, un poncho et d'autres objets qui y avaient été jetés en vrac, il dénicha un sac de tennis rouge portant l'inscription Wimbledon auquel il n'avait pas touché depuis au moins deux ans. Il n'avait pas de plus grand bagage ; une valise n'aurait pas manqué d'attirer l'attention.

S'il avait eu un pistolet, il l'aurait glissé dans sa poche. Mais la délinquance était réduite à Charlottesville et il préférait ne pas avoir d'arme sur lui.

Après sa mésaventure du dimanche soir, à Maple Run, sa terreur des armes à feu n'avait fait que s'amplifier ; il avait caché le pistolet du Juge dans un placard.

Le sac en bandoulière, il donna un tour de clé à la porte de la rue et suivit d'un pas qu'il espérait nonchalant la rue piétonne bien éclairée. Il y avait toujours un ou deux policiers municipaux qui faisaient la ronde. À cette heure tardive, les seuls passants étaient de jeunes marginaux aux cheveux verts, un ivrogne titubant, des gens pressés regagnant leur domicile. Après minuit, le calme régnait à Charlottesville.

Il avait plu, une averse orageuse, juste avant son arrivée. Le sol était mouillé, le vent soufflait. Il croisa un jeune couple marchant la main dans la main et ne vit personne d'autre jusqu'au garage.

Il avait envisagé de transporter les sacs-poubelle

remplis de billets, de les jeter sur son épaule comme le père Noël, l'un après l'autre, en marchant à toute vitesse de sa voiture jusqu'à l'appartement. Il pouvait transporter l'argent en trois allers et retours, réduisant ainsi la durée de sa présence dans la rue. Deux obstacles l'en avaient dissuadé. Premièrement, que se passerait-il si un sac se déchirait, laissant échapper un million de dollars sur le trottoir ? Les voyous et les clochards du quartier rappliqueraient en masse, comme des requins attirés par le sang. Deuxièmement, la vue d'un homme transportant vers un appartement, au lieu de les en sortir, des sacs censés contenir des ordures ne pouvait qu'éveiller les soupçons et susciter la curiosité de la police.

Si on lui demandait ce qu'il y avait dans son sac, que répondrait-il ? Des ordures. Un million de dollars. Aucune réponse n'était propre à satisfaire un policier.

Il convenait donc d'être patient, de prendre tout le temps qu'il faudrait, de transporter l'argent par petites quantités sans se préoccuper du nombre d'allers et retours nécessaires. Il y passerait le temps qu'il fallait et se reposerait plus tard.

Le plus délicat était de faire passer l'argent d'un sac-poubelle au sac de sport, penché au-dessus du coffre, sans donner l'impression de commettre une action coupable. Par bonheur, le garage était désert. Il bourra le sac de tennis de billets, réussit avec difficulté à tirer la fermeture Éclair et claqua le coffre. Après avoir lancé un coup d'œil circulaire, comme s'il venait d'étrangler quelqu'un, il se mit en route.

Il transportait près du tiers du contenu d'un sac, trois cent mille dollars — on se faisait poignarder pour moins que ça —, en s'efforçant désespérément à la nonchalance, mais sa démarche et ses gestes n'avaient rien de fluide. Garder les yeux fixés droit devant lui, ces yeux qui auraient voulu regarder en l'air et par terre, à droite et à gauche. Un adolescent à l'aspect effrayant, des clous dans les narines, passa près de lui en vacillant, raide défoncé. Ray accéléra l'allure en se demandant s'il aurait le courage de faire huit ou neuf autres allers et retours jusqu'au parking souterrain.

Un poivrot sur un banc lui cria dans l'ombre quelque chose d'inintelligible. Surpris, Ray fit un écart. Heureusement qu'il n'était pas armé ; il aurait été capable de tirer sur tout ce qui bougeait. Le sac se faisait de plus en plus lourd, mais il arriva enfin à bon port. Il versa l'argent sur son lit, verrouilla tout ce qui pouvait être verrouillé et reprit le chemin du parking.

Au cours du cinquième voyage, il se trouva nez à nez avec un vieillard au cerveau visiblement dérangé, qui surgit de l'ombre à son approche.

— Qu'est-ce que vous fabriquez ?

Le vieux bonhomme tenait à la main quelque chose que Ray supposa être une arme.

— Laissez-moi passer, riposta Ray, la bouche sèche, d'une voix qu'il aurait voulue plus rude.

— Vous croyez que j'ai pas remarqué votre manège ? poursuivit le vieillard d'une voix aiguë.

Il avait une haleine fétide et ses yeux étincelaient comme ceux d'un démon.

— Occupez-vous de vos affaires, lança Ray sans s'arrêter. Le vieux ne le lâchait pas d'une semelle. L'idiot du village.

— Qu'est-ce qui se passe ici ? lança derrière eux une voix cassante.

Ray s'immobilisa ; un policier s'approcha d'un pas lent, une matraque à la main.

— Bonsoir, monsieur l'agent.

Ray était tout sourires, mais il avait le souffle court et des gouttes de sueur perlaient sur son front.

— Il mijote un mauvais coup, couina le vieillard. Il arrête pas d'aller et venir ! Il va par là, son sac est vide ; quand il revient, il est plein.

— Calme-toi, Gilly, ordonna le policier.

Ray respira. Il était terrifié d'avoir été observé, mais soulagé en même temps que le témoin soit quelqu'un comme Gilly. Il avait vu quantité de gens de cet acabit dans le quartier piéton, jamais celui-là.

— Qu'est-ce qu'il y a dans ce sac ? demanda le policier.

Une question stupide, parfaitement illégale. L'espace d'un instant, le professeur de droit songea à faire un cours sur l'interpellation, la fouille, les questions qu'était en droit de poser un fonctionnaire de police. Il se ravisa, préférant donner avec assurance la réponse soigneusement préparée.

— J'ai joué au tennis ce soir, à Boar's Head. Comme je me suis fait mal au mollet, je marche pour faire passer la douleur. J'habite là-bas, à cent mètres, ajouta-t-il en montrant la direction de son appartement.

— Il ne faut pas agresser les gens comme ça, Gilly, reprit le policier en se tournant vers le vieux bonhomme. Je te l'ai déjà dit. Ted sait que tu es sorti ?

— Il transporte quelque chose dans ce sac, insista Gilly d'une voix radoucie tandis que l'agent de police l'entraînait.

— Bien sûr, une montagne de billets. Ce monsieur vient de dévaliser une banque et tu l'as pris sur le fait. Bravo !

— J'ai bien vu qu'il passait avec un sac vide et qu'après il était plein.

— Bonsoir, monsieur, lança le policier par-dessus son épaule.

— Bonsoir, répondit Ray.

Le joueur de tennis blessé clopina vaillamment sur une cinquantaine de mètres pour le cas où d'autres yeux soupçonneux l'auraient guetté dans l'ombre. Après avoir vidé pour la cinquième fois le sac de sport sur son lit, il trouva une bouteille de scotch dans le petit bar de la chambre et se servit une grande rasade.

Il attendit deux heures, ce qui laissait largement à

Gilly le temps de rentrer chez Ted qui s'occuperait de lui et le bouclerait pour le reste de la nuit, en espérant qu'un autre îlotier serait venu relever le premier. Deux heures interminables pendant lesquelles il imagina tous les scénarios possibles dans le parking souterrain. Vol, vandalisme, incendie, mise en fourrière de la voiture par erreur. L'imagination n'a pas de limites.

Il sortit à 3 heures du matin, chaussé de pataugas, vêtu d'un jean et d'un sweat-shirt bleu marine portant en grosses lettres VIRGINIA sur la poitrine. Il avait troqué le sac de tennis rouge contre une vieille serviette en cuir ; sa contenance était moindre, mais elle n'attirerait pas l'attention. Dans sa ceinture, sous le sweat-shirt, il avait glissé un couteau à viande qu'il pouvait tirer en un éclair et utiliser contre Gilly ou tout autre agresseur. C'était stupide, mais il n'était plus tout à fait lui-même. Il en avait pleinement conscience. Il se sentait épuisé, privé de sommeil pour la troisième nuit consécutive, légèrement étourdi par les trois whiskies qu'il avait descendus, résolu à mettre le magot en lieu sûr et effrayé à l'idée de faire une mauvaise rencontre.

À 3 heures du matin, même les clodos avaient levé le camp ; les rues étaient désertes. En entrant dans le garage, il se retourna ; ce qu'il vit le terrifia. Au bout de la rue piétonne, un groupe d'une demi-douzaine de jeunes Blacks passait sous un réverbère. Ils avançaient lentement dans sa direction en poussant des cris et en parlant fort, en quête d'un mauvais coup.

Impossible de faire les six ou sept allers et retours qui lui restaient sans croiser leur chemin. Il décida de changer son fusil d'épaule.

Il sauta dans l'Audi, sortit du parking. Arrivé devant la porte de son immeuble, il s'arrêta en double file, coupa le contact, éteignit les phares, ouvrit le coffre et prit le reste de l'argent. Cinq minutes plus tard, la totalité du magot était dans sa chambre, en lieu sûr, espérait-il.

La sonnerie du téléphone le réveilla à 9 heures ; c'était Harry Rex.

— Tu n'es pas encore levé ! grogna l'avocat. As-tu fait bon voyage ?

Ray fit pivoter ses jambes pour s'asseoir au bord du lit.

— Tout s'est bien passé, marmonna-t-il en essayant de garder les yeux ouverts.

— J'ai vu un agent immobilier hier, Baxter Redd, un des meilleurs de Clanton. On a jeté un coup d'œil à la maison, comme ça, pour qu'il se fasse une idée. Elle est dans un état épouvantable, mais il estime qu'on peut rester au prix de l'évaluation, quatre cent mille. Il pense qu'on pourra en tirer au moins deux cent cinquante. Il prend six pour cent d'honoraires. Tu es là ?

— Oui, oui.

— Alors, dis quelque chose.

— Continue.

— Il estime comme moi qu'il faut faire quelques dépenses pour la retaper, donner un coup de peinture, cirer les parquets, brûler les mauvaises herbes. Il a recommandé une entreprise de nettoyage. Tu es toujours là ?

— Oui.

Debout depuis trois ou quatre heures, Harry Rex avait fait le plein d'énergie au moyen d'une platée de crêpes, de biscuits et de saucisses.

— En tout cas, poursuivit-il, j'ai déjà pris contact avec un peintre et un couvreur. Il va bientôt falloir placer des capitaux dans ces travaux.

— Je reviens dans quinze jours, Harry Rex. Ça ne peut pas attendre ?

— Si, ça peut attendre. Tu as la gueule de bois ?

— Non. Je suis fatigué, c'est tout.

— Allez, bouge-toi. Il est 9 heures passées chez nous.

— Merci.

— À propos de gueule de bois, reprit Harry Rex d'une voix plus douce, Forrest m'a appelé hier soir. Ray se leva, se cambra.

— J'ai un mauvais pressentiment.

— Eh oui ! Il était complètement raide. Alcool ou drogue, je n'en sais rien — probablement les deux. Il articulait si mal que je croyais qu'il s'endormait, puis, d'un seul coup, comme s'il avait un sursaut, il se mettait à jurer comme un charretier.

— Que voulait-il ?

— De l'argent. Pas tout de suite. Il prétendait qu'il n'était pas à sec, mais qu'il s'inquiétait pour la maison et l'héritage, qu'il ne voulait pas se faire baiser.

— Comment ça ?

— Il était raide, Ray, il ne faut pas lui en vouloir. Mais il a dit des choses pas très agréables.

— J'écoute.

— Je préfère que tu sois au courant, mais ne te mets pas en colère. Il ne doit pas se souvenir de ce qu'il a dit.

— Vas-y, continue.

— Il a dit que le Juge avait toujours eu une préférence pour toi, que c'est pour ça qu'il t'avait choisi comme exécuteur testamentaire, qu'il a toujours été plus généreux avec toi, que c'est mon boulot de te surveiller et de protéger ses intérêts, sinon tu vas essayer de le baiser et ainsi de suite.

— Il ne lui a pas fallu longtemps, hein ?

— Non.

— Ça ne m'étonne pas vraiment.

— Tiens-toi sur tes gardes. Il est en pleine défonce et risque de t'appeler pour te balancer les mêmes conneries.

— Ce ne sera pas la première fois, Harry Rex. Quand il a des problèmes, ce n'est jamais sa faute ; il y a toujours quelqu'un qui lui en veut. Typique des toxicos.

— Il s'imagine que la maison vaut un million de dollars et dit que je dois la vendre ce prix-là. Sinon, il pourrait prendre un autre avocat, etc. Ça ne m'a pas touché, il était tellement raide.

— Lamentable.

— Bien sûr, mais, quand il sera calmé, je lui dirai ma façon de penser. Ne t'inquiète pas…

— Je suis confus, Harry Rex.

— Ça fait partie du boulot. Les joies de la profession d'avocat !

Ray se fit un café, un mélange italien corsé dont il raffolait et qui lui avait cruellement manqué à Clanton. La première tasse était presque vide quand ses idées commencèrent à se mettre en place.

La tension avec Forrest ne durerait pas. Malgré tous ses problèmes, il n'était pas foncièrement mauvais. Harry Rex s'occuperait de la succession et ce qui restait du patrimoine serait partagé par moitié. Dans un an, Forrest recevrait un chèque représentant plus d'argent qu'il n'en avait jamais vu.

L'idée d'une entreprise de nettoyage prenant possession de Maple Run le tarabusta un moment. Il se représenta une dizaine de femmes s'activant dans la grande maison transformée en fourmilière. Et si elles tombaient sur un autre trésor caché par le Juge ? Des matelas bourrés de billets de banque ? Des placards remplis d'argent ? Impossible. Il avait exploré tous les coins et les recoins de la demeure. Quand on découvre trois millions en espèces planqués dans un meuble, on est motivé pour passer le reste de la maison au peigne fin ; il s'était même frayé un passage au milieu des toiles d'araignée de la cave, un antre où aucune femme de ménage n'oserait s'aventurer.

Il se servit une autre tasse de café, regagna sa chambre et s'installa dans un fauteuil pour contempler le monceau de billets. Qu'en faire ?

À travers le brouillard des quatre derniers jours, il avait eu un seul objectif en tête : amener le magot à bon port, là où il se trouvait maintenant. Il devait maintenant réfléchir à l'étape suivante, mais il n'avait pas beaucoup d'idées. Il savait seulement qu'il lui fallait cacher l'argent, le mettre en lieu sûr.

16.

Le gros bouquet de fleurs placé au centre de son bureau, un témoignage de sympathie, était accompagné d'une carte signée par les quatorze étudiants de son cours. Chacun avait écrit quelques lignes de condoléances ; il les lut de la première à la dernière. Près du bouquet se trouvait une pile de cartes déposées par ses collègues.

La nouvelle de son retour s'était répandue rapidement ; tout au long de la matinée, ces mêmes collègues passèrent lui dire un petit bonjour pour manifester leur sympathie. Les enseignants, dans leur ensemble, faisaient bloc. Ils se chamaillaient à qui mieux mieux pour des questions futiles mais se tenaient les coudes en cas de coup dur. Ray était heureux de les revoir. La femme d'Alex Duffman lui fit porter une assiette de ses infâmes brownies ; chaque gâteau semblait peser une livre et ajoutait un kilo sur la balance. Naomi Kraig apporta un petit bouquet de roses de son jardin.

En fin de matinée, Carl Mirk passa le voir ; il ferma la porte du bureau, s'installa dans un fauteuil. Carl était le meilleur ami de Ray à l'université. Leur parcours présentait d'étranges similitudes : ils avaient le même âge et un père juge qui, pendant des décennies, avait fait la pluie et le beau temps dans son comté. Celui de

Carl était toujours en exercice et en voulait encore à son fils de ne pas être revenu prendre sa place dans le cabinet familial. Le ressentiment qu'il en gardait semblait toutefois s'estomper au fil du temps, contrairement au juge Atlee, qui l'avait emporté dans la tombe.

— Raconte, dit Carl. Il allait, sous peu, reprendre à son tour le chemin de sa ville natale, dans le nord de l'Ohio.

Ray commença par la maison silencieuse, trop silencieuse, à son arrivée et fit le récit de la découverte du corps du Juge.

— Tu l'as trouvé mort ? s'écria Carl.

Il voulut ensuite savoir s'il pensait que le Juge avait hâté sa fin.

— Je l'espère. Il souffrait beaucoup.

Ray poursuivit son récit, l'enrichissant de détails sur lesquels il n'était pas revenu depuis le dimanche. Son débit s'accélérait. La parole a des vertus thérapeutiques et Carl savait écouter.

Forrest et Harry Rex furent traités d'une manière pittoresque.

— Nous n'avons pas de personnages aussi hauts en couleur chez nous, glissa Carl.

Quand ils racontaient des histoires de leur petite ville à des collègues citadins, ils forçaient le trait, donnaient de l'épaisseur aux personnages. Pas besoin de cela pour Forrest et Harry Rex ; la vérité était assez savoureuse.

La veillée rituelle, l'office funèbre, l'inhumation, rien ne fut oublié. Quand Ray acheva son récit sur la descente du cercueil dans la fosse, ils avaient tous deux les larmes aux yeux.

— Quelle belle fin ! lança Carl en se levant. Encore une fois, toutes mes condoléances.

— Je suis content que ce soit terminé.

— Si on déjeunait ensemble demain ?

— C'est quel jour ?

— Vendredi.

— Va pour un déjeuner.

Pour son cours de midi, Ray commanda des pizzas qu'il partagea dans la cour avec ses étudiants. Sur les quatorze, il en manquait un seul. Huit d'entre eux obtiendraient leur diplôme quinze jours plus tard. Ils semblaient dans l'ensemble plus préoccupés par le deuil de Ray que par leurs épreuves d'examen ; il savait que cela ne tarderait pas à changer.

Les pizzas terminées, les étudiants se dispersèrent, à l'exception de Kaley. Depuis plusieurs mois, la jeune femme recherchait sa compagnie. La ligne de démarcation entre professeurs et étudiants était infranchissable ; Ray Atlee n'avait aucunement l'intention de transgresser cette interdiction. Il était bien trop satisfait de sa situation pour courir le risque de perdre son poste en se compromettant avec une étudiante. Mais dans une quinzaine de jours, Kaley serait diplômée et l'interdit ne s'appliquerait plus. Son comportement ne laissait guère de place au doute. Une question sérieuse après un cours, un passage dans le bureau de Ray pour prendre le sujet d'un devoir et toujours ce sourire, ce regard qui s'attardait un peu trop.

Kaley était une étudiante moyenne dotée d'un joli minois et d'une chute de reins à couper le souffle. Après avoir joué au hockey sur gazon et fait partie de l'équipe de lacrosse de l'université Brown, elle avait su conserver une silhouette mince et musclée. À vingt-huit ans, elle était veuve, sans enfant, et avait touché un pactole versé par le constructeur du planeur avec lequel son mari s'était écrasé en mer, à quelques kilomètres au large de Cape Cod. On l'avait retrouvé par vingt mètres de fond, encore sanglé sur le siège de l'appareil aux ailes brisées. Ray avait cherché le rapport de police sur l'accident ; il avait aussi trouvé le dossier de l'affaire au greffe de Rhode Island. Le jugement avait accordé à Kaley quatre millions de dollars de dommages-intérêts, plus une rente d'un demi-million pendant vingt ans. Il avait gardé ces renseignements pour lui.

Les deux premières années, elle avait couru après les étudiants, avant de passer aux hommes mûrs. Ray connaissait au moins deux de ses collègues qui avaient droit au même traitement que lui. L'un d'eux était marié ; à l'évidence, ils restaient aussi sur leurs gardes.

Ils franchirent la porte de la faculté de droit et sortirent en devisant de l'examen de fin d'année. Elle se rapprochait insensiblement de lui à chaque rencontre, créait entre eux une manière d'intimité ; elle seule savait où cela pouvait la mener.

— J'aimerais faire un tour en avion un de ces jours, déclara-t-elle.

Tout sauf l'avion, se dit Ray en pensant à la mort horrible du jeune époux. L'espace d'un instant, il ne trouva rien à répondre.

— Achetez un billet, finit-il par suggérer en souriant.

— Non, avec vous, dans un petit avion. Partons quelque part.

— Vous pensez à un endroit particulier ?

— Juste une petite balade dans les airs. J'ai envie de prendre des leçons de pilotage.

— J'envisageais quelque chose de plus conventionnel, un déjeuner, peut-être un dîner, quand vous aurez décroché votre diplôme.

Elle marchait tout près de lui, de manière à ne laisser aucun doute dans l'esprit de ceux qui les croisaient sur la nature de la relation entre le professeur et l'étudiante.

— Il reste exactement quatorze jours, poursuivit-elle comme si elle n'était pas sûre de pouvoir attendre si longtemps avant de sauter dans son lit.

— Très bien. Je vous invite à dîner dans quinze jours.

— Non, brisons l'interdit tout de suite, pendant que je suis encore étudiante. Dînons ensemble avant la remise des diplômes.

Il faillit dire oui.

— Impossible, je le crains. La loi, c'est la loi. Nous sommes ici parce que nous la respectons.

— On oublie si facilement tout cela. Mais nous allons nous voir, c'est sûr ?

— En temps voulu.

Sur ce, elle le quitta avec un sourire aguicheur ; Ray essaya, sans succès, de ne pas admirer la silhouette qui s'éloignait.

La camionnette de location venait d'une entreprise de déménagement du nord de la ville. N'en ayant besoin que quelques heures, il avait demandé à la louer pour une demi-journée, mais on ne lui avait pas consenti de rabais sur le tarif de soixante dollars. Il parcourut exactement quatre cents mètres, jusqu'au garde-meubles Chaney, un ensemble tout neuf de constructions rectangulaires en parpaing, entouré d'une clôture à mailles métalliques surmontée de barbelés. Des caméras vidéo installées sur des poteaux électriques suivaient tous ses mouvements tandis qu'il garait sa voiture et s'avançait vers le bureau.

Il y avait de la place. Un box de neuf mètres carrés coûtait quarante-huit dollars par mois : ni chauffage ni ventilation, mais une porte roulante et un bon éclairage.

— Pas de risques d'incendie ? demanda Ray.

— Aucun, répondit Mme Chaney en écartant la fumée de la cigarette coincée entre ses lèvres tandis qu'elle remplissait des imprimés. Tout est en parpaing.

Chez Chaney, la sécurité des biens était assurée. La maison disposait d'une surveillance électronique, expliqua la patronne en indiquant de la main quatre moniteurs alignés sur sa gauche. De l'autre côté, sur une étagère, se trouvait un petit téléviseur ; on y voyait des gens se battre en hurlant. Ray comprit aussitôt quel écran recevait le plus d'attention.

— Des gardiens sont présents vingt-quatre heures

sur vingt-quatre, ajouta Mme Chaney en remplissant une nouvelle feuille. Le portail est fermé jour et nuit. Nous n'avons jamais eu d'effraction, mais si cela devait arriver, nous sommes couverts par toutes sortes d'assurances. Signez ici, s'il vous plaît. Vous avez le 14 B.

Assuré pour trois millions de dollars ! Ray apposa sa signature au bas d'une feuille. Il paya six mois en espèces, prit la clé du box 14 B.

Deux heures plus tard, il était de retour avec six gros cartons, un tas de vieux vêtements et deux ou trois pauvres meubles achetés en vitesse au marché aux puces, pour faire vrai. Il se gara devant le box 14 B et entreprit sans attendre de décharger tout son bazar.

Il avait réparti le magot dans des sacs de congélation d'un kilo, fermés pour les rendre parfaitement étanches. Il y en avait cinquante-trois. Les sacs étaient disposés au fond des cartons, enfouis sous un amas de papiers, de dossiers, de notes de recherches qu'il avait jusqu'alors considérés comme utiles. Ces dossiers constitués avec un soin méticuleux avaient maintenant une fonction plus matérielle. Il avait même ajouté quelques vieux bouquins.

Si par malheur un voleur pénétrait dans le box 14 B, il ressortirait sans doute après un examen hâtif du contenu des cartons. L'argent était bien caché, aussi bien protégé que possible. À part la salle des coffres d'une banque, Ray ne voyait pas où le magot aurait été plus en sécurité.

La grande question, de plus en plus lancinante, était de décider ce qu'il allait en faire. Contrairement à ce que Ray avait espéré, le fait de le savoir en lieu sûr, en Virginie, ne le rassurait guère.

Il examina un moment les cartons et le reste de son fourbi, pas vraiment pressé de partir. Il se promit de ne pas passer tous les jours pour vérifier que tout allait bien ; à peine s'était-il fait cette promesse qu'il douta de pouvoir la tenir.

Il mit le cadenas qu'il venait d'acheter à la porte roulante, monta dans sa voiture et démarra. Les caméras tournaient, le gardien était attentif, le portail fermé.

Fog Newton se faisait de la bile pour les conditions atmosphériques. Un de ses élèves effectuait un vol aller et retour jusqu'à Lynchburg ; d'après les radars météo, les orages se déplaçaient rapidement. Les nuages n'étaient pas prévus, le mauvais temps n'avait pas été annoncé au moment de lui donner les dernières instructions.

— Combien d'heures de vol ? demanda Ray.

— Trente et une, répondit Fog avec gravité.

Certainement pas assez d'expérience pour affronter un orage. Il n'y avait aucun terrain entre Charlottesville et Lynchburg, rien que des montagnes.

— Tu voles ? demanda Fog.

— J'en ai bien envie.

— Laisse tomber. L'orage se forme rapidement ; allons voir ça.

Rien n'effrayait plus un instructeur que de savoir un de ses élèves seul aux commandes par mauvais temps. Un vol d'entraînement solo devait être soigneusement préparé : itinéraire, horaire, carburant, conditions météo, terrains secondaires, procédures d'urgence. Chaque vol devait être autorisé par écrit. Un jour, Fog avait interdit à Ray de décoller dans un ciel parfaitement clair, en raison d'un risque minime de givrage à cinq mille pieds.

Ils traversèrent le hangar pour atteindre le tarmac. Un Lear arrêté au parking coupait ses moteurs. À l'ouest, au-delà des contreforts, apparaissaient les premiers nuages ; le vent avait forci.

— Dix à quinze nœuds en rafales, annonça Fog. Vent de travers.

Ray n'aurait jamais tenté un atterrissage dans ces conditions.

Derrière le Lear, un Bonanza roulait lentement vers

eux ; quand l'appareil fut assez près, Ray le reconnut. C'était celui qu'il convoitait depuis deux mois.

— Voilà ton avion, lança Fog.

— Ne me fais pas rêver.

Le Bonanza s'immobilisa, coupa ses moteurs.

— Il paraît qu'il a baissé le prix, glissa Fog quand le silence fut revenu.

— Combien ?

— Autour de quatre cent vingt-cinq mille. À quatre cent cinquante, c'était un peu cher.

Le propriétaire de l'appareil, seul à bord, descendit et sortit ses bagages rangés à l'arrière. Le nez levé au ciel, Fog regardait sa montre. Ray ne quittait pas des yeux le Bonanza : le propriétaire était en train de verrouiller la porte.

— Si on le prenait pour faire une virée ? lança Ray.

— Le Bonanza ?

— Pourquoi pas ? Quel est le prix de la location ?

— Il est négociable ; je connais bien ce gars.

— On le loue pour la journée, on file à Atlantic City et on revient.

Fog en oublia les nuages menaçants et son élève inexpérimenté.

— Tu parles sérieusement ? fit-il en se tournant vers Ray.

— Pourquoi pas ? Ce serait le pied.

— Quand ? demanda Fog qui n'avait pour passions que les avions et le poker.

— Samedi. Après-demain. On part de bonne heure, on revient tard.

Fog prit un air pensif. Il jeta un coup d'œil à sa montre, tourna la tête vers l'ouest, puis vers le sud.

— Yankee Tango à quinze kilomètres ! cria Dick Docker par une fenêtre ouverte.

Fog poussa un ouf de soulagement ; il entraîna Ray vers le Bonanza.

— Alors, samedi ?

— Oui, pour la journée.

— Je vais appeler le propriétaire. Nous nous mettrons d'accord sur le prix.

Le vent tomba légèrement ; Yankee Tango se posa sans difficulté. Fog se tourna vers Ray avec un grand sourire.

— Je ne savais pas que tu étais un flambeur, fit-il en repartant vers le hangar.

— J'aime bien le black-jack, c'est tout. Je ne joue pas gros jeu.

17.

Le calme de ce vendredi matin fut brisé par un coup de sonnette. Ray s'était levé tard ; il ne parvenait pas à se débarrasser de la fatigue du voyage. Trois journaux et quatre cafés plus tard, il se sentait bien réveillé.

C'était un colis FedEx expédié par Harry Rex, qui contenait des lettres d'admirateurs et des coupures de journaux. Ray étala le tout sur la table de la salle à manger et commença par les articles découpés. À la une du *Clanton Chronicle* daté du mercredi s'étalait une photographie de Reuben Atlee en toge noire, l'air compassé, son marteau à la main. Le cliché avait au moins vingt ans. « *Mort du juge Atlee à 79 ans* » annonçait le titre en gros caractères, accompagné de trois articles. Une notice nécrologique louangeuse ; un florilège de témoignages de ses proches ; un hommage à l'exceptionnelle générosité du Juge.

Le *Ford County Times* présentait aussi une photographie, plus récente. Assis sous le porche de sa maison, Reuben Atlee, la pipe à la main, en cardigan, faisait beaucoup plus âgé, mais il avait un bon sourire de grand-père. Pour se faire accepter, le journaliste avait recouru à un subterfuge, prétextant des recherches sur la guerre de Sécession et Nathan Bedford Forrest. Il avait mentionné le projet d'un ouvrage sur le général et les hommes du comté de Ford qui avaient combattu sous ses ordres.

Les fils Atlee étaient tout juste cités dans les différents articles. Parler de l'un impliquait de parler de l'autre et, à Clanton, la plupart des gens préféraient ne pas aborder le sujet de Forrest.

Il était douloureusement évident aux yeux de Ray que les fils Atlee ne faisaient pas partie de la vie de leur père.

Il aurait pu en aller différemment ; c'est le père qui avait choisi très tôt de n'accorder qu'une attention limitée à ses enfants. Cet homme merveilleux qui avait tant donné à tant de gens avait eu bien peu de temps à consacrer à sa propre famille.

Les articles et les photos jetèrent sur l'esprit de Ray un voile de tristesse ; il s'en agaça. Depuis la découverte du corps de son père, il avait tenu le coup. Dans ces moments de chagrin et de deuil, il avait puisé au plus profond de lui-même la force de faire front, de continuer à vivre comme si de rien n'était. Le temps et l'éloignement l'avaient énormément aidé, mais ces articles venaient de rouvrir la blessure.

Le courrier envoyé par Harry Rex provenait de la boîte postale du Juge, du tribunal et de la boîte aux lettres de Maple Run. Certaines lettres étaient adressées à Ray et Forrest, d'autres à la famille du juge Atlee. Il y avait des missives rédigées par des avocats ayant plaidé devant le Juge, qui avaient été inspirés par sa passion de la loi. Des cartes envoyées par des gens qui avaient eu affaire au Juge pour un divorce, une adoption ou la garde d'un enfant et qui avaient été marqués par son esprit d'équité. De petits mots écrits par des habitants de tout le Mississippi — magistrats en exercice, anciens condisciples, politiciens — à qui le Juge, au long de sa carrière, avait donné un coup de pouce. D'autres signés par des amis désireux d'exprimer leurs condoléances et d'évoquer un souvenir qui leur était cher.

Mais le plus grand nombre venait de ceux qui avaient profité des bienfaits du Juge. Longues, chargées d'émotion, ces lettres disaient toutes la même chose. En envoyant discrètement de l'argent à quelqu'un qui en avait désespérément besoin, le juge Atlee avait changé le cours de plus d'une vie.

Comment un homme d'une telle générosité avait-il pu partir en laissant trois millions de dollars planqués dans son bureau ? Il en avait assurément caché plus qu'il n'en avait distribué. Peut-être était-il atteint de la maladie d'Alzheimer ou d'une autre affection passée inaperçue ? Peut-être sa raison avait-elle sombré ? La première réponse qui venait à l'esprit était que le vieil homme avait perdu la boule, mais combien de cinglés pouvaient mettre de côté une telle somme ?

Après avoir lu une vingtaine de lettres et de cartes, Ray fit une pause. Il sortit sur le petit balcon donnant sur la rue piétonne et regarda les passants. Son père n'était jamais venu à Charlottesville. Ray l'avait invité, naturellement, mais sans arrêter une date précise. Jamais ils n'avaient fait un seul voyage ensemble. Et tant d'autres choses encore qu'ils auraient pu partager.

Le Juge parlait souvent de se rendre à Gettysburg, Antietam, Bull Run, Chancellorsville et Appomattox ; il y serait allé si son fils avait manifesté de l'intérêt. Mais Ray n'avait nulle envie de parcourir ces lieux chargés d'histoire ; il avait toujours changé de sujet. Un sentiment de culpabilité l'envahit, qu'il ne parvenait pas à chasser. Quel sale égoïste il avait été !

Il trouva dans le courrier une charmante carte de Claudia. Elle le remerciait d'avoir accepté de lui parler et de lui avoir pardonné. Elle avait aimé son père pendant de longues années et emporterait son chagrin dans la tombe. Elle lui demandait instamment de l'appeler et terminait par d'affectueuses formules de politesse. Dire qu'elle avait mis son amant au Viagra !

Cette plongée nostalgique dans le passé s'interrompit

brutalement quand il ouvrit une enveloppe sans adresse d'expéditeur, dont le contenu lui figea le sang.

L'enveloppe rose, la seule de la pile, contenait une carte portant d'un côté les mots : « Avec toute ma sympathie. » Sur un carré de papier scotché de l'autre côté se trouvait un message dactylographié : « Ce serait une erreur de dépenser l'argent. Rien de plus facile qu'un coup de téléphone au fisc. » Le cachet de la poste indiquait que l'enveloppe avait été postée à Clanton le lendemain de l'enterrement ; elle était adressée à la famille du juge Atlee, à Maple Run.

Ray la mit de côté et passa en revue le reste du courrier. Les lettres et les cartes disaient toutes la même chose : il en avait assez lu. L'enveloppe rose restait sur un coin de la table, tel un pistolet chargé, attendant qu'il y revienne.

Agrippé à la balustrade du balcon, il se répéta la menace en essayant d'analyser la situation. Il prononça les mots à mi-voix dans la cuisine en préparant un autre café. Il avait laissé le message sur la table, pour le voir de tous les coins du séjour.

Il retourna sur le balcon ; à l'approche de midi, les passants étaient plus nombreux. N'importe lequel de ceux qui levaient la tête pouvait être au courant de l'existence du magot. On cache une fortune, on découvre que quelqu'un le sait et l'imagination s'enfièvre.

L'argent ne lui appartenait pas ; cela suffisait pour qu'on le suive, qu'on surveille ses faits et gestes, qu'on le dénonce et même qu'on attente à sa vie.

Il se moqua de la paranoïa qui le gagnait. Je ne vivrai pas comme ça, décida-t-il en allant prendre une douche.

Quelqu'un savait donc précisément où le Juge avait caché le magot. Fais une liste, se dit Ray en s'asseyant au bord du lit, nu comme un ver, l'eau dégouttant le long de ses jambes. Le propre à rien qui tondait la pelouse une fois par semaine ? Un beau parleur, peut-être, qui avait réussi à se lier avec le Juge. Rien de plus facile que d'entrer en douce à Maple Run. Quand le juge était parti au casino, le jardinier se glissait peut-être dans la maison pour chaparder.

Claudia serait la première sur la liste. Ray la voyait bien se rendre discrètement à Maple Run à la demande du Juge. On ne coupe pas si facilement les ponts avec une femme dont on a fait sa maîtresse pendant de longues années. Leurs vies avaient été si intimement liées qu'on pouvait imaginer que leur liaison se poursuivait. Personne n'avait été plus proche de Reuben Atlee que Claudia ; si quelqu'un savait d'où venait l'argent, c'était elle.

Elle pouvait avoir une clé de la maison, mais une clé n'était même pas indispensable. Sa visite matinale, le jour des obsèques, avait peut-être pour but d'évaluer la situation et non de présenter ses condoléances. Dans ce cas, elle avait parfaitement donné le change : une âme endurcie, un esprit agile, l'expérience et le cynisme d'une femme chargée d'ans mais pas trop. Au bout d'un quart d'heure de réflexion, Ray eut la conviction que Claudia courait après le magot.

Deux autres noms lui venaient à l'esprit, mais il ne pouvait décemment pas les coucher sur sa liste. Harry Rex d'abord ; dès qu'il prononça ce nom pour lui-même, une vague de honte le submergea. L'autre était Forrest, une idée tout aussi ridicule. Son frère n'avait pas mis les pieds à Maple Run depuis neuf ans. En supposant même qu'il ait eu vent de l'existence de l'argent, il ne l'aurait pas laissé. Avec trois millions de dollars en espèces, Forrest aurait fait de sérieux dégâts autour de lui.

La liste avait demandé des efforts, mais le résultat était mince. Au lieu d'aller courir un peu, comme il en avait envie, Ray bourra deux taies d'oreiller de vieux vêtements et fila chez Chaney. Il les déposa dans le box 14 B, où rien n'avait bougé. Les cartons étaient à la même place que la veille ; l'argent restait bien caché. Il s'attardait, repoussant le moment de partir, quand il lui vint brusquement à l'esprit qu'il laissait une piste. Quelqu'un savait à l'évidence qu'il avait emporté l'argent ; avec une telle somme en jeu, ce quelqu'un pouvait engager un privé pour le prendre en filature.

On avait pu le suivre de Clanton à Charlottesville, de son appartement au garde-meubles.

Il s'en voulut de sa négligence. Qu'est-ce que tu as dans le crâne ? L'argent ne t'appartient pas !

Ray ferma le box et mit le cadenas. Il reprit sa voiture, traversa la moitié de la ville pour aller rejoindre Carl au restaurant, les yeux rivés sur le rétroviseur, scrutant le visage des conducteurs qui le suivaient. Au bout de cinq minutes, il se moqua de lui-même, se promit de ne pas vivre comme une bête traquée.

Qu'on vienne reprendre l'argent si on y tenait tant ! Au moins, il aurait l'esprit tranquille. Il suffisait de forcer le cadenas et la serrure du box, et d'embarquer les cartons. Sa vie n'en serait pas bouleversée. Absolument pas.

18.

Le temps de vol estimé jusqu'à Atlantic City était de quatre-vingt-cinq minutes avec le Bonanza, soit exactement trente-cinq de moins qu'avec le Cessna de location. De bonne heure, ce samedi, Ray avait fait avec Fog les vérifications d'usage sous le regard indiscret, parfois exaspérant de Dick Docker et Charlie Yates qui tournaient autour de l'appareil, un grand gobelet de mauvais café à la main, comme s'ils allaient eux-mêmes prendre les commandes. Ils n'avaient pas d'élèves ce matin-là, mais des rumeurs donnaient à entendre que Ray allait acheter le Bonanza ; ils tenaient à voir par eux-mêmes de quoi il retournait.

— Combien en demande-t-il maintenant ? lança Docker à Fog Newton, accroupi sous une aile où il purgeait un réservoir pour s'assurer qu'il ne contenait ni eau ni saletés.

— Il est descendu à quatre cent dix mille, répondit Fog.

Il faisait l'important : il avait la responsabilité de ce vol, pas ses collègues.

— Encore trop cher, glissa Yates.

— Tu vas faire une offre ? demanda Docker à Ray, qui vérifiait le niveau d'huile.

— Occupe-toi donc de tes affaires, riposta Ray sans lever le nez.

— Ce sont nos affaires, lança Yates.

Et tout le monde de s'esclaffer.

Malgré cette aide non désirée, les vérifications furent effectuées sans incident. Fog monta le premier et se sangla dans le siège de gauche. Quand Ray claqua la porte, la verrouilla et mit son casque, il sut qu'il avait trouvé l'appareil de ses rêves. Le moteur de deux cents chevaux démarra sans à-coups. Fog passa les jauges en revue, les instruments, les radios ; quand tout fut vérifié, il appela la tour. Il allait se charger du décollage, puis il passerait les commandes à Ray.

Le vent était faible, les nuages élevés et épars, des conditions quasi idéales. Ils quittèrent la piste à cent dix kilomètres à l'heure, rentrèrent le train d'atterrissage et grimpèrent de huit cents pieds par minute jusqu'à ce qu'ils atteignent leur altitude de croisière, six mille pieds. Fog avait passé les commandes à Ray et lui expliquait le fonctionnement du pilote automatique, du radar météo et du système de surveillance anti-collision.

Fog avait piloté des chasseurs au cours de sa carrière militaire ; depuis dix ans, il devait se contenter des petits Cessna sur lesquels il avait appris à piloter à Ray et à une multitude d'autres passionnés. Il était ravi d'avoir l'occasion de piloter un Bonanza, la Porsche des monomoteurs. L'itinéraire indiqué par le contrôleur les faisait passer au sud-est de Washington, loin de l'espace aérien encombré des aéroports Dulles et Reagan National. À cinquante kilomètres de distance et mille huit cents mètres d'altitude, ils virent le dôme du Capitole, puis ils survolèrent la baie de Chesapeake, avec la ville de Baltimore au loin. La baie était magnifique, mais l'intérieur de l'appareil paraissait bien plus intéressant. Ray tenait le manche, sans l'aide du pilote automatique. Il maintenait le cap, gardait l'altitude imposée, s'entretenait avec la tour de contrôle de Washington tout en écoutant Fog qui ne tarissait pas de détails sur les caractéristiques et les performances du Bonanza.

Ils auraient aimé l'un comme l'autre que le vol se prolonge des heures, mais Atlantic City n'était pas loin. Ray descendit à quatre mille pieds, puis à trois mille et passa sur la fréquence d'approche pour annoncer son arrivée. Quand la piste fut en vue, Fog prit les commandes et ils se posèrent en douceur. En roulant vers le tarmac, ils longèrent deux rangées de Cessna ; Ray ne put s'empêcher de penser que ce temps était révolu. Un pilote cherche toujours son prochain avion : il avait trouvé le sien.

Le casino préféré de Fog était le Rio, un de ceux de la promenade. Après s'être donné rendez-vous pour le déjeuner dans une cafétéria du premier étage, ils se perdirent rapidement dans la foule. Chacun préférait jouer de son côté. Ray déambula au milieu des machines à sous et jeta un coup d'œil aux tables de jeu. C'était un samedi, un jour d'affluence. Au bout d'un moment, il se dirigea vers les tables de poker et vit Fog à une table très fréquentée, tout à son jeu, une pile de jetons devant lui.

Ray avait cinq mille dollars en poche, cinquante billets de cent pris au hasard dans le magot rapporté de Clanton. Son unique objectif était de disséminer les billets dans différents casinos afin de s'assurer qu'ils n'était pas marqués, que ce n'était pas de la fausse monnaie et qu'on ne pourrait pas remonter à son origine. Après son passage à Tunica, il avait eu la quasi-certitude que les billets étaient bons.

Il en était presque à espérer maintenant qu'ils étaient faux. Dans ce cas, le FBI retrouverait sa trace et on lui dirait peut-être d'où venait l'argent. Il n'avait rien fait de mal ; le coupable n'était plus de ce monde.

Il trouva une place à une table de black-jack, posa cinq billets devant lui.

— Des verts, demanda-t-il, comme un joueur chevronné.

— Change de cinq cents dollars, annonça le croupier en levant à peine les yeux.

— Vas-y, approuva le chef de table.

Le bruit assourdi des machines à sous parvenait à Ray. Il y avait de l'animation à une table de craps : des joueurs encourageaient les dés à pleine gorge. Quand le croupier ramassa les billets, Ray eut une seconde de crispation. Les autres joueurs observaient la scène avec un détachement mêlé d'admiration. Ils avaient devant eux des jetons de cinq et dix dollars. Des amateurs.

Le croupier fourra les billets du Juge dans sa caisse et compta vingt jetons verts de vingt-cinq dollars. Ray en perdit la moitié en un quart d'heure. Il quitta la table pour aller chercher une glace ; il avait perdu deux cent cinquante dollars mais cela ne lui faisait ni chaud ni froid.

Il s'approcha des tables de craps où tout semblait n'être que confusion. Il ne parvenait pas à imaginer son père maîtrisant un jeu si compliqué. Où apprenait-on à lancer les dés dans le comté de Ford ?

Quand il trouva le courage, il se fit une petite place entre deux joueurs et plaça les jetons qui lui restaient sur la ligne de passe. Les dés roulèrent pour faire douze, le croupier ramassa les jetons et Ray quitta le Rio pour aller faire un tour au Princess, l'établissement voisin.

Une fois passée la porte, tous les casinos se ressemblent. Des gens âgés fixant un regard vide sur les cadrans des machines à sous ; des pièces tombant de loin en loin les gardaient vissés sur leur siège. Des tables de black-jack entourées de joueurs à l'œil éteint, descendant de la bière et du whisky offerts par l'établissement. Des joueurs sérieux tassés autour des tables de craps, braillant pour se faire obéir des dés. Une poignée d'Asiatiques jouant à la roulette. Des hôtesses dénudées, un plateau à la main, dans un costume ridicule.

Il choisit une table de black-jack, recommença tout. Les cinq billets qu'il sortit de sa poche furent acceptés par le croupier. Ray misa cent dollars à la première donne, mais, au lieu de tout perdre en peu de temps, il se mit à gagner.

Il avait trop de liquide dans sa poche pour perdre du temps à accumuler des jetons. Dès qu'il eut doublé son capital, il prit dix autres billets et demanda des jetons de cent dollars. Le croupier en informa son chef qui souhaita bonne chance à Ray avec un sourire contraint. Une heure plus tard, il quittait la table avec vingt-deux jetons de cent.

Il passa enduite au Forum, un établissement d'aspect plus ancien, imprégné d'une odeur de tabac froid mal masquée par celle du désinfectant. La clientèle aussi était plus âgée : la spécialité du Forum était les machines à sous et les clients de plus de soixante-cinq ans avaient droit, au choix, à un petit déjeuner, un déjeuner ou un dîner gratuit. Les hôtesses avaient la quarantaine bien sonnée : plus question pour elles de se dénuder, aussi peu que ce fût. Elles circulaient vêtues d'une sorte de survêtement et chaussées de tennis.

Aux tables de black-jack, l'enjeu était limité à dix dollars. Le croupier eut un mouvement d'hésitation en voyant les billets de Ray atterrir sur la table. Il prit le premier, le leva pour la regarder à la lumière, comme s'il avait enfin coincé un faux-monnayeur. Le chef de table vint le rejoindre ; Ray s'apprêta à leur sortir l'histoire qu'il avait préparée, à savoir qu'il s'était procuré ce billet dans un autre casino, le Rio. Quand le croupier annonça que le billet était bon, il respira. Il perdit trois cents dollars en une heure.

Fog se vantait d'être sur le point de faire sauter la banque quand ils se retrouvèrent à la cafétéria. Ray perdait cent dollars, mais, comme tous les joueurs, il mentit en annonçant des gains modestes. Ils se donnèrent rendez-vous à 17 heures pour rentrer à Charlottesville.

Ray changea le reste de ses billets à une table à cinquante dollars du Canyon Casino, le dernier-né des établissements de la promenade. Après avoir joué un moment, il commença à en avoir assez des cartes et se rendit au bar où il but un soda en regardant un match de boxe retransmis de Las Vegas. Les cinq mille dollars avaient été changés ; il repartirait d'Atlantic City avec quatre mille sept cents dollars et il serait facile de retrouver sa trace. Il avait été filmé et photographié dans sept casinos. Dans deux établissements, il avait donné son identité en changeant des jetons à la caisse. Dans deux autres, il avait utilisé ses cartes de crédit pour faire de petits retraits, afin de laisser une trace supplémentaire.

Si les billets du Juge étaient marqués, on saurait qui il était et où le trouver.

Pendant le trajet vers l'aéroport, Fog resta silencieux ; la chance avait tourné dans le courant de l'après-midi. Il finit par avouer qu'il avait perdu deux cents dollars, mais son attitude donnait à penser que ses pertes étaient bien plus importantes.

— Et toi ? demanda-t-il à Ray.

— Ça a bien marché cet après-midi. J'ai gagné de quoi payer la location.

— Pas mal !

— Je suppose que je ne peux pas payer en liquide ?

— Ce n'est pas illégal, que je sache, répondit Fog, tout ragaillardi.

— Tu auras du liquide. Pendant les vérifications, Fog demanda à Ray s'il voulait prendre le manche ; il ajouta que ce serait comme une leçon. La perspective de recevoir des espèces lui avait remonté le moral.

Ray laissa passer deux vols domestiques et attendit que le trafic soit moins dense. Sous le regard vigilant de Fog, il fit rouler l'appareil pour le décollage. Quand la vitesse du Bonanza atteignit cent dix kilomètres à l'heure, l'avion quitta le sol sans une secousse. Le moteur turbo paraissait deux fois plus puissant que celui du Cessna. L'appareil prit de l'altitude sans effort, s'éleva à sept mille cinq cents pieds.

Dick Docker somnolait dans le Cockpit quand Ray et Fog entrèrent pour remplir le carnet de vol et rendre leur casque. Il se mit au garde-à-vous, se dirigea vers le comptoir.

— Je ne vous attendais pas si tôt, déclara-t-il, la bouche pâteuse, encore à moitié endormi, tout en prenant des papiers dans un tiroir.

— On a fait sauter la banque ! lança Ray d'une voix claironnante.

Fog avait disparu dans le bureau de l'école de pilotage.

— J'avais jamais entendu ça, marmonna Dick en se tournant vers Ray qui feuilletait le carnet de vol. Tu paies maintenant ? poursuivit-il en griffonnant des chiffres sur une feuille.

— En espèces, avec la remise.

— Depuis quand fait-on une remise pour un règlement en espèces ?

— Aujourd'hui. Dix pour cent.

— C'est faisable, acquiesça Dick en reprenant ses calculs. La remise traditionnelle pour un règlement au comptant. Treize cent vingt dollars, annonça-t-il.

Ray prit sa liasse, commença à compter les billets.

— Je n'ai pas de billet de vingt. Voilà treize cents.

— Un type est passé ce matin, glissa Dick en recomptant les billets. Il a dit qu'il voulait prendre des leçons et ton nom a été prononcé.

— Qui était-ce ?

— Je ne l'avais jamais vu.

— Pourquoi a-t-il prononcé mon nom ?

— C'est venu bizarrement. Je faisais le laïus habituel sur nos tarifs et tout quand, de but en blanc, il a demandé si tu avais un avion à toi. Il prétendait t'avoir rencontré je ne sais où.

— Il a dit comment il s'appelait ? demanda Ray, les deux mains agrippées au comptoir.

— J'ai posé la question. Dolph Machin Chouette, je n'ai pas bien entendu. Il avait l'air un peu louche ; il a fini par sortir. Je l'ai observé. Il s'est arrêté devant ta voiture, il en a fait le tour, comme s'il voulait forcer une portière et il est parti. Tu connais quelqu'un qui s'appelle Dolph ?

— Je n'ai jamais connu de Dolph.

— Moi non plus. Je ne savais même pas que ce prénom existait. Enfin, tout ça était bizarre.

— À quoi il ressemblait, ton Dolph ?

— Un petit bonhomme tout maigre, la cinquantaine, les cheveux poivre et sel coiffés en arrière, des yeux noirs comme un Grec, le genre vendeur de voitures d'occasion, avec des chaussures à bout pointu.

Ray secouait la tête ; il ne voyait absolument pas.

— Pourquoi ne l'as-tu pas viré ? poursuivit-il.

— J'ai cru que c'était un client.

— Depuis quand es-tu aimable avec les clients ?

— Tu achètes le Bonanza, oui ou non ?

— Non. Je rêve un peu, c'est tout.

Fog revint et ils se congratulèrent de cette merveilleuse balade, se jurant, comme de bien entendu, de recommencer bientôt. Sur la route du retour, Ray regarda attentivement les véhicules autour de lui.

On le suivait.

19.

Une semaine s'écoula, une semaine sans que des agents du FBI ni du Trésor viennent frapper à sa porte pour l'interroger sur de l'argent de provenance douteuse dont on avait trouvé la trace à Atlantic City, une semaine sans que rien n'indique que Dolph ou quelqu'un d'autre lui filait le train, une semaine normale de joggings matinaux et d'enseignement.

Il pilota trois fois le Bonanza, toujours accompagné de Fog, et paya chaque leçon rubis sur l'ongle. « L'argent du casino », expliquait-il avec un grand sourire et sans mentir. Fog était impatient de retourner à Atlantic City pour se refaire ; Ray s'en fichait, mais ce n'était pas une mauvaise idée. Cela lui permettrait de se vanter d'une autre journée fructueuse et de continuer à payer comptant ses leçons de pilotage.

L'argent se trouvait maintenant dans le box 37 F. Toujours au nom de Ray Atlee, le 14 B ne contenait plus que les vieux vêtements et quelques meubles sans valeur. Le 37 F était au nom de NDY Ventures, en l'honneur des trois instructeurs de l'école de pilotage. Celui de Ray n'apparaissait pas sur les papiers. Il avait loué le box pour trois mois et payé en espèces.

— Je veux que ce soit confidentiel, avait-il dit à Mme Chaney.

— Tout est confidentiel ici. Nous avons des clients de tous les genres. Je ne veux pas savoir ce que vous cachez, poursuivit-elle en prenant un air de conspirateur. Payez-moi, c'est tout ce que je demande.

Il avait transporté les cartons un à un, à la faveur de la nuit, sous le regard scrutateur d'un gardien posté à l'écart. Le box 37 F était semblable au 14 B ; quand les six cartons furent à l'abri dans le nouveau local, il s'était juré — une fois de plus — de les y laisser, de ne pas passer tous les jours. Jamais il n'aurait imaginé que déplacer trois millions de dollars pouvait être une telle corvée.

Harry Rex n'avait pas appelé, mais il avait envoyé un autre colis rempli de lettres et de cartes de condoléances. Ray s'était senti obligé de tout lire, du moins de tout ouvrir, pour le cas où un second message aurait été glissé dans le courrier par le mystérieux expéditeur. Rien.

Les examens étaient terminés ; après la remise des diplômes, la faculté entrerait dans la période de repos estival. Ray fit ses adieux à ses étudiants. Juste après son dernier examen, Kaley l'informa qu'elle avait décidé de passer l'été à Charlottesville. Elle demanda encore une fois, avec insistance, un rendez-vous avant la remise des diplômes. Pour voir comment il réagirait. Ils étaient dans son bureau ; la porte restait ouverte.

— Nous attendrons que tu ne sois plus étudiante, déclara Ray.

Il tenait bon, mais la tentation était forte.

— Il ne reste que quelques jours.

— Justement.

— Alors, trouvons une date.

— Le diplôme d'abord, la date ensuite.

Quand elle se retira avec un sourire aguichant et un regard appuyé, Ray comprit que cette fille allait lui susciter des embarras. Carl Mirk le surprit à la porte de son bureau où il la regardait s'éloigner dans un jean moulant.

— Pas mal, déclara Carl.

Légèrement embarrassé, Ray continua à la suivre du regard.

— Elle me fait du rentre-dedans.

— Tu n'es pas le seul, affirma Carl. Fais attention. Tiens, je me suis dit que ça te ferait plaisir, ajouta-t-il en tendant à Ray une enveloppe d'aspect bizarre.

— Qu'est-ce que c'est ?

— Une invitation au Bal des busards.

— C'est quoi ? demanda Ray en sortant un carton de l'enveloppe.

— Le premier Bal des busards, probablement le dernier. Un soirée de gala dont les bénéfices seront consacrés à la protection des oiseaux du Piedmont. Regarde le nom des organisateurs.

— Vicki et Lew Rodowski ont le plaisir de vous inviter…, commença Ray en lisant à voix haute.

— Le Liquidateur s'attache maintenant à sauver nos oiseaux. Touchant, non ?

— Cinq mille dollars pour un couple !

— Je pense que c'est un record pour Charlottesville. L'invitation a été envoyée au doyen. Il est sur la liste des huiles, pas nous. Même sa femme a été choquée par le prix.

— Suzie ne se choque pourtant pas facilement.

— C'est ce que nous croyions. Ils veulent deux cents couples pour lever un million et montrer à tout le monde comment il faut s'y prendre. En tout cas, ils l'espèrent. D'après Suzie, ils pourront s'estimer heureux s'ils ont trente couples.

— Elle n'y va pas ?

— Non. Au grand soulagement du doyen. Le premier gala qu'ils manqueront en dix ans.

— Musique des Drifters, poursuivit Ray en parcourant le reste du carton.

— Ça lui coûtera cinquante mille dollars.

— Quel imbécile !

— C'est Charlottesville, mon vieux. Un gugusse

déboule de Wall Street. Il se trouve une nouvelle femme, s'achète un gros ranch, commence à claquer du fric et veut devenir le patron.

— Eh bien, je n'irai pas.

— Tu n'es pas invité. Garde le carton.

Carl disparut ; Ray retourna s'asseoir, l'invitation à la main. Les pieds sur le bureau, les yeux fermés, il s'abandonna à une douce rêverie. Il se vit sur la piste de danse avec Kaley en robe noire moulante, dos nu, fendue sur les cuisses, le décolleté plongeant, d'une beauté à couper le souffle et treize ans de moins que Vicki. Il n'était pas mauvais danseur lui-même ; ils se déhanchaient et se tortillaient sur le rythme endiablé des Drifters, attirant tous les regards.

Vicki serait bien obligée d'entraîner le vieux Lew sur la piste. Lew avec son smoking griffé qui ne pouvait dissimuler sa bedaine et ses touffes de cheveux argentés au-dessus des oreilles ; Lew le vieux bouc qui cherchait à acquérir la respectabilité en protégeant les oiseaux à grands frais ; Lew l'arthritique qui marchait avec la grâce d'un pachyderme ; Lew exhibant sa femme dans une robe au coût astronomique dévoilant un peu trop un corps devenu osseux à force de privations.

Kaley et Ray auraient une autre allure, ils danseraient infiniment mieux… Mais qu'est-ce que cela prouverait ?

Une jolie scène en vérité, mais il ne tenait pas à s'y arrêter. Il avait de l'argent maintenant, mais il n'allait pas le gaspiller pour des bêtises de ce genre.

Washington n'était qu'à deux heures de route ; la conduite était agréable et le trajet offrait sur la moitié de la distance de beaux paysages. Mais son moyen de transport préféré avait changé. Il prit le Bonanza avec Fog : trente-huit minutes de vol jusqu'à Reagan National, où la tour leur donna du bout des lèvres l'autorisation de se poser. Il sauta dans un taxi, descendit quinze minutes plus tard dans Pennsylvania Avenue, devant le ministère de l'Économie et des Finances.

Un collègue de la fac de droit avait appelé son beau-frère qui occupait un poste d'une certaine importance au ministère. Le professeur Atlee fut reçu dans le confortable bureau d'un certain Oliver Talbert. Il faisait des recherches sur un projet mal défini et sollicitait à peine une heure du temps de Talbert qui n'était pas le beau-frère en question mais pouvait le renseigner.

Ils abordèrent pour commencer le sujet de la contrefaçon. Talbert évoqua à grands traits les problèmes du moment, imputables pour la plupart aux progrès technologiques — essentiellement les imprimantes à jet d'encre et la fausse monnaie fabriquée par ordinateur. Il avait des échantillons de quelques-unes des meilleures imitations. À l'aide d'une loupe, il indiqua les défauts : manque de détails sur le front de Benjamin Franklin, absence de fils de sécurité formant une ligne sombre sur le fond du billet, bavures sur les numéros de série.

— C'est du beau boulot, fit-il. Et les faussaires ne cessent de s'améliorer.

— Où avez-vous trouvé ça ? demanda Ray.

La question était hors du sujet, mais Talbert regarda l'étiquette attachée au présentoir.

— Au Mexique, répondit-il succinctement.

Pour prendre les faussaires de vitesse, le Trésor investissait lourdement dans sa propre technologie. Imprimantes donnant aux billets un effet holographique, filigranes, encres à couleur changeante, portraits décentrés et agrandis, scanners repérant un faux en moins d'une seconde. La méthode la plus efficace n'avait pas été utilisée jusqu'à présent : il aurait suffi de changer la couleur des billets. Passer du vert au bleu, puis au jaune et au rose. Récupérer les vieux billets, inonder les banques des nouveaux. Les faussaires, tel était l'avis de Talbert, n'auraient pu suivre le rythme. Il ajouta en secouant la tête que le Congrès ne voulait pas donner son accord.

Ce qui intéressait Ray, c'était surtout de savoir s'il existait un moyen de suivre la trace des vrais billets ; ils finirent par y venir. Talbert expliqua que, pour des raisons évidentes, les billets ne sont pas marqués ; s'ils l'étaient, un escroc s'en rendrait compte et comprendrait qu'on lui tend un piège. Le seul moyen consistait simplement à relever les numéros de série, une tâche autrefois fastidieuse, puisqu'elle était faite à la main. Il raconta l'histoire d'un enlèvement et d'une rançon dont l'argent était arrivé quelques minutes avant l'heure de la livraison. Une vingtaine d'agents du FBI s'étaient mis frénétiquement au travail pour relever les numéros de série des billets de cent dollars. La rançon s'élevait à un million de dollars ; ils n'avaient eu le temps de noter les numéros que pour quatre-vingt mille dollars, mais cela avait suffi. Un mois plus tard, ils avaient arrêté les ravisseurs en possession de plusieurs billets dont le numéro leur était connu ; affaire réglée.

Un nouveau scanner avait heureusement simplifié les choses ; il photographiait dix billets en même temps, une centaine en quarante secondes.

— Quand les numéros de série sont enregistrés, comment retrouve-t-on les billets ?

En posant sa question, Ray prenait des notes sur un carnet ; le contraire eût étonné Talbert.

— Il y a deux possibilités. Si on retrouve le malfaiteur avec l'argent sur lui, il n'y a plus qu'à le coffrer. C'est ainsi que la brigade des stups et le FBI attrapent les trafiquants de drogue. On interpelle un petit revendeur, on lui propose un marché : il reçoit vingt mille dollars en billets marqués pour acheter de la coke à son fournisseur. Il n'y a plus qu'à ferrer le gros poisson en possession de l'argent.

— Et quand on ne retrouve pas le malfaiteur ?

En prononçant le mot, Ray ne put s'empêcher de penser à son père.

— Cela devient plus difficile. Quand la Réserve fédérale retire des billets de la circulation, elle en scanne des échantillons. La découverte d'un billet marqué permet de remonter jusqu'à la banque qui l'a fourni, mais il est trop tard. Il peut arriver que le possesseur de billets marqués les utilise un certain temps dans une zone géographique donnée ; cela nous a permis d'en arrêter quelques-uns.

— Les chances doivent être minces.

— En effet, reconnut Talbert.

— Je me souviens d'une histoire qui s'est passée il y a quelques années, poursuivit Ray du ton détaché de celui qui a bien répété son texte. Des chasseurs de canards avaient découvert un avion accidenté, un petit appareil, et trouvé de l'argent dans la carcasse, près d'un million de dollars, je crois. Ils s'étaient dit que l'argent devait provenir d'un trafic de drogue et avaient décidé de le garder. Ils avaient vu juste, mais les billets étaient marqués et la police a remonté la piste jusqu'à leur petite ville.

— Ça me rappelle quelque chose, fit Talbert.

Mon histoire est crédible, songea Ray.

— Ma question est donc la suivante : est-il possible, quand on trouve comme eux une grosse somme, de se présenter au FBI ou dans les bureaux du Trésor pour demander que l'on examine les billets afin de savoir si leurs numéros ont été relevés et, si c'est le cas, d'où ils proviennent ?

Talbert réfléchit en se grattant la tête d'un doigt noueux.

— Je ne vois pas ce qui les en aurait empêchés, répondit-il avec un petit haussement d'épaules. Mais il va de soi qu'ils auraient couru le risque de perdre l'argent.

— Cela ne doit pas arriver souvent, glissa Ray, ce qui les fit rire tous les deux.

Talbert raconta ensuite l'histoire d'un juge de Chicago qui faisait de la gratte, demandant aux avocats de petites sommes, cinq cents dollars par ci, mille dollars par là, pour accélérer la procédure et étudier leurs dossiers avec bienveillance. Cette pratique durait depuis plusieurs années quand le FBI en avait été informé ; mis au pied du mur, certains de ces avocats avaient accepté de collaborer. Pendant les deux ans qu'avait duré l'opération, trois cent cinquante mille dollars, dont une partie des numéros de série avaient été relevés, étaient tombés dans les poches du juge. À l'arrivée du FBI, l'argent avait disparu ; quelqu'un avait prévenu le magistrat indélicat. Les billets avaient été retrouvés dans le garage de son frère, quelque part dans l'Arizona, et tout le monde avait fini derrière les barreaux.

Au début, Ray s'était senti mal à l'aise. Était-ce une coïncidence ou bien Talbert cherchait-il à lui dire quelque chose ? Mais, à mesure que le récit se déroulait, il s'était détendu, s'efforçant, malgré la similitude des situations, d'y prendre plaisir. Talbert ne savait rien sur le juge Atlee.

Dans le taxi qui le ramenait à l'aéroport, Ray prit son carnet et commença d'y inscrire des chiffres. Au rythme de cent soixante-quinze mille dollars par an, il aurait fallu dix-huit ans au juge de Chicago pour amasser trois millions. Et il s'agissait de Chicago avec ses centaines de tribunaux et ses milliers d'avocats cossus traitant des affaires où il y avait infiniment plus d'argent en jeu qu'au fin fond du Mississippi. Le système judiciaire était dans une grande ville une industrie où certaines irrégularités pouvaient passer inaperçues. Dans le monde du juge Atlee une poignée d'individus faisait tourner la machine ; si de l'argent changeait de main, cela ne pouvait leur échapper. Impossible de détourner trois millions à la chancellerie du 25e District : une telle somme ne s'y était jamais trouvée.

Ray décida qu'un autre voyage à Atlantic City était indispensable. Il emporterait plus d'argent liquide pour flamber dans les casinos. Un dernier test pour s'assurer que les billets du Juge n'étaient pas marqués.

Fog allait sauter de joie.

20.

Quand Vicki l'avait quitté pour aller vivre avec le Liquidateur, un collègue avait recommandé à Ray un spécialiste du divorce nommé Axel Sullivan. Excellent avocat, Axel n'avait pas pu faire grand-chose sur le plan légal. Vicki était partie, elle ne reviendrait pas et ne demandait rien au client d'Axel. Celui-ci s'était occupé de la paperasse, avait recommandé un bon psy et aidé Ray à surmonter cette épreuve. D'après l'avocat, le meilleur détective privé de Charlottesville s'appelait Corey Crawford, un ex-flic noir qui avait fait de la taule pour coups et blessures.

Le bureau de Crawford se trouvait près du campus, au-dessus d'un bar appartenant à son frère. C'était un bel établissement, avec un menu, des baies vitrées en façade, un orchestre le week-end, sans autre activité louche que le passage d'un bookmaker venant démarcher la clientèle d'étudiants. Ray préféra quand même se garer à une centaine de mètres ; il ne voulait pas qu'on le voie entrer. Sur une plaque portant CRAWFORD ENQUÊTES une flèche indiquait un escalier sur le côté du bâtiment.

Il n'y avait pas de secrétaire, du moins il n'en vit pas. Il était en avance de dix minutes, mais Crawford attendait. Le privé avait le crâne rasé et un visage agréable sur lequel ne passait pas l'ombre d'un sourire. Grand, mince, une petite quarantaine, il portait avec élégance des vêtements de bonne coupe. À sa ceinture, un gros pistolet dans un étui de cuir noir.

— Je crois qu'on me suit, commença Ray.

— Ce n'est pas pour un divorce ?

Ils étaient face à face, devant une table basse, dans un petit bureau donnant sur la rue.

— Non.

— Qui pourrait vouloir vous suivre ?

Ray avait préparé une histoire de dissensions familiales dans le Mississippi, un père qui venait de mourir, un héritage à partager, des frères et sœurs jaloux, un récit fabriqué de toutes pièces dont Crawford sembla ne pas croire un traître mot. Sans lui laisser le temps de poser des questions, Ray parla de la visite de Dolph à l'école de pilotage et donna son signalement.

— On dirait Rusty Wattle, déclara Crawford.

— Qui est-ce ?

— Un privé de Richmond, pas très bon. Il lui arrive de travailler par ici. D'après ce que vous avez dit, je ne crois pas que votre famille engagerait quelqu'un de Charlottesville. C'est une petite ville.

Le nom de Rusty Wattle fut enregistré et gravé à jamais dans la mémoire de Ray.

— Est-il concevable, demanda Crawford, que les méchants du Mississippi désirent que vous sachiez que vous êtes suivi ? On nous engage parfois, poursuivit-il en voyant l'air éberlué de Ray, pour intimider, pour effrayer. J'ai l'impression que Wattle ou celui qui est passé à l'école de pilotage voulait que l'on vous donne un signalement précis. Comme s'il laissait une piste.

— C'est possible.

— Que voulez-vous que je fasse ?

— Découvrez si on me suit. Si c'est le cas, de qui il s'agit et qui le paie.

— Les deux premières demandes devraient être

faciles à satisfaire. Obtenir le nom du client pourrait être impossible.

— Essayons quand même.

Crawford ouvrit une chemise posée sur son bureau.

— Je prends cent dollars de l'heure, déclara-t-il en plongeant les yeux dans ceux de Ray. Plus les frais. Et une avance de deux mille dollars.

— Je préférerais régler en espèces, répondit Ray sans détourner les yeux. Si cela vous convient.

— Dans ma partie, reprit Crawford en esquissant son premier sourire, des espèces sont toujours préférables.

Il remplit soigneusement des blancs dans un contrat.

— Croyez-vous qu'ils pourraient mettre mes téléphones sur écoute, des choses comme ça ? demanda Ray.

— Nous passerons tout au peigne fin. Procurez-vous un autre appareil, un téléphone cellulaire, mais ne le faites pas mettre à votre nom. Nos contacts seront essentiellement téléphoniques.

— Vous m'étonnez, fit Ray à mi-voix.

Il prit le contrat, le parcourut et signa. Crawford glissa la feuille dans la chemise.

— La première semaine, reprit-il, nous suivrons vos déplacements. Tout sera planifié. Ne changez rien à vos habitudes, indiquez-nous seulement ce que vous allez faire pour que nous ayons quelqu'un sur place.

Il y aura du monde derrière moi, songea Ray.

— Je mène une existence assez terne, expliqua-t-il. Je fais du jogging, je donne mes cours, je vole de temps en temps et je rentre chez moi. Je vis seul.

— À part cela ?

— Un déjeuner au restaurant de temps à autre ou un dîner. Pas de petit déjeuner.

— Je ne manquerai pas de sommeil, glissa Crawford en réprimant un sourire. Des femmes ?

— J'aimerais bien. J'en ai une ou deux en vue, rien de sérieux. Si vous connaissez quelqu'un, donnez-lui mon nom.

— Ceux du Mississippi cherchent quelque chose, n'est-ce pas ? De quoi s'agit-il ?

— C'est une vieille famille où des objets de valeur se transmettent de génération en génération : bijoux, livres rares, cristaux, argenterie.

Ray s'était exprimé avec naturel ; cette fois, Crawford le crut.

— Eh bien, nous avançons ! Et vous êtes en possession de ces biens de famille ?

— Exact.

— Ils sont ici ?

— Au garde-meubles. Chaney, dans Berkshire Road.

— À combien les estimez-vous ?

— Beaucoup moins que ma famille ne le croit.

— À vue de nez ?

— Un demi-million à tout casser.

— Vous avez des droits à faire valoir sur ces biens ?

— Disons oui, pour simplifier. Sinon, je serais obligé de vous raconter l'histoire de ma famille, ce qui prendrait de longues heures et nous donnerait la migraine à tous les deux.

— D'accord.

Crawford termina la rédaction d'un long paragraphe ; tout était réglé.

— Quand pouvez-vous acheter un nouveau portable ?

— J'y vais de ce pas.

— Parfait. Quand pourrons-nous fouiller votre appartement ?

— Quand vous voudrez.

Trois heures plus tard, flanqué d'un sous-fifre du nom de Booty, Crawford achevait son inspection. Les téléphones de Ray étaient sûrs ; ni micros ni branchements. Les conduits d'aération ne dissimulaient pas de caméras. Dans le grenier plein à craquer ils ne trouvèrent ni récepteurs ni moniteurs derrière les piles de cartons.

— Tout va bien, déclara Crawford en prenant congé.

Ray ne se sentait pourtant pas très bien quand il

s'installa sur le balcon. Quand on dévoile sa vie à de parfaits inconnus, même si on les a choisis et si on les paie pour cela, on se sent souillé.

Il se releva : le téléphone sonnait.

Apparemment, Forrest n'était pas chargé : voix ferme, élocution nette. Dès qu'il entendit « Salut, mon grand », Ray tendit l'oreille pour savoir dans quel état il était. C'était une réaction machinale, après tous les coups de téléphone reçus de partout, à toute heure du jour et de la nuit, dont son frère, bien souvent, ne gardait aucun souvenir. Forrest déclara qu'il allait bien, ce qui signifiait qu'il n'avait rien pris, ni drogue ni alcool, sans préciser depuis combien de temps. Ray n'allait certainement pas poser des questions.

Sans laisser le temps à Ray de mentionner le Juge, la succession, la maison ou Harry Rex, Forrest annonça la grande nouvelle.

— J'ai un nouveau boulot !

— Raconte, fit Ray en s'installant dans son fauteuil à dossier inclinable.

La voix de Forrest trahissait son excitation et Ray avait tout son temps.

— Tu as entendu parler du Benalatofix ?

— Non.

— Je ne connaissais pas non plus. Un médicament dont le surnom est Skinny Ben. Ça te dit quelque chose ?

— Désolé.

— C'est une pilule amaigrissante fabriquée par une société basée en Californie, Luray Products, un gros laboratoire privé que personne ne connaissait. Depuis cinq ans, les médecins prescrivent ces pilules à tour de bras, parce que ça marche. Elles ne sont pas destinées aux femmes qui veulent perdre dix kilos, mais elles font merveille sur les obèses, les vrais, les très gros. Tu écoutes ?

— J'écoute.

— Le problème est qu'au bout d'un ou deux ans ces pauvres femmes souffrent d'un dysfonctionnement des valvules du cœur. Des dizaines de milliers d'entre elles sont traitées pour cette insuffisance valvulaire et une avalanche de plaintes s'abat sur Luray, en Californie et en Floride. L'administration qui s'en est mêlée il y a huit mois a interdit la commercialisation du produit le mois dernier.

— Quel rapport avec toi, Forrest ?

— Je suis enquêteur médical, mon grand.

— En quoi consiste le boulot d'un enquêteur médical ?

— Merci de poser la question. Aujourd'hui, par exemple, j'avais rendez-vous dans la suite d'un hôtel à Dyersburg, Tennessee, pour aider ces pauvres chéries à hisser leur masse sur un tapis de jogging. Un médecin, payé par les avocats qui m'emploient, contrôlait leur rythme cardiaque. Si le résultat n'était pas impec, devine ce qui se passait ?

— Tu avais une nouvelle cliente.

— Exactement. Je suis embauché pour quarante jours.

— Combien vaut une cliente, en moyenne ?

— Dix mille dollars. Les avocats avec qui je travaille en ont huit cents. Ça fait donc huit millions de dollars ; les avocats en prennent la moitié, les pauvres femmes se font encore baiser. Vivent les plaintes en nom collectif !

— Que gagnes-tu là-dessus ?

— Un salaire de base, une prime pour chaque nouvelle cliente et des miettes sur les indemnisations. Nous pensons qu'il peut y avoir jusqu'à cinq cent mille cas ; nous faisons des pieds et des mains pour les rassembler.

— Ça fait cinq milliards de dollars de réparations.

— Luray en a huit en liquidités ; tous les avocats sont sur le coup.

— Cela ne pose pas de problèmes éthiques ?

— L'éthique n'a plus cours, mon grand. Dans quel

monde vis-tu ? L'éthique n'existe que pour des gens comme toi, chargés de l'enseigner à des étudiants qui n'en auront jamais l'usage ; je regrette d'être le premier à te l'apprendre.

— J'ai déjà entendu ce couplet.

— En tout cas, j'ai trouvé le filon. Je me suis dit que ça te ferait plaisir de le savoir.

— J'en suis heureux pour toi.

— Il y a des avocats qui font le Skinny Ben, chez toi ?

— Pas à ma connaissance.

— Ouvre l'œil. Ceux pour qui je travaille s'associent avec des confrères aux quatre coins du pays. C'est comme ça que ça marche. Plus les plaignants sont nombreux, plus les dommages-intérêts sont élevés.

— Je ferai passer le mot.

— Salut, mon grand.

— Prends soin de toi, Forrest.

C'est encore la sonnerie du téléphone qui le réveilla, peu après 2 h 30. Comme toujours en pleine nuit, elle semblait ne jamais devoir se terminer. Ray parvint en tâtonnant à saisir le combiné et à allumer la lumière.

— C'est Harry Rex. Excuse-moi de te réveiller.

— Que se passe-t-il ? demanda Ray, sachant que cet appel n'annonçait rien de bon.

— C'est à propos de Forrest. Je viens de passer une heure au téléphone avec lui et une infirmière de l'hôpital baptiste de Memphis. Il est en observation, il a probablement le nez cassé.

— Raconte.

— Il était dans un bar, il s'est pinté, il a fait le coup de poing. Rien de nouveau. Cette fois, il est tombé sur plus fort que lui et il s'est fait recoudre. Ils veulent le garder pour la nuit. J'ai parlé à une infirmière pour garantir le paiement des frais d'hospitalisation. J'ai aussi demandé qu'on ne lui donne ni calmants ni analgésiques ; ils ne savent pas à qui ils ont affaire.

— Je regrette que tu sois mêlé à ça.

— Ce n'est pas la première fois et ça ne me dérange pas. Mais il est vraiment barge : il a remis ça avec la succession et sa crainte de se faire entuber dans le partage. Je sais bien qu'il n'a pas encore cuvé, mais il n'en démord pas.

— Je lui ai parlé il y a cinq heures ; il allait bien.

— Il a dû aller dans ce bar juste après. Ils ont quand même été obligés de lui donner un sédatif pour remettre le nez en place. Je m'inquiète pour toutes ces drogues qu'il y a dans les hôpitaux. Quelle histoire !

— Je suis vraiment désolé, fit Ray qui ne trouvait rien d'autre à dire.

Un silence suivit, pendant qu'il essayait de mettre de l'ordre dans ses idées.

— Il allait bien il y a quelques heures, reprit-il. Il n'avait rien pris, du moins c'est ce qu'il m'a semblé.

— Il t'a appelé ?

— Oui. Il était très excité, il venait de trouver du boulot.

— Cette connerie de Skinny Ben ?

— Exact. C'est un vrai boulot ?

— Je pense. Nous avons ici un groupe d'avocats qui recherchent ces victimes ; il leur en faut un maximum. Ils recrutent des gars comme Forrest pour leur servir de rabatteurs.

— Ils mériteraient d'être radiés du barreau.

— Comme la moitié d'entre nous. Je pense qu'il serait bien que tu reviennes, Ray. Plus tôt nous ouvrirons la succession, plus tôt nous apaiserons les craintes de Forrest. Ces accusations sont très désagréables.

— As-tu une date pour le juge ?

— Nous pouvons le voir mercredi prochain. Je pense que tu devrais rester quelques jours.

21.

Le consortium avait été mis en place par un copain de Dick Docker. S'y étaient joints deux ophtalmologues possédant une clinique en Virginie-Occidentale. Ils venaient tous deux d'obtenir leur brevet de pilote privé et cherchaient à gagner du temps dans les allers et retours entre leur clinique et Charlottesville. Le copain de Docker, conseiller d'un fonds de pension, n'avait besoin du Bonanza qu'une douzaine d'heures par mois. Il fallait un quatrième associé pour boucler l'affaire. Chacun mettrait cinquante mille dollars sur la table, puis ils contracteraient ensemble un emprunt bancaire pour le reste de la somme. Le prix de vente de l'appareil, fixé à trois cent quatre-vingt-dix mille dollars, ne baisserait certainement plus. Le remboursement de l'emprunt, étalé sur six ans, coûterait à chaque associé huit cent quatre-vingt-dix dollars par mois.

Cela représentait pour Ray Atlee le prix de onze heures de location d'un Cessna.

Autres avantages : l'érosion monétaire et la possibilité de trouver un affréteur quand les associés n'utiliseraient pas l'appareil. Côté dépenses : frais de hangar, carburant, entretien, la liste semblait s'allonger démesurément. Le copain de Dick Docker passait sous silence un autre inconvénient, à savoir s'associer avec trois inconnus dont deux médecins.

Ray pouvait mettre cinquante mille dollars sur la table et en lâcher huit cent quatre-vingt-dix par mois ; il avait tellement envie de devenir le propriétaire de cet avion qu'il considérait secrètement comme le sien.

Un Beech Bonanza, à en croire une étude convaincante jointe au projet, ne se dépréciait guère sur le marché de l'occasion ; la demande restait forte. En matière de sécurité, l'appareil n'était devancé que par le Cessna, de très peu. Ray transporta le projet de consortium pendant deux jours, le lisant et le relisant dans son bureau, chez lui, au comptoir du café où il déjeunait. Les trois autres avaient signé ; il lui restait à faire de même aux quatre endroits indiqués et le Bonanza était à lui.

La veille de son départ pour le Mississippi, il relut une dernière fois le projet et signa. Advienne que pourra.

Si des gens mal intentionnés le surveillaient, ils savaient se rendre invisibles. Au bout de six journées passées à essayer sans résultat de les repérer, Corey Crawford était convaincu qu'il n'y avait personne. Ray lui remit trois mille huit cents dollars en espèces et promit de le rappeler s'il remarquait quelque chose de suspect.

Sous prétexte d'entreposer des vieilleries, il se rendait tous les jours au garde-meuble pour s'assurer que le magot n'avait pas bougé. Il emportait des cartons remplis de tout ce qui lui tombait sous la main dans l'appartement. Le 14 B et le 37 F prenaient au fil des jours l'apparence d'un grenier encombré d'un imposant bric-à-brac.

La veille de son départ, il demanda à Mme Chaney si le box 18 R s'était libéré. Elle répondit qu'il était libre depuis deux jours.

— Je voudrais le louer.

— Jamais deux sans trois !

— J'ai encore besoin de place.

— Pourquoi ne louez-vous pas un de nos grands box ?

— Plus tard, peut-être. Dans l'immédiat, trois petits me conviennent.

Elle s'en battait l'œil. Il loua le 18 R au nom de Newton Aviation, paya cash pour six mois. Quand il fut certain que personne ne regardait, il transporta l'argent dans le box 18 R où il avait disposé de nouvelles boîtes. Les récipients en vinyle revêtu d'aluminium, conçus pour résister à une température de 140 °C, étaient étanches et munis d'une serrure. Ray en utilisa cinq pour loger tous les billets. Il jeta sur les boîtes un édredon, deux ou trois couvertures et quelques vieux vêtements pour donner au petit espace un aspect plus normal. Il ne savait pas qui il voulait tromper avec ce désordre apparent, mais il se sentit mieux en voyant le fouillis.

Il faisait ces derniers temps des tas de choses pour le regard d'autrui. Un itinéraire différent pour se rendre à la fac, un nouveau circuit de jogging, un autre bar pour prendre son café, une nouvelle librairie au centre-ville, où il passait un moment à feuilleter des livres. Et toujours à l'affût d'un comportement insolite, un coup d'œil dans le rétroviseur, une volte-face en marchant ou en courant, un regard par-dessus l'épaule en entrant dans une boutique. Il y avait quelqu'un derrière, il le sentait.

Ray avait décidé d'inviter Kaley à dîner avant de prendre la route du Sud et avant la remise des diplômes. Les examens étaient terminés ; quel mal y avait-il à cela ? Elle devait passer l'été à Charlottesville et il était déterminé à la conquérir, mais avec beaucoup de prudence. Prudence comme avec toutes les femmes. Prudence, car il croyait discerner en celle-là d'intéressantes possibilités.

Le premier coup de téléphone qu'il donna au domicile de Kaley fut une catastrophe. Une voix d'homme répondit, un homme jeune, à ce qu'il semblait, qui n'avait pas l'air content de cet appel. Quand Kaley prit la communication, elle se montra très sèche. Ray demanda s'il pouvait rappeler un peu plus tard ; elle répondit qu'elle le contacterait elle-même.

Il resta trois jours sans nouvelles et fit une croix sur elle. C'était aussi facile pour lui que de tourner la page d'un calendrier pour passer au mois suivant.

Il quitta donc Charlottesville en ayant fait ce qu'il avait à faire. Après un vol de quatre heures dans le Bonanza au côté de Fog, il loua une voiture à l'aéroport de Memphis et se mit à la recherche de Forrest.

Sa seule et unique visite au domicile d'Ellie Crum avait eu le même objet. Forrest était en dépression ; il avait disparu et sa famille aurait aimé savoir s'il était mort ou s'il croupissait quelque part en prison. Le Juge, à cette époque, était encore en exercice et la vie suivait son cours normal. Le Juge était évidemment trop occupé pour se lancer à la recherche de son fils cadet ; pourquoi s'en serait-il donné la peine, puisque Ray pouvait s'en charger ?

La maison était une demeure victorienne dans la vieille ville de Memphis, un héritage du père d'Ellie qui avait eu des biens au soleil. Elle n'avait pas recueilli grand-chose d'autre. Forrest avait été attiré par l'idée d'une famille où il y avait vraiment de l'argent : quinze ans plus tard, il avait perdu tout espoir. Au début de leur liaison, il partageait la chambre d'Ellie ; aujourd'hui, il était relégué au sous-sol. La maison avait d'autres occupants, présentés comme des artistes dans le besoin.

Ray trouva une place de stationnement au bord du trottoir. La haie avait besoin d'être taillée et le toit commençait à s'affaisser, mais la maison vieillissait bien. Tous les ans, en octobre, Forrest peignait la façade avec un assemblage de couleurs éclatantes, un sujet de disputes avec Ellie pour le reste de l'année. Cette fois, c'était un bleu pâle souligné de bordures rouges et orange. Forrest affirmait avoir déjà essayé le bleu canard.

Une jeune femme à la peau laiteuse et aux cheveux de jais l'accueillit à la porte.

— Qu'est-ce que c'est ? lança-t-elle d'un ton peu amène.

Ray la voyait à travers la moustiquaire de la porte ; derrière, la maison était aussi sombre et sinistre que la première fois.

— Ellie est là ? demanda-t-il sur le même ton hargneux.

— Elle est occupée. De la part de qui ?

— Ray Atlee, le frère de Forrest.

— Qui ?

— Forrest, celui qui vit au sous-sol.

— Ah ! oui, Forrest ! Elle disparut ; Ray entendit des voix venant des entrailles de la maison.

Ellie était vêtue d'un drap blanc constellé de traînées d'argile et de taches d'eau, avec des fentes pour la tête et les bras. Elle s'essuyait les mains sur un torchon sale, visiblement agacée d'avoir été interrompue dans son travail.

— Salut, Ray, fit-elle comme à un vieil ami en ouvrant la porte.

— Salut, Ellie.

Il entra dans le vestibule, la suivit dans le séjour.

— Trudy, apporte-nous du thé ! cria-t-elle sans tourner la tête.

Trudy ne répondit pas. Les murs de la pièce étaient couverts de la collection de poteries la plus dingue qu'il eût jamais été donné à Ray de contempler. D'après Forrest, Ellie consacrait dix heures par jour à son activité et ne pouvait s'en passer.

— Mes condoléances pour ton père, fit-elle en invitant Ray à prendre place en face d'elle à une table basse au plateau de verre asymétrique, monté sur trois cylindres phalliques peints en diverses nuances de bleu. Ray avait peur d'y poser les mains.

— Merci, répondit-il froidement.

Pas un coup de fil, pas une carte, pas une fleur, pas un mot de sympathie n'était venu d'elle avant cette rencontre. Un air d'opéra aux sonorités étouffées leur parvenait.

— J'imagine que tu cherches Forrest.

— En effet.

— Je ne l'ai pas vu depuis un moment. Tu sais qu'il vit au sous-sol maintenant ; il entre et sort comme un vieux matou. J'ai envoyé une copine jeter un coup d'œil ce matin : à son avis, Forrest n'est pas passé depuis une semaine. Le lit n'a pas dû être fait depuis cinq ans.

— N'en dis pas plus.

— Et il n'a pas donné signe de vie.

Trudy apporta le thé sur un plateau, une autre création hideuse d'Ellie. Les tasses dépareillées étaient de petits récipients ventrus munis d'une anse énorme.

— Lait, sucre ? demanda-t-elle en se servant.

— Sucre.

Elle tendit une tasse qu'il prit à deux mains ; s'il la lâchait, elle lui écraserait un orteil.

— Comment va-t-il ? demanda Ray dès que Trudy fut sortie.

— Tantôt il picole, tantôt non. Tu connais Forrest.

— La drogue ?

— Laissons ça de côté. Il vaut mieux ne rien savoir.

— Tu as raison, approuva Ray en portant la tasse à sa bouche.

Le thé était parfumé à la pêche ; une goutte lui suffit.

— Il s'est battu, l'autre soir, poursuivit-il. Tu l'as su ? Je crois qu'il a le nez cassé.

— Ce n'est pas la première fois. Je me demande pourquoi les hommes se soûlent la gueule et se tapent dessus.

C'était une bonne question, à laquelle Ray n'avait

pas de réponse. Ellie prit une gorgée de thé et ferma les yeux pour savourer le breuvage aromatisé. Bien des années auparavant, Ellie Crum avait été une jolie femme ; à l'approche de la cinquantaine, elle ne se donnait même plus la peine d'essayer.

— Tu ne tiens pas vraiment à lui ? demanda Ray.

— Bien sûr que si.

— Sincèrement ?

— C'est important ?

— Forrest est mon frère. Je suis le seul à avoir de l'affection pour lui.

— Nous nous entendions bien au lit, les premières années, puis nous nous sommes lassés l'un de l'autre. J'ai pris du poids et maintenant je me consacre à mon travail.

Ray parcourut du regard la pièce où s'entassaient ses œuvres.

— Et puis le sexe peut prendre différentes formes, poursuivit-elle en indiquant de la tête la porte par où Trudy était sortie. Forrest est un ami pour qui j'ai beaucoup d'affection, Ray. Mais c'est aussi un toxico et il donne l'impression de vouloir le rester jusqu'à la fin de ses jours. À la longue, on a de la peine à le supporter.

— Je sais. Crois-moi, je sais tout ça.

— Je pense que c'est un type exceptionnel, assez fort pour se reprendre au dernier moment.

— Mais pas assez pour décrocher.

— Exactement. J'ai réussi à décrocher, Ray, il y a quinze ans. On ne se fait pas de cadeaux dans ce monde-là ; voilà pourquoi Forrest vit au sous-sol.

Il y est probablement plus heureux, se dit Ray. Il remercia Ellie pour le thé, s'excusa pour le dérangement. Elle le reconduisit à la porte ; quand il tourna la tête en s'éloignant, elle était toujours là, derrière le châssis en toile métallique.

22.

La succession de Reuben Vincent Atlee fut ouverte dans la salle d'audience où le défunt avait présidé trente-deux années. Sur le mur lambrissé de chêne, entre la bannière étoilée et le drapeau de l'État du Mississippi, un portrait du Juge contemplait la salle d'un regard sévère. C'est ce portrait qu'on avait placé près de son cercueil trois semaines plus tôt, quand la dépouille du Juge avait été exposée dans le tribunal. Il avait retrouvé sa place et ne la quitterait certainement pas de sitôt.

Celui qui avait mis un terme à la carrière du Juge, celui qui l'avait condamné à mener une existence recluse à Maple Run s'appelait Mike Farr. Originaire de Holly Springs, il avait déjà été réélu une fois et, à en croire Harry Rex, il s'en sortait honorablement. Le juge Farr prit connaissance du dossier avant d'étudier le testament.

Il y avait dans la salle un incessant va-et-vient d'avocats et de stagiaires qui se réunissaient par petits groupes, remplissaient des papiers, s'entretenaient avec leurs clients. La journée était réservée aux affaires les plus simples et aux requêtes recevant une réponse rapide. Ray était assis au premier rang tandis qu'Harry Rex, debout devant le juge Farr, échangeait des propos à voix basse avec le magistrat. Forrest avait pris place à côté de Ray ; à part les coquards qui ornaient ses deux yeux, il avait l'air à peu près normal. Son intention avait d'abord été de ne pas être présent pour l'ouverture de la succession, mais Harry Rex lui avait remonté les bretelles. Il était revenu sur sa décision.

Forrest était enfin réapparu chez Ellie, au retour de mystérieuses errances, sans un mot à quiconque sur ce qu'il avait fait ni d'où il venait. Personne ne voulait le savoir. Comme il ne faisait plus mention de ses activités d'enquêteur médical, Ray supposait que cette brève carrière était déjà derrière lui.

Toutes les cinq minutes, un avocat s'accroupissait dans l'allée et tendait la main à Ray en l'assurant que son père était quelqu'un de bien. Ils le connaissaient tous ; il était donc censé tous les connaître. Pas un seul ne s'adressait à Forrest.

Harry Rex fit signe à Ray de venir le rejoindre.

— Votre père était un homme de bien et un grand magistrat, déclara chaleureusement le juge Farr en se penchant.

— Merci.

Ray eut envie de demander pourquoi, lorsqu'il s'était présenté contre lui, Farr avait reproché au Juge d'être trop vieux, dépassé.

Cela remontait à neuf ans ; il avait l'impression qu'un demi-siècle s'était écoulé. Depuis la disparition de son père, tout ce qui avait un rapport avec le comté de Ford lui paraissait hors du temps.

— Vous enseignez le droit ? poursuivit Farr.

— Oui, à l'université de Virginie.

Hochement de tête approbateur du juge.

— Tous les héritiers sont présents ?

— Oui, Votre Honneur. Nous sommes deux, mon frère Forrest et moi-même.

— Vous avez tous deux pris connaissance de ce document d'une page présenté comme l'acte de dernière volonté de Reuben Atlee ?

— Oui.

— Il n'y a pas d'objection à ce que ce testament soit homologué ?

— Non.

— Très bien. Conformément aux dernières volontés de votre père, je vous nomme exécuteur testamentaire. Les créanciers seront dûment informés et un avis publié dans un journal local. Je vous dispense de la caution. L'inventaire après décès et les frais de succession seront à votre charge, conformément à la loi.

Ray avait maintes fois entendu son père prononcer les mêmes paroles. Il leva les yeux vers le juge Farr.

— Des questions, maître Vonner ?

— Non, Votre Honneur.

— Toutes mes condoléances, monsieur Atlee.

— Merci, Votre Honneur.

Chez Claude, pour le déjeuner, ils commandèrent une friture de poissons-chats. Ray n'était arrivé que depuis deux jours, mais il sentait déjà ses artères s'engorger. Forrest n'avait pas grand-chose à dire ; il était visiblement intoxiqué par un stupéfiant quelconque.

Ray resta dans le flou sur ses projets, se contentant de déclarer qu'il avait l'intention de rendre visite à des amis. Il allait retourner en Virginie mais rien ne pressait. Forrest les quitta après le déjeuner en annonçant qu'il reprenait la route de Memphis.

À Ray qui lui demandait s'il serait chez Ellie, il répondit par un vague peut-être.

Ray attendit Claudia sous le porche ; elle arriva à 17 heures tapantes. Tandis que Ray s'avançait vers la voiture, elle se tourna vers l'écriteau de l'agence immobilière placé à l'entrée, près de la rue.

— Vous êtes obligés de la vendre ? demanda-t-elle.

— Si nous ne la vendons pas, nous en ferons cadeau à quelqu'un. Comment allez-vous ?

— Je vais bien, Ray.

Ils s'embrassèrent en se touchant à peine. Claudia avait mis pour l'occasion un pantalon et des chaussures basses, un chemisier à carreaux et un chapeau de paille, comme si elle sortait du jardin. Les lèvres étaient rouges, les yeux parfaitement fardés. Ray l'avait toujours vue élégante, en toute circonstance.

— Je suis si heureuse que tu aies appelé, fit-elle en se mettant lentement en marche vers la maison.

— Nous étions au tribunal ce matin, pour l'ouverture de la succession.

— Cela a dû être bien pénible.

— Pas trop. J'ai fait la connaissance du juge Farr.

— Quelle impression t'a-t-il faite ?

— Assez bonne, malgré ce qu'il représente.

Il prit Claudia par le bras pour l'aider à monter les marches, même si, malgré ses deux paquets par jour, elle avait assez de souffle pour gravir une colline.

— Je me souviens du temps où, fraîchement diplômé, Reuben confondait défendeur et défenseur. Tu sais, si j'avais été à ses côtés, il n'aurait peut-être pas été battu.

— Asseyons-nous ici, fit Ray en indiquant deux fauteuils à bascule.

— Vous avez tout nettoyé, observa Claudia, étonnée par la propreté du porche.

— Harry Rex s'est occupé de tout. Il a fait venir des peintres, des couvreurs, un service de nettoyage. Il a fallu décaper les meubles à la sableuse, mais on respire enfin.

— Je peux fumer ?

— Allez-y.

Aucune importance. De toute façon, elle fumerait.

— Je suis si heureuse que tu aies appelé, répéta-t-elle en allumant une cigarette.

— J'ai du thé et du café, annonça Ray.

— Je veux bien un thé glacé, avec citron et sucre, fit-elle en croisant les jambes.

Juchée sur le fauteuil comme une reine, elle attendait son thé. Ray la revit dans la salle d'audience, assise devant le juge, avec ses longues jambes et sa robe moulante sur lesquelles convergeaient les regards des avocats, prenant d'une écriture élégante la sténo des débats.

Ils parlèrent du temps, comme on le fait dans le Sud quand il y a un blanc dans la conversation. Elle fumait et souriait énormément, sincèrement heureuse d'être restée dans les souvenirs de Ray. Elle profitait de ce moment ; il avait un mystère à résoudre.

Ils parlèrent de Forrest et d'Harry Rex, deux sujets sensibles. Au bout d'une demi-heure, Ray entra enfin dans le vif du sujet.

— Nous avons trouvé de l'argent, Claudia, déclara-t-il. Elle enregistra la phrase, l'analysa, procéda avec prudence.

— Où ?

C'était une excellente question. À la banque, avec les pièces justificatives ? Cousu dans un matelas, sans une indication sur sa provenance ?

— Dans son bureau, en espèces. Caché dans un carton.

— Combien ? demanda-t-elle sans hâte excessive.

— Cent mille.

Il observa attentivement son visage et ses yeux ; elle paraissait surprise, pas bouleversée. Il poursuivit son récit soigneusement préparé.

— Ses comptes sont tenus d'une manière méticuleuse : talons de chèques, dépôts, relevé de toutes les dépenses. Mais on ne sait pas d'où vient cet argent.

— Il ne gardait jamais beaucoup de liquide, articula lentement Claudia.

— C'est bien ce qu'il me semblait. Je n'ai vraiment aucune idée d'où il vient. Et vous ?

— Aucune, répondit Claudia sans la moindre hésitation. Le Juge ne réglait jamais rien en espèces. Jamais.

Tout passait par la First National Bank dont il a longtemps été un administrateur. Tu t'en souviens ?

— Très bien. Avait-il d'autres sources de profits ?

— Que veux-tu dire ?

— Je cherche à comprendre, Claudia. Vous le connaissiez mieux que personne, vous saviez tout sur ses affaires.

— Il se donnait totalement à son travail. Pour lui, c'était une vocation ; il y consacrait toute son énergie, au point de ne plus avoir de temps pour lui.

— Ni pour sa famille, glissa Ray, regrettant aussitôt ce qu'il avait dit.

— Il aimait ses deux garçons, Ray, mais c'était un homme de la génération précédente.

— Parlons d'autre chose.

— Entendu.

Dans le silence qui suivit chacun se ressaisit ; ils ne tenaient ni l'un ni l'autre à aborder les questions de famille. L'argent resterait le sujet de cette conversation. Dans la rue une voiture sembla ralentir pour laisser le temps à ses occupants de voir l'écriteau « À vendre » et de regarder longuement la maison. Un regard suffit ; la voiture reprit de la vitesse.

— Saviez-vous qu'il jouait ? fit doucement Ray.

— Le Juge ? Non.

— On a de la peine à le croire, hein ? Harry Rex l'a emmené au casino une fois par semaine, pendant quelque temps. Il avait la baraka, semble-t-il, contrairement à Harry Rex.

— Il y a toujours des rumeurs qui circulent, surtout à propos des avocats. Ils sont plusieurs, à ce qu'on raconte, à avoir essuyé de grosses pertes.

— Rien sur le Juge ?

— Non. Et je n'y crois pas.

— Cet argent vient de quelque part, Claudia. Quelque chose me dit qu'il est sale, sinon il l'aurait inclus dans la succession.

— Vous ne croyez pas que s'il avait gagné à des jeux de hasard il aurait considéré cela comme de l'argent sale ?

Décidément, elle connaissait le Juge mieux que personne.

— Si. Et vous ?

— Cela lui ressemblerait tout à fait.

Ils marquèrent une pause en se balançant doucement dans l'ombre du porche ; le silence ne les mettait pas mal à l'aise. On profitait dans le Sud de ces espaces de temps pour penser à ce qui venait d'être dit ou même pour ne pas penser du tout.

Ray trouva le courage de poser la question la plus délicate, celle qu'il avait préparée depuis longtemps.

— Il faut que je sache quelque chose, Claudia. Répondez franchement, je vous en prie.

— Je suis toujours franche ; c'est un de mes défauts.

— Sachez que je n'ai jamais mis en doute l'intégrité de mon père.

— Ce n'est pas le moment de le faire.

— J'ai besoin de votre aide, vous comprenez ?

— Vas-y.

— Y avait-il des à-côtés : un pot-de-vin versé par un avocat, une enveloppe remise par un plaideur, de la gratte, comme on dit ?

— Absolument rien.

— Je suis dans le noir le plus complet, Claudia, j'essaie de trouver des réponses. On ne conserve pas chez soi, sur une étagère, cent mille dollars en beaux billets verts. À sa mort, il avait six mille dollars sur son compte en banque. Pourquoi garder une fortune en liquide ?

— Ton père était un homme d'une probité absolue.

— J'en suis convaincu.

— Alors, cesse de parler de pots-de-vin et de gratte.

— Avec plaisir.

Pendant qu'elle allumait une nouvelle cigarette, Ray alla remplir les verres de thé glacé. À son retour,

Claudia était absorbée dans ses pensées, le regard perdu au loin. Ils se balancèrent un moment en silence.

— Je pense que le Juge aurait voulu qu'une partie de cet argent vous revienne.

— Tu crois ?

— Oui. Il nous en faudra pour terminer la remise en état de la maison, disons vingt-cinq mille dollars. Que diriez-vous de partager le reste avec Forrest et moi ?

— Vingt-cinq mille chacun ?

— C'est ça. Qu'en dites-vous ?

— Tu ne l'incluras pas dans la succession ? Elle connaissait la loi mieux qu'Harry Rex.

— À quoi bon ? C'est de l'argent liquide dont personne ne connaît l'existence. Si nous le déclarons, la moitié ira au fisc.

— Quelle explication donnerais-tu ? poursuivit Claudia. On disait d'elle qu'elle tranchait un litige avant que le premier avocat prenne la parole.

Et elle aimait l'argent. Vêtements, parfums, voiture d'un modèle récent, tout cela avec la modeste retraite d'une greffière d'audience. Elle ne devait pas toucher grand-chose.

— Il n'y a pas d'explication, approuva Ray.

— Si cet argent vient des casinos, il faudrait rectifier ses déclarations de revenus sur plusieurs années, poursuivit-elle avec vivacité. Quel gâchis !

— On peut le dire. Il n'y avait rien à ajouter. Nul ne saurait jamais qu'elle avait reçu sa part de l'argent. — Cela me rappelle une affaire ancienne, poursuivit Claudia en laissant son regard courir sur la pelouse. Il y a une trentaine d'années, dans le comté de Tippah, un nommé Childers, propriétaire d'une casse, est décédé sans testament.

Elle s'interrompit, tira longuement sur sa cigarette.

— Il avait une tripotée d'enfants qui ont trouvé de l'argent partout, dans son bureau, dans le grenier, dans un cabanon, même dans la cheminée ; comme après le passage des cloches de Pâques. Après avoir tout fouillé de fond en comble, ils ont compté l'argent et sont arrivés à près de deux cent mille dollars. Pas mal pour un homme qui ne payait pas sa facture de téléphone et gardait dix ans le même bleu de travail.

Elle tira une nouvelle bouffée en prenant tout son temps ; elle pouvait raconter des histoires de ce genre pendant des heures.

— La moitié des enfants voulait partager l'argent et se faire oublier, les autres prévenir leur avocat pour l'inclure dans la succession. Des rumeurs ont circulé, ils ont pris peur et tout déclaré. Ils se sont battus en justice. Cinq ans plus tard, il ne restait plus rien : la moitié de l'argent avait été ponctionnée par le fisc, le reste par les avocats.

Fin de l'histoire ; Ray attendit la conclusion.

— Où voulez-vous en venir ?

— Le Juge a dit que c'était une honte, que l'argent appartenait à leur père, que les héritiers auraient dû le partager sans en parler à personne.

— Cela me semble honnête.

— Il était farouchement opposé aux droits de succession. Pourquoi l'État devrait-il s'approprier une grande partie de ce que l'on possède sous prétexte que l'on meurt ? Je l'ai si souvent entendu maugréer contre cela.

Ray prit une enveloppe derrière son fauteuil, la tendit à Claudia.

— Voici vingt-cinq mille dollars en espèces.

Elle ouvrit de grands yeux, leva vers lui un regard incrédule.

— Prenez-la, poursuivit Ray en étendant le bras. Personne n'en saura jamais rien.

Elle saisit l'enveloppe, incapable de dire un mot. Ses yeux s'embuèrent de larmes, le signe chez elle d'une vive émotion.

— Merci, murmura-t-elle en serrant l'enveloppe.

Ray resta assis dans son fauteuil longtemps après le départ de Claudia, se balançant doucement dans l'obscurité, satisfait d'avoir écarté un suspect. Sa promptitude à accepter les vingt-cinq mille dollars était la preuve convaincante qu'elle ignorait tout de la fortune cachée chez le Juge.

Mais Ray n'avait pas d'autre suspect à mettre à sa place sur la liste.

23.

La rencontre avait été arrangée par un ancien étudiant de l'université de Virginie, devenu associé dans un mégacabinet de New York qui représentait un groupe exploitant tous les casinos Canyon sur le territoire national. Des contacts avaient été pris, des services rendus, des pressions exercées discrètement, avec diplomatie. Dans le domaine sensible de la sécurité, nul ne voulait aller trop loin. Le professeur Atlee se contenterait de l'essentiel.

Établi au bord du Mississippi, dans le comté de Tunica, depuis le milieu des années 1990, le casino Canyon, arrivé avec la deuxième vague de construction, avait surmonté le reflux qui avait suivi. L'établissement comptait dix étages, quatre cents chambres, sept mille cinq cents mètres carrés consacrés aux jeux de hasard. Il avait eu beaucoup de succès avec ses orchestres qui interprétaient les vieux tubes Motown.

Jason Piccolo, un vice-président quelconque du siège de Las Vegas, se trouvait là pour accueillir Ray Atlee ; il était accompagné d'Alvin Barker, le chef de la sécurité. Piccolo, la trentaine fringante, portait son complet Armani avec l'élégance d'un mannequin. Barker avait la cinquantaine ; dans son costume avachi, il avait l'air d'un vieux flic revenu de tout.

Ils proposèrent pour commencer une petite visite du casino, que Ray refusa. Il avait vu assez de salles de jeu depuis un mois pour en garder le souvenir jusqu'à la fin de ses jours.

— Je suppose que la majeure partie du premier étage est interdite au public.

— Allons voir ça, déclara courtoisement Piccolo.

Ils abandonnèrent les machines à sous et les tables de jeu pour s'engager dans un couloir, derrière les guichets des caisses. Ils montèrent un escalier, suivirent un autre couloir donnant dans une pièce étroite dont un long mur était garni de glaces sans tain. De l'autre côté se trouvait une grande salle basse de plafond, remplie de tables rondes couvertes de moniteurs en circuit fermé. Des dizaines d'employés des deux sexes gardaient les yeux rivés sur les écrans, paralysés, semblait-il, par la crainte de rater quelque chose.

— Les gars que vous voyez à gauche, expliqua Piccolo, surveillent les tables de black-jack. Au centre, les dés et la roulette ; à droite, le poker et les machines à sous.

— Qu'est-ce qu'ils surveillent ?

— Tout. Absolument tout.

— À savoir ?

— Tous les joueurs. Nous tenons à l'œil les flambeurs, les pros, les tricheurs, ceux qui comptent les cartes. Prenons l'exemple du black-jack : ces gars-là sont capables de suivre dix donnes en même temps et de voir si un joueur compte les cartes. L'autre, avec sa veste grise, est un physionomiste. Il est capable de reconnaître les habitués des casinos. Ils se déplacent beaucoup, un jour ici, le lendemain à Las Vegas, puis ils se font oublier une semaine et refont surface à Atlantic City ou aux Bahamas. S'ils trichent, s'ils comptent les cartes, il les repérera au premier coup d'œil.

Pendant que Piccolo parlait, Barker observait Ray comme s'il avait affaire à un tricheur potentiel.

— À quelle distance se trouve la caméra ?

— Assez près pour nous permettre de distinguer le numéro de série des billets. Un tricheur s'est fait prendre le mois dernier ; nous avons reconnu sa chevalière.

— Je peux entrer ?

— Impossible, je regrette.

— Et pour les tables de craps ?

— Même chose, mais c'est plus difficile. Le jeu est rapide et compliqué.

— Il y a des tricheurs professionnels aux tables de craps ?

— Ils sont rares. Comme à la roulette et au poker. Ce ne sont pas tant les tricheurs qui nous préoccupent que les vols des employés et les erreurs aux tables.

— Quelles erreurs ?

— Hier soir, un joueur de black-jack avait gagné une donne de quarante dollars, mais le croupier a ramassé les enjeux. Le joueur a vigoureusement protesté. Nous avons tout vu d'ici et nous avons arrangé l'affaire.

— Comment ?

— En envoyant un membre de la sécurité payer ses quarante dollars au joueur, lui présenter nos excuses et lui offrir un repas.

— Et votre croupier ?

— Il est bien noté, mais, à la prochaine bourde, nous nous séparerons de lui.

— Tout est donc filmé ?

— Tout. Chaque donne, chaque coup de dés, chaque jackpot. Nous avons deux cents caméras qui fonctionnent en permanence.

Ray fit quelques pas pour mieux se rendre compte du niveau de la surveillance. Il semblait y avoir plus de monde derrière les glaces sans tain et devant les écrans qu'aux tables de jeu.

— Comment un croupier pourrait-il tricher avec tout

cela ? demanda-t-il en montrant d'un grand geste de la main le personnel de surveillance.

— Il existe des méthodes, répondit Piccolo en lançant à Barker un regard entendu. Nous en prenons un par mois.

— Pourquoi surveillez-vous les machines à sous ? poursuivit Ray en changeant de sujet.

Comme on lui avait promis une seule visite dans les locaux de surveillance, il allait suivre différentes pistes.

— Parce que nous surveillons tout, répondit Piccolo. Mais aussi parce qu'il peut arriver qu'un mineur gagne le jackpot. Dans ce cas, le casino refuse de payer ; il gagne en justice, car il est en possession d'une bande vidéo montrant le mineur qui file en douce pendant que des adultes se présentent à l'entrée de l'établissement. Voulez-vous boire quelque chose ?

— Volontiers.

— Nous avons un petit coin secret d'où la vue est encore meilleure.

Ray sur leurs talons, ils montèrent une volée de marches donnant accès à un petit balcon fermé qui dominait les tables de jeu et la salle de surveillance. Une hôtesse apparut comme par magie et prit leur commande : un cappuccino pour Ray, de l'eau minérale pour les deux autres.

— Quel est votre principal souci en matière de sécurité ? poursuivit Ray en parcourant une liste de questions qu'il avait sortie de sa poche.

— Les joueurs qui comptent les cartes et les croupiers qui fauchent, répondit Piccolo sans hésiter. Rien de plus facile que de laisser tomber un de ces petits jetons dans une manche ou une poche. À raison de cinquante dollars par jour, nous arrivons à mille dollars par mois.

— Et ceux qui comptent les cartes, en voyez-vous beaucoup ?

— De plus en plus. Il y a aujourd'hui des casinos

dans quarante États et les joueurs sont de plus en plus nombreux. Nous avons des dossiers sur ceux que nous soupçonnons de compter les cartes ; quand nous croyons en avoir repéré un, nous lui demandons simplement de bien vouloir quitter l'établissement. La loi nous y autorise.

— Quel est le plus gros gain jamais réalisé ici ?

Piccolo et Barker échangèrent un regard.

— À l'exclusion des machines à sous ? demanda le chef de la sécurité.

— Oui.

— Un client a gagné cent quatre-vingt mille aux dés en une soirée.

— Cent quatre-vingt mille dollars ?

— Exact.

— Et la plus grosse perte ?

Barker prit le verre d'eau que lui tendait l'hôtesse et se gratta le menton.

— Le même a perdu deux cent mille trois jours plus tard.

— Avez-vous des gagnants réguliers ? poursuivit Ray en consultant ses notes comme si un véritable travail de recherches était en cours.

— Que voulez-vous dire exactement ? fit Piccolo.

— Imaginons un client qui vient deux ou trois fois par semaine, joue aux cartes ou aux dés, gagne plus qu'il ne perd et, à la longue, amasse un joli pécule. Cela arrive souvent ?

— C'est rare, affirma Piccolo. Sinon, nous serions obligés de fermer boutique.

— Extrêmement rare, précisa Barker. Si un joueur a la baraka pendant une ou deux semaines, nous nous concentrons sur lui, nous le surveillons de très près ; même s'il n'y a rien de suspect, il part avec notre argent. Tôt ou tard, il prendra trop de risques, il fera une bêtise et nous récupérerons ce qu'il avait gagné.

— Quatre-vingts pour cent des clients sont perdants

sur la durée, ajouta Piccolo. Ray tourna son cappuccino en parcourant ses notes.

— Si un client que vous n'avez jamais vu pose mille dollars sur une table de black-jack et demande des plaques de cent, que faites-vous ?

Barker fit craquer en souriant ses grosses jointures.

— Nous ouvrons l'œil, répondit-il. Nous l'observons quelques minutes pour voir s'il sait ce qu'il est en train de faire. Le chef de table lui demandera s'il désire devenir un client privilégié. S'il accepte, nous connaîtrons son identité ; sinon, nous l'inviterons à dîner. Une hôtesse lui proposera régulièrement à boire ; s'il refuse, ce sera un signe de plus que nous pouvons être en présence d'un gros joueur.

— Les pros ne boivent jamais quand ils jouent, glissa Piccolo. Même s'ils commandent un verre pour ne pas se faire remarquer, ils ne boivent pas.

— Qu'entendez-vous par client privilégié ?

— La plupart des joueurs demandent des extra, expliqua Piccolo. Un dîner, des billets pour un spectacle, une remise sur le prix de la chambre, toutes sortes de faveurs que nous pouvons leur offrir. Ils ont une carte de membre dont nous contrôlons l'utilisation pour savoir s'ils jouent gros jeu. Pour revenir à votre client, nous lui demandons s'il désire prendre une carte de membre.

— Il refuse.

— Pas grave. Il y a beaucoup de joueurs de passage.

— Mais nous essayons de tenir les inconnus à l'œil, reconnut Barker.

Ray griffonna quelques mots sans signification sur la feuille pliée en deux.

— Les casinos mettent-ils en commun les résultats de leur surveillance ?

Pour la première fois, Ray observa chez les deux hommes une réaction de défiance.

— Que voulez-vous dire exactement ? lança Piccolo avec un sourire.

Ray sourit à son tour, rapidement imité par Barker.

— Imaginons, reprit-il, que notre gagnant régulier joue un soir au Monte Carlo, le lendemain au Treasure Cove avant de passer au Aladin et de faire les autres établissements. Il joue dans tous les casinos, gagne bien plus qu'il ne perd, mois après mois. Que saurez-vous sur ce client ?

Piccolo fit un signe de tête à Barker, qui attendait en pinçant ses lèvres entre le pouce et l'index.

— Nous en saurons long.

— Mais encore ? insista Ray.

— Allez-y, dit Piccolo au chef de la sécurité qui se faisait tirer l'oreille.

— Nous connaîtrons son nom, son adresse, sa profession, son numéro de téléphone, sa banque, le numéro d'immatriculation de sa voiture. Nous saurons où il joue le soir, quand il arrive et quand il repart, s'il a dîné au casino, laissé un pourboire à l'hôtesse et surtout combien il a laissé au croupier.

— Et tous ces gens sont fichés ?

Barker se tourna vers Piccolo qui inclina la tête, lentement, sans rien dire. Plus Ray se rapprochait du but, moins les deux hommes étaient disposés à parler. Tout bien réfléchi, une petite visite semblait souhaitable. Ils descendirent ; au lieu de regarder les tables de jeu, Ray levait le nez vers les caméras. Piccolo lui montra discrètement les membres du service de sécurité. Ils étaient disposés à proximité d'une table de black-jack où un jeune homme à l'allure d'adolescent jouait avec des piles de plaques de cent dollars.

— Il vient de Reno, murmura Piccolo. Arrivé à Tunica la semaine dernière, reparti de chez nous avec trente mille dollars en poche. Très, très bon.

— Et il ne compte pas les cartes, ajouta Barker sur le même ton de conspirateur.

— Il y en a qui ont un talent naturel, poursuivit Piccolo, comme pour le golf ou la chirurgie du cœur.

— Il fait tous les casinos ? demanda Ray.

— Pas encore, mais il est attendu partout. À l'évidence, le petit gars de Reno rendait Piccolo et Barker très nerveux.

La visite s'acheva dans un salon où ils prirent une boisson gazeuse avant de se séparer. Ray avait terminé sa liste de questions menant à la seule qui comptait.

— J'ai un service à vous demander.

Les deux hommes hochèrent la tête du même mouvement.

— Mon père est mort il y a quelques semaines et nous avons des raisons de croire qu'il venait régulièrement ici pour jouer aux dés et qu'il gagnait plus souvent qu'il ne perdait. Vous est-il possible de le confirmer ?

— Son nom ? interrogea Barker.

— Reuben Atlee, de Clanton.

Barker secoua la tête en prenant un téléphone portable dans sa poche.

— Combien ? demanda Piccolo.

— Je ne sais pas exactement ; peut-être pas loin d'un million sur une période de quelques années.

— Impossible, coupa Barker en continuant de secouer la tête. S'il avait gagné ou perdu une somme de cet ordre, nous le connaîtrions.

Sur ce, il demanda à la personne qui était en ligne s'ils avaient quelque chose sur un Reuben Atlee.

— Vous croyez vraiment qu'il a gagné un million de dollars ? interrogea Piccolo.

— Gagné et reperdu, répondit Ray. Mais nous ne sommes sûrs de rien.

— Aucune trace d'un Reuben Atlee, annonça Barker en coupant la communication. Il n'a pas joué si gros ici.

— Et s'il était allé dans d'autres casinos ? poursuivit Ray, certain de leur réponse.

— Nous le saurions, répondirent-ils d'une même voix.

24.

Il était le seul à faire un jogging matinal, ce qui lui valut des regards curieux des dames taillant leurs rosiers, des bonnes balayant les porches et même du jardinier qui tondait la pelouse du cimetière quand il passa devant la concession des Atlee. La terre se tassait autour de la sépulture du Juge, mais Ray ne s'arrêta ni ne ralentit pour regarder de plus près. Les fossoyeurs travaillaient à une autre tombe. Il y avait un décès et une naissance par jour à Clanton ; les choses ne changeaient pas beaucoup.

8 heures n'avaient pas encore sonné, et le soleil était déjà chaud, le temps lourd. L'humidité de l'air, à laquelle il était habitué depuis l'enfance, ne le gênait pas, mais il s'en serait bien passé.

Il atteignit les rues ombragées, fit demi-tour pour reprendre la direction de Maple Run. Il vit d'abord la Jeep de Forrest, puis son frère vautré dans la balancelle.

— Il n'est pas un peu tôt pour toi ? lança-t-il en s'arrêtant au pied des marches.

— Combien de temps as-tu couru ? Tu es couvert de sueur.

— Ce sont des choses qui arrivent quand on court en plein soleil. J'ai fait huit kilomètres. Tu as l'air en forme.

Les yeux n'étaient ni rouges ni gonflés. Rasé, douché, Forrest portait une salopette d'un blanc immaculé.

— Je n'ai rien pris, déclara-t-il.

— Parfait, approuva Ray en s'asseyant dans un fauteuil, encore ruisselant et hors d'haleine.

Il n'allait pas demander à son frère depuis combien de temps il n'avait rien pris ; cela ne pouvait pas faire plus de vingt-quatre heures.

Forrest se leva d'un bond et rapprocha son fauteuil à bascule de celui de son frère.

— J'ai besoin d'aide, mon grand, fit-il en s'asseyant sur le bord du siège.

C'est reparti ! songea Ray.

— J'écoute.

— J'ai besoin d'aide, répéta Forrest d'une voix sourde en se frottant nerveusement les mains comme s'il lui en coûtait de s'exprimer.

Ray s'était déjà trouvé dans cette situation ; il commençait déjà à s'impatienter.

— Alors, tu accouches ? De quoi s'agit-il ?

C'était le plus souvent une question d'argent, mais il y avait plusieurs autres possibilités.

— Il y a un endroit où je veux aller, à une heure d'ici. C'est au fond des bois, loin de tout, très joli, autour d'un beau petit lac, avec des chambres confortables.

Il prit dans sa poche une carte de visite écornée, la tendit à Ray.

Alcorn Village. Centre de traitement pour alcooliques et toxicomanes. Propriété de l'Église méthodiste.

— Qui est Oscar Meave ? demanda Ray en étudiant la carte.

— Un type que j'ai rencontré il y a quelques années ; il m'a aidé. Il travaille là-bas en ce moment.

— C'est un centre de désintoxication.

— Désintox, réadaptation, établissement de cure, ranch, village, centre de détention, prison, hôpital psychiatrique, appelle ça comme tu veux, je m'en fiche. J'ai besoin qu'on m'aide, Ray. Tout de suite.

Il enfouit son visage entre ses mains et se mit à pleurer.

— Bon, d'accord, fit Ray. Explique-moi de quoi il s'agit. Forrest s'essuya les yeux et le nez, puis renifla un grand coup.

— Téléphone à Oscar pour savoir s'ils ont une chambre, reprit-il d'une voix tremblante.

— Combien de temps y resteras-tu ?

— À peu près quatre semaines. Oscar te le dira.

— Le prix ?

— Dans les trois cents dollars par jour. Je me suis dit que je pourrais peut-être obtenir un prêt sur ma part de l'héritage, demander à Harry Rex de se renseigner auprès du juge pour savoir si je peux avoir un peu d'argent dès maintenant.

Des larmes perlaient au coin de ses yeux.

Ray avait souvent vu son frère verser des larmes ; il avait entendu maintes supplications, maintes promesses. Il avait beau essayer d'être dur et cynique, il se laissa attendrir.

— Nous allons faire quelque chose. J'appellerai Oscar.

— Je veux partir tout de suite. S'il te plaît, Ray !

— Aujourd'hui ?

— Oui. Je ne peux pas retourner à Memphis, tu comprends ?

Il baissa la tête, passa la main dans ses longs cheveux.

— Il y a des gens qui te cherchent, c'est ça ?

— Des méchants, acquiesça Forrest en hochant lentement la tête.

— Pas la police ?

— Pires que la police.

— Ils savent que tu es ici ? poursuivit Ray en lançant un regard circulaire, comme s'il craignait de découvrir des trafiquants de drogue armés jusqu'aux dents tapis derrière des buissons.

— Non, ils ne savent pas où je suis.

Oscar Meave se souvenait fort bien de Forrest. Ils

s'étaient connus dans un centre de désintoxication fédéral, à Memphis. Il fut peiné d'apprendre que Forrest avait besoin d'aide, mais se montra ravi de parler de lui avec son frère aîné. Ray s'efforça de lui faire comprendre l'urgence de la situation, bien qu'il n'eût aucun détail. Cherchant déjà à défendre son frère, il expliqua que leur père était mort depuis trois semaines.

— Amenez-le, déclara Oscar. Nous lui trouverons une place.

Une demi-heure plus tard, ils sortaient de Clanton dans la voiture de location de Ray. Par précaution, Forrest avait garé sa Jeep derrière la maison.

— Tu es sûr que les gars qui te cherchent ne vont pas venir fouiner par ici ? demanda Ray.

— Ils n'ont pas la moindre idée de l'endroit où je suis, répondit Forrest, l'arrière du crâne collé contre l'appuie-tête, les yeux dissimulés par des lunettes noires.

— Qui sont-ils, exactement ?

— Des gars de la banlieue sud de Memphis. Ils te plairaient.

— Tu leur dois de l'argent ?

— Ouais.

— Combien ?

— Quatre mille.

— Et où sont allés ces quatre mille dollars ?

Forrest se tapota le nez. Furieux, Ray secoua la tête en se retenant de se lancer dans une nouvelle et inutile leçon de morale. Il valait mieux attendre quelques minutes. Ils roulaient maintenant dans la campagne, au milieu des champs.

Forrest se mit à ronfler.

C'était la troisième fois que Ray conduisait lui-même son frère dans un centre de désintoxication. La précédente remontait à une douzaine d'années ; le Juge était encore en exercice, Claudia à ses côtés. Forrest vendait plus de drogues que n'importe qui dans l'État du Mississippi : tout était normal. Les stups qui le soupçonnaient, avec juste raison, de faire du trafic avaient tendu autour de lui un filet trop lâche ; un coup de chance avait permis à Forrest de passer à travers les mailles. S'il avait été pris, il serait encore derrière les barreaux. Ray l'avait conduit dans un hôpital, près de la côte, où le Juge l'avait fait admettre par relations. Après une cure de sommeil d'un mois, il avait quitté l'établissement sans prévenir personne.

Ray était encore étudiant à Tulane quand il avait accompagné son frère pour la première fois dans un centre de réadaptation. Forrest avait fait une overdose en absorbant un mélange abominable de pilules. Après un lavage d'estomac, les médecins avaient été à deux doigts de le déclarer mort ; le Juge l'avait envoyé dans une clinique, près de Knoxville, derrière une grille fermée et une clôture de barbelés. Forrest y avait passé une semaine avant de se faire la belle.

Il avait fait deux fois de la prison, la première dans un établissement pour mineurs, la seconde avec des délinquants adultes, bien qu'il n'eût alors que dix-neuf ans. La première arrestation avait eu lieu juste avant une rencontre de football scolaire à domicile, dans la phase finale du championnat, un vendredi soir, devant toute la ville réunie pour le coup d'envoi. À seize ans, il occupait le poste clé de quarterback, était un des meilleurs de son championnat et avait le jeu d'un kamikaze : il aimait lancer à la dernière seconde et perforer la défense adverse. Arrêté par les agents des stups dans les vestiaires, il avait quitté le stade les menottes aux poignets. Il avait été remplacé par un joueur sans expérience et l'équipe de Clanton s'était fait écraser sur son terrain : on ne l'avait jamais pardonné à Forrest Atlee.

Assis dans les tribunes à côté du Juge, Ray partageait l'impatience du public ; quand l'équipe entra sur le terrain, on s'interrogea dans les travées sur l'absence de Forrest. Au moment du tirage au sort, on prenait ses empreintes digitales et on le photographiait au poste de police. On trouva quatre cents grammes de marijuana dans sa voiture.

Il passa deux années dans un centre de détention pour mineurs et fut relâché le jour de son dix-huitième anniversaire.

Comment le fils de seize ans d'un magistrat en vue d'une petite ville sans problèmes de drogue peut-il devenir un revendeur de stupéfiants ? Ray et son père s'étaient posé cent fois la question. Forrest était le seul à connaître la réponse, mais il avait depuis longtemps décidé de la garder pour lui-même. Ray se réjouissait que les secrets de son frère soient pour la plupart si bien conservés.

Après un bon petit somme, Forrest se réveilla en sursaut et annonça qu'il avait besoin de boire quelque chose.

— Non, déclara Ray.

— Une boisson sans alcool. Juré !

Ils s'arrêtèrent pour acheter des sodas dans une épicerie, au bord de la route ; Forrest prit un sachet de cacahouètes en guise de petit déjeuner.

— Il y a des endroits où on mange bien, déclara-t-il quand ils reprirent la route.

Un nouveau rôle pour Forrest : critique gastronomique des centres de désintoxication.

— En général, je perds quelques kilos, ajouta-t-il en mâchonnant une poignée de cacahouètes.

— Il y a des gymnases, des installations sportives ? demanda Ray pour alimenter la conversation.

Il ne tenait pas vraiment à disserter sur les avantages comparés des centres de désintoxication.

— Bien sûr, répondit Forrest d'un air suffisant. Ellie m'avait envoyé en Floride, dans une clinique en bordure de plage ; du sable et de l'eau à perte de vue, des gens riches et tristes. Trois jours de mise en condition et ils ont commencé à nous en faire baver. Course, vélo, et tapis de jogging, haltères pour ceux qui voulaient. J'en suis revenu avec une mine superbe et sept kilos en moins. Après ça, je n'ai rien pris pendant huit mois.

— C'est Ellie qui t'avait envoyé là-bas ?

— Il y a des années de ça. Elle avait un peu d'argent à l'époque, j'étais dans le trente-sixième dessous et elle tenait encore à moi. La clinique était chouette ; parmi les conseillers, il y avait des filles canon, jupes très courtes et longues jambes, tu vois le genre.

— Il faudra que j'aille vérifier.

— Va te faire voir !

— Je blaguais.

— Il y a une clinique sur la côte Ouest, l'Hacienda, où vont toutes les stars. C'est le Ritz : chambres luxueuses, spa, massage quotidien, des cuisiniers qui font des menus d'enfer à mille calories par jour. Et les meilleurs conseillers du monde. C'est ça qu'il me faut, mon grand, six mois à l'Hacienda !

— Pourquoi six mois ?

— J'en ai besoin. J'ai essayé deux mois, un mois, trois semaines, deux semaines, ça ne suffit pas. Il me faut six mois à l'écart de tout, six mois de sevrage et de thérapie, avec ma masseuse personnelle.

— Cela coûterait combien ?

Forrest émit un petit sifflement en levant les yeux au plafond.

— Aucune idée ! Il faut être milliardaire et exhiber deux recommandations pour être admis là-bas. Imagine un peu la lettre de recommandation : « Monsieur le directeur de l'Hacienda. Je vous recommande vivement par la présente mon ami Trucmuche qui souhaite être traité dans votre merveilleux établissement. Il commence par un peu de vodka au petit déjeuner, snife de la coke au déjeuner, se shoote à l'héroïne pour le goûter et se trouve le plus souvent dans un état comateux à l'heure du dîner. Il a le cerveau cramé, les veines lacérées, le foie explosé. C'est le patient idéal : son père possède la moitié de l'Idaho.

— Ils gardent les gens six mois ?

— Décidément, tu ne sais rien de rien.

— Sans doute.

— La plupart des cocaïnomanes ont besoin d'un an ; encore plus pour les accros à la blanche.

Et toi, à quoi marches-tu en ce moment ? eut envie de demander Ray. Il parvint à se contenir.

— Un an ?

— Oui. Sevrage total. Puis le toxico doit se prendre en charge. Je connais des gars qui ont passé trois ans en taule, sans coke, sans crack, sans rien ; le jour de leur libération, ils ont appelé un dealer avant même de donner un coup de fil à leur petite amie.

— Qu'est-ce qu'il leur arrive, après ?

— Ce n'est pas beau.

Forrest enfourna les dernières cacahouètes et se frotta vigoureusement les mains pour se débarrasser du sel.

Aucun panneau ne donnait la direction d'Alcorn Village. Ils suivirent les indications d'Oscar jusqu'à ce qu'ils aient la certitude d'être complètement perdus ; c'est alors qu'ils virent un grand portail, au loin. Au bout d'une allée bordée d'arbres s'étendait un vaste ensemble de constructions. L'endroit était paisible et retiré ; la première impression de Forrest fut très favorable.

Oscar Meave vint les accueillir dans le hall du bâtiment administratif et les conduisit dans le bureau des admissions ; il s'occupait lui-même de la paperasse. Conseiller, administrateur, psychologue, ce drogué repenti depuis de longues années était titulaire de deux doctorats. Vêtu d'un jean et d'un sweat-shirt, chaussé de tennis, il portait le bouc et deux boucles à l'oreille. Ses rides profondes et ses dents ébréchées marquaient son visage des stigmates de son ancienne vie ; mais il avait une voix douce et chaleureuse. Il émanait de lui la compassion sans concession de celui qui était passé par la situation où Forrest se trouvait.

Le coût du séjour s'élevait à trois cent vingt-cinq dollars par jour ; Oscar recommandait une durée minimale de quatre semaines.

— Après cela, nous verrons où en est Forrest. Il va falloir que je lui pose quelques questions désagréables.

— Je ne veux pas entendre ça ! s'écria Ray.

— Tu n'entendras pas, soupira Forrest avec résignation.

— Et nous demandons le règlement immédiat de la moitié de la somme, poursuivit Oscar. L'autre moitié avant la fin du traitement.

Ray tressaillit ; il essaya de se rappeler combien il avait sur son compte. Il pouvait puiser dans le magot de son père, bien sûr, mais le moment n'était pas encore venu.

— L'argent vient de la succession de mon père, expliqua Forrest. Il faudra peut-être attendre quelques jours.

— Nous ne faisons pas d'exception, déclara fermement Oscar. La moitié maintenant, c'est la règle.

— Pas de problème, affirma Ray. Je vais faire un chèque.

— Je veux que ce soit l'argent de l'héritage, protesta Forrest. Pas question que tu paies de ta poche.

— Je me ferai rembourser, ne t'inquiète pas.

Ray ne savait pas très bien comment il fallait s'y prendre ; il en laisserait le soin à Harry Rex. Il signa le formulaire par lequel il se portait caution et Forrest apposa sa signature au bas d'une feuille présentant la liste de ce qu'il fallait faire et ne pas faire.

— Tu ne pourras pas partir avant vingt-huit jours, déclara Oscar en se tournant vers Forrest. Dans le cas contraire, tout l'argent versé sera perdu et tu ne seras plus le bienvenu. Compris ?

— Compris.

Combien de fois avait-il entendu ce discours ?

— Tu es ici parce que tu l'as voulu, poursuivit Oscar. D'accord ?

— D'accord.

— Personne ne t'y a forcé ?

— Personne.

Les remontrances allaient commencer ; pour Ray, il était temps de partir. Il remercia Oscar, serra Forrest dans ses bras et reprit la route bien plus vite qu'à l'aller.

25.

Ray était maintenant convaincu que le magot avait été amassé après 1991, quand le Juge avait perdu son siège. Claudia, qui ne l'avait pas quitté jusqu'à l'année précédente n'était au courant de rien. Il ne provenait ni de pots-de-vin ni des casinos.

Il n'était pas non plus le fruit d'investissements aussi judicieux que discrets ; Ray n'avait pas trouvé trace de l'achat ni de la vente d'une seule action. L'expert-comptable engagé par Harry Rex pour vérifier les comptes de feu Reuben Atlee et établir la déclaration de revenus n'avait rien découvert non plus. D'après lui, la situation financière du Juge étaient transparente ; tout passait par la First National Bank de Clanton.

C'est ce que vous croyez, s'était dit Ray.

Les employés du service de nettoyage avaient rassemblé dans le bureau du Juge et dans la salle à manger une quarantaine de cartons remplis de vieux dossiers. Ray y passa plusieurs heures, mais il finit par trouver ce qu'il cherchait. Deux des cartons contenaient les notes et les documents — les « dossiers d'audience », comme les appelait son père — relatifs aux affaires jugées en qualité de chancelier suppléant depuis 1991.

Pendant un procès, le Juge notait tout sur des carnets jaunes : des dates, des heures, des faits significatifs, tout ce qui pouvait l'aider à se faire une opinion sur l'affaire en cours. Il lui arrivait souvent de poser une question à un témoin et, fréquemment, il faisait usage de ses notes pour reprendre un avocat. Il confiait volontiers en privé qu'écrire l'aidait à ne pas s'endormir. Quand le procès traînait en longueur, il pouvait remplir une vingtaine de carnets.

Avocat avant d'être juge, il avait conservé l'habitude de tout classer, de tout garder. Un dossier d'audience comprenait, outre ses notes, des copies de précédents sur lesquels s'appuyaient les avocats, des articles du code et certaines conclusions ne figurant pas dans le compte rendu officiel des débats. Ces papiers devenus inutiles avec le temps remplissaient quarante cartons.

D'après ses déclarations de revenus, le Juge avait accepté, après 1993, d'arbitrer des litiges en qualité de chancelier suppléant. Dans les zones rurales, il n'est pas rare qu'une affaire suscite trop de passions pour être soumise au juge de la juridiction. Une des parties demande au juge, par requête interposée, de se récuser. Il étudie le dossier, commence par affirmer sa compétence et son impartialité, puis transmet à contrecœur l'affaire à un vieux copain d'une autre partie de l'État. Le chancelier suppléant arrive sans *a priori* et sans avoir à se préoccuper d'une éventuelle réélection.

Dans certaines juridictions on faisait appel à des suppléants pour accélérer le traitement des procédures en attente ou pour remplacer des magistrats souffrants. Presque tous étaient à la retraite ; ils touchaient cinquante dollars de l'heure, plus le remboursement des frais.

En 1992, l'année suivant sa défaite, Reuben Atlee n'avait pas eu de revenus complémentaires. En 1993, il avait déclaré cinq mille huit cents dollars ; en 1996, son année la plus chargée, seize mille trois cents. L'année précédente, en 1999, il n'avait touché que huit mille sept cent soixante dollars ; il était déjà très malade.

Le total de ses gains en qualité de chancelier suppléant

s'élevait à plus de cinquante-six mille dollars sur une période de six ans. Ils avaient été intégralement déclarés.

Ray voulait connaître la nature des affaires soumises au Juge. Harry Rex en avait mentionné une : le divorce à sensation d'un gouverneur en poste. Ce dossier, épais de huit centimètres, contenait des coupures du quotidien de Jackson, avec des photographies du gouverneur, de sa future ex-épouse et d'une femme tenue pour sa maîtresse. Le procès avait duré deux semaines et le juge Atlee, à en croire ses notes, y avait pris grand plaisir.

Il y avait aussi, près d'Hattiesburg, une affaire de préemption qui avait traîné quinze jours sans satisfaire personne. La ville se développait vers l'ouest et lorgnait des terrains pour y créer une zone industrielle. Des procédures avaient été engagées ; deux ans plus tard, tout le monde s'était retrouvé devant le juge Atlee. Il y avait des coupures de journaux ; au bout d'une heure de lecture, Ray en eut assez.

Au moins, il s'agissait d'une affaire où de l'argent était en jeu.

En 1995, le juge Atlee était parti huit jours dans la petite ville de Kosciusko ; d'après ses notes, l'affaire ne présentait rien d'important.

Il y avait encore une horrible collision impliquant un camion-citerne, dans le comté de Tishomingo, en 1994. Cinq adolescents, prisonniers de leur véhicule, avaient péri carbonisés. Un chancelier du comté était apparenté à l'une des victimes ; l'autre avait un cancer en phase terminale. Le juge Atlee fut appelé à la rescousse. Le procès dura deux jours, l'indemnisation s'éleva à sept millions quatre cent mille dollars. Le tiers revint à l'avocat des parties civiles, le reste aux familles.

Ray posa ce dossier sur le canapé, à côté de l'affaire de préemption. Il s'assit par terre, sur le parquet ciré, sous le regard vigilant du général Forrest. Il avait une vague idée de ce qu'il cherchait mais ne savait pas exactement comment procéder. Passer les dossiers en revue, garder ceux où de l'argent était en jeu, suivre la piste et voir où elle menait.

Le magot découvert à trois mètres de là venait bien de quelque part.

Son téléphone cellulaire sonna. C'était un message enregistré d'une société de surveillance de Charlottesville l'informant qu'une effraction était en cours dans son appartement. Il se releva d'un bond et se mit à parler tout seul en attendant la fin du message. L'appel de la société de surveillance était simultanément transmis au poste de police de son quartier et à Corey Crawford. Quelques secondes plus tard, nouvel appel : c'était Crawford. Il annonça qu'il était en route et donna l'impression d'être presque hors d'haleine. Il était près de 21 h 30 à Clanton, une heure de plus à Charlottesville.

Ray commença à aller et venir dans la maison, réduit à l'impuissance. Au bout d'un quart d'heure, Crawford rappela.

— Je suis chez vous, commença-t-il. Avec la police. On a crocheté la serrure de la porte de la rue, puis celle de votre appartement. C'est ce qui a déclenché l'alarme. Les voleurs n'ont pas eu beaucoup de temps. Où faut-il commencer à chercher ?

— Il n'y a pas d'objets de valeur, répondit Ray en se demandant ce qu'un voleur aurait pu dérober. Ni espèces, ni bijoux, ni œuvres d'art, pas de fusils de chasse, pas de vaisselle en or, pas d'argenterie.

— Téléviseur, chaîne stéréo, micro-ondes, tout est là, poursuivit Crawford. Ils ont éparpillé des livres et des revues, renversé la petite table de la cuisine, mais ils étaient pressés. Pensez-vous à quelque chose en particulier ?

— Non, je ne vois pas, répondit Ray qui percevait les grésillements assourdis d'une radio de la police.

— Combien de chambres ? demanda Crawford en continuant de se déplacer dans l'appartement.

— Deux. La mienne est sur la droite.

— Les placards sont ouverts ; ils cherchaient quelque chose. Toujours aucune idée ?

— Non, répondit Ray.

— Aucun signe de leur passage dans l'autre chambre, poursuivit Crawford.

Il se mit à discuter avec deux policiers, demanda à Ray d'attendre un moment. Regardant à travers la moustiquaire de la porte d'entrée, rigoureusement immobile, Ray réfléchissait au moyen le plus rapide de regagner Charlottesville.

La police et Crawford décidèrent qu'il s'agissait d'une effraction commise par un cambrioleur expérimenté, surpris par le déclenchement de l'alarme. Après avoir fracturé les deux portes en faisant des dégâts minimes et entendu l'alarme, il avait fait le tour de l'appartement dans un but précis ; ne trouvant rien, il avait mis un peu de désordre pour brouiller les pistes avant de prendre la fuite. Rien ne permettait d'affirmer qu'il était seul.

— Il faut que vous veniez pour signaler à la police s'il manque quelque chose et pour le procès-verbal.

— J'y serai demain. Pouvez-vous protéger l'appartement pour la nuit ?

— Nous trouverons un moyen.

— Rappelez-moi après le départ de la police.

Assis sur les marches du porche, écoutant distraitement le chant des grillons, Ray s'imagina dans le box du garde-meubles, seul dans l'obscurité, un pistolet du Juge à la main, prêt à ouvrir le feu sur quiconque s'approcherait du magot. Quinze heures de route ; trois et demie en avion. Il appela Fog Newton : pas de réponse.

La sonnerie du téléphone le fit sursauter. C'était Crawford.

— Je suis encore dans l'appartement.

— Je ne crois pas que ce cambriolage ait eu lieu par hasard, fit Ray.

— Vous aviez parlé d'objets de valeur, des biens de famille entreposés chez Chaney.

— En effet. Vous serait-il possible de monter la garde cette nuit ?

— Les locaux sont surveillés ; il y a des gardiens, des caméras, du bon matériel.

Crawford avait une voix lasse ; l'idée de passer la nuit dans une voiture ne semblait pas l'emballer.

— Pouvez-vous, oui ou non ?

— Je ne peux pas entrer. L'accès est réservé aux clients.

— Surveillez l'entrée.

Crawford acquiesça d'un grognement.

— Bon, soupira-t-il, j'irai jeter un coup d'œil. Je demanderai peut-être à quelqu'un d'aller planquer là-bas.

— Merci. Je vous appelle demain, dès que j'arrive.

Ray téléphona chez Chaney : pas de réponse. Il attendit cinq minutes, refit le numéro et compta quatorze sonneries avant qu'on décroche.

— Chaney, garde-meubles. Murray, service de sécurité. J'écoute.

Ray expliqua poliment qui il était et ce qu'il voulait. Il louait trois box et se sentait inquiet, car son appartement venait d'être cambriolé. M. Murray aurait-il l'obligeance de surveiller avec attention les box 14 B, 37 F et 18 R ? Pas de problème, répondit Murray en étouffant un bâillement.

— Je suis un peu nerveux, c'est tout, ajouta Ray.

— Pas de problème, marmonna Murray.

Il fallut à Ray une heure et deux verres pour que sa nervosité s'estompe. Il était toujours aussi loin de Charlottesville. Il avait furieusement envie de sauter dans sa voiture de location et de foncer dans la nuit, mais il parvint à se contenir. Il décida de dormir et d'attendre le lendemain matin pour essayer de trouver un avion. Comme le sommeil le fuyait, il se replongea dans les dossiers.

Le Juge avait dit un jour qu'il ne connaissait pas grand-chose au code de l'urbanisme ; il n'y avait guère de terrains à lotir dans le Mississippi et pratiquement aucun dans les six comtés dépendant de sa juridiction. Quelqu'un avait pourtant réussi à lui faire accepter d'arbitrer un litige qui soulevait les passions dans la ville de Colombus. À en croire les notes du Juge, à la fin du procès qui avait duré six jours, un correspondant anonyme l'avait menacé au téléphone de lui tirer une balle dans la tête.

Les menaces de ce genre n'avaient rien d'exceptionnel et il arrivait au Juge de glisser un pistolet dans sa serviette. Claudia aussi était armée, à en croire les rumeurs. Les mauvaises langues ajoutaient qu'il valait mieux être tenu en joue par le Juge que par sa greffière.

Ray faillit s'endormir. C'est alors qu'il tomba sur quelque chose qui lui mit la puce à l'oreille. Peut-être était-ce le chaînon manquant qu'il espérait trouver ; la fatigue s'envola instantanément.

En parcourant les déclarations de revenus du Juge, Ray découvrit qu'il avait perçu en janvier 1999 huit mille cent dix dollars pour trancher un litige dans le 27e District. Cette circonscription comprenait deux comtés de la côte du golfe du Mexique, une région où le Juge ne mettait jamais les pieds. Ray trouva bizarre qu'il eût accepté d'y passer plusieurs jours.

Plus étrange encore était l'absence de dossier sur cette affaire. Il fouilla les deux cartons sans rien trouver. Contenant à grand-peine sa curiosité, Ray se jeta sur les trente-huit autres cartons. Il en oublia le cambriolage, le garde-meubles, ce Murray qui avait dû s'endormir ; il en oublia presque le magot.

Il manquait un dossier.

26.

Le vol US Air décollait de Memphis à 6 h 40, ce qui obligeait Ray à quitter Clanton à 5 heures, dernier carat. En conséquence, il dormit trois heures, sa moyenne à Maple Run. Il sommeilla à bord du premier appareil, continua dans l'aéroport de Pittsburgh, puis dans l'avion qui l'emmenait à Charlottesville. Arrivé chez lui, il inspecta les lieux, puis s'endormit sur le canapé.

On n'avait pas touché à l'argent. Aucune trace d'effraction dans ses trois box ; rien à signaler. Il se boucla dans le 18 R, ouvrit les cinq boîtes étanches, s'assura que les cinquante-trois sacs de congélation étaient bien là.

À croupetons sur le sol de ciment, trois millions de dollars répandus autour de lui, Ray Atlee fut bien obligé de reconnaître que cet argent avait pris une grande importance. Il aurait pu en être débarrassé la veille ; maintenant, il avait peur de s'en séparer.

Depuis quelques semaines, il s'intéressait de plus près au prix des choses, à ce qu'il pouvait acheter, à ce que rapportait un placement de père de famille ou un investissement plus risqué. Parfois, l'idée lui venait qu'il pouvait se considérer comme riche ; il la chassait aussitôt. Mais elle était toujours là, juste au-dessous de la surface, récurrente. Les questions qu'il s'était posées recevaient petit à petit une réponse : les billets n'étaient ni marqués ni l'œuvre d'un faussaire, l'argent n'avait pas été gagné au casino, il n'était pas le produit d'ententes délictueuses avec des avocats ou des plaideurs.

Non, l'argent ne devait pas être partagé avec Forrest, car il ne lui servirait qu'à se tuer. Non, il ne devait pas, pour plusieurs excellentes raisons, être inclus dans la succession.

L'une après l'autre, les options disparaissaient. Si cela continuait, il ne pourrait faire autrement que le garder.

On frappa un grand coup sur la porte ; le métal vibra, Ray retint un cri de surprise.

— Qui est là ? lança-t-il en se mettant debout.

— Sécurité, répondit une voix vaguement familière.

Ray enjamba le sac et tendit le bras vers la poignée de la porte qu'il entrouvrit d'une dizaine de centimètres. Il découvrit un visage souriant qui devait être celui de Murray.

— Tout va bien là-dedans ? demanda-t-il, tel un gardien venant s'assurer que tout est en ordre.

— Oui, merci, répondit Ray, le cœur battant.

— Si vous avez besoin de quelque chose, vous n'avez qu'à demander.

— Merci pour la nuit dernière.

— Je ne faisais que mon boulot. Ray replaça l'argent dans les boîtes, verrouilla les portes des box et reprit sa voiture, un œil sur le rétroviseur.

Le propriétaire de l'appartement envoya une équipe de menuisiers mexicains réparer les deux portes endommagées. Ils scièrent et donnèrent des coups de marteau toute la fin de l'après-midi ; leur travail terminé, ils acceptèrent une bière fraîche. Ray discuta avec eux et les poussa dehors en douceur. Il y avait sur la table de la cuisine une pile de courrier auquel il n'avait pas touché depuis son arrivée. Il s'assit, commença à le dépouiller. Des factures, bien sûr. Des catalogues et des prospectus. Trois cartes de condoléances.

Une lettre du fisc adressée à Ray Atlee, exécuteur testamentaire de Reuben V. Atlee, et postée l'avant-veille à Atlanta. Il examina l'enveloppe sur toutes les coutures avant de l'ouvrir. Elle contenait une feuille à en-tête de l'administration, au nom de Martin Gage, bureau de la Répression des fraudes. Le texte était le suivant :

Monsieur,

En tant qu'exécuteur testamentaire de votre père, vous êtes tenu par la loi d'inclure dans la succession tous les biens soumis aux droits de succession. Toute dissimulation constituerait un cas de fraude fiscale. Des dépenses irrégulières vous mettraient en infraction avec les lois fiscales du Mississippi ainsi qu'avec les lois fédérales.

Martin Gage
Répression des fraudes

Sa première réaction fut de téléphoner à Harry Rex pour savoir comment le fisc avait été renseigné. L'exécuteur testamentaire disposait d'un an à compter de la date du décès pour envoyer le procès-verbal d'inventaire ; d'après l'expert-comptable, il était facile d'obtenir une prolongation.

Le cachet de la poste portait la date du lendemain du jour où il s'était rendu au tribunal avec Harry Rex pour l'ouverture de la succession. Comment le fisc avait-il pu réagir si rapidement ? Et comment avait-il été informé de la mort de Reuben Atlee ?

Ray préféra appeler directement le bureau de la Répression des fraudes ; il composa le numéro figurant sur la lettre. Il tomba sur un répondeur qui demandait de rappeler, les bureaux étant fermés le samedi. Il consulta l'annuaire d'Atlanta sur Internet, trouva trois Martin Gage. Le premier était absent ; son épouse affirma qu'il ne travaillait pas pour le fisc, Dieu merci ! Le deuxième numéro ne répondait pas. Au troisième, Ray trouva un Martin Gage en train de dîner.

— Travaillez-vous pour l'administration fiscale ? demanda-il après s'être excusé de le déranger à son domicile et s'être présenté comme un professeur de droit.

— Oui, répondit son correspondant.

— À la Répression des fraudes ?

— C'est bien moi. Depuis quatorze ans.

Ray fit état du courrier qu'il avait reçu avant de lire la lettre *in extenso*.

— Ce n'est pas moi qui ai écrit cela, déclara Gage.

— Alors, qui ?

Ray regretta aussitôt d'avoir posé cette question.

— Comment voulez-vous que je le sache ? Pouvez-vous me la faxer ?

Ray tourna la tête vers son fax en réfléchissant à toute vitesse.

— Bien sûr, mais l'appareil est dans mon bureau. Je peux l'envoyer lundi matin.

— Scannez la lettre et envoyez-la par e-mail.

— Mon scanner est en panne. Je vous la faxerai lundi matin.

— D'accord. On vous a fait une blague, mon vieux. Je n'ai jamais écrit ça.

Ray était impatient de raccrocher, mais il avait excité la curiosité de Gage.

— J'ai autre chose à vous dire, poursuivit le fonctionnaire. Se faire passer pour un agent du fisc est un délit fédéral et nous engageons systématiquement des poursuites. Avez-vous une idée de l'identité de ce plaisantin ?

— Aucune.

— Il a dû trouver mon nom dans notre répertoire online. La plus mauvaise idée que nous ayons eue : liberté de l'information, toutes ces conneries.

— Probablement.

— À quand remonte l'ouverture de la succession ?

— Trois jours.

— Trois jours ! Il vous reste un an pour vous mettre en règle.

— Je sais.

— Qu'y a-t-il dans le patrimoine ?

— Pas grand-chose. Une vieille baraque.

— C'est le mauvais coup d'un tordu. Faxez-moi la lettre lundi et je vous passerai un coup de fil.

— Merci.

En raccrochant, Ray se demanda ce qui l'avait poussé à appeler un agent du fisc.

Il voulait vérifier l'authenticité de la lettre.

Gage ne recevrait jamais le fax. Il n'y penserait plus dans un mois et, dans un an, cette histoire lui serait complètement sortie de l'esprit.

Cet appel n'était peut-être pas ce que Ray avait fait de plus malin.

Forrest s'était bien adapté au rythme de la vie à Alcorn Village. Il avait droit à deux coups de téléphone par jour, susceptibles d'être enregistrés.

— Ils ne veulent pas qu'on appelle nos revendeurs, expliqua-t-il.

— Tu n'es pas drôle, répliqua Ray.

C'était le Forrest plein de santé qu'il avait au bout du fil, avec un léger accent traînant et l'esprit vif.

— Qu'est-ce que tu fais en Virginie ?

— C'est là que j'habite, tu as oublié ?

— Je croyais que tu devais rendre visite à des amis, des vieux copains de fac.

— Je reviendrai d'ici peu. Comment est la nourriture ?

— Comme dans une maison de santé. Gelée trois fois par jour, mais jamais de la même couleur. Infect. À trois cents dollars et des broutilles la journée, c'est de l'arnaque !

— Il y a de jolies filles ?

— Une, mais elle a quatorze ans. Plus drôle encore, c'est la fille d'un juge. Il y a des gens malheureux ici.

Nous avons tous les jours une réunion où chacun se répand en insultes contre celui qui l'a initié à la drogue. Nous parlons sans détour de nos problèmes, nous nous entraidons. J'en sais plus que les conseillers. J'en suis à ma huitième désintox, tu te rends compte ?

— J'aurais dit plus que ça.

— Merci de m'aider. Tu sais ce qui me fait mal au cœur ?

— Vas-y.

— Je me sens tellement mieux quand je n'ai rien pris. Je me sens en forme, intelligent, capable de tout. Dans ces moments-là, je me déteste de traîner dans les rues et de me conduire comme les autres minables. Je ne sais pas pourquoi je fais ça.

— Tu as l'air en pleine forme, Forrest.

— J'aime cet endroit, à part la nourriture.

— Bien. Je suis fier de toi.

— Peux-tu venir me voir ?

— J'irai, promis. Donne-moi deux ou trois jours.

Ray appela Harry Rex ; il le trouva à son cabinet où il passait le plus clair du week-end. Avec sa longue expérience de la vie conjugale et une quatrième épouse, il n'était pas souvent chez lui.

— As-tu gardé le souvenir d'un procès sur la Côte, dans lequel le Juge aurait siégé au début de l'année dernière ? demanda Ray.

— Sur la Côte ?

Harry Rex était en train de manger ; il fit claquer sa langue.

— Il détestait la Côte. Il disait qu'on n'y trouvait qu'un ramassis de péquenauds et de mafiosi.

— Il a été payé pour un procès en janvier dernier, insista Ray.

— Il était malade l'année dernière, objecta l'avocat en avalant une goulée de liquide.

— Son cancer a été diagnostiqué en juillet.

— Non, un procès sur la Côte, ça ne me dit rien. Ray entendit Harry Rex mordre dans quelque chose.

— Ça m'étonne, cette histoire.

— Moi aussi, fit Ray.

— Pourquoi t'es-tu plongé dans ses dossiers ?

— Je comparais ses rétributions avec ses dossiers.

— Pourquoi ?

— Je suis l'exécuteur testamentaire.

— Excuse-moi. Quand reviens-tu ?

— Dans deux ou trois jours.

— À propos, je suis tombé sur Claudia aujourd'hui. Je ne l'avais pas vue depuis plusieurs mois. Ce matin, de bonne heure, je l'ai vue garer sa Cadillac noire flambant neuve juste devant le Coffee Shop, pour que tout le monde puisse l'admirer ; èlle a passé la moitié de la matinée à traîner en ville. Elle sait se faire remarquer, celle-là.

Ray ne put s'empêcher de sourire en se représentant Claudia, de l'argent plein les poches, se précipitant chez son concessionnaire. Le Juge aurait été fier.

Il fit un somme sur le canapé, suivi d'un autre. Les cloisons craquaient, les conduits d'aération et les canalisations semblaient avoir une activité soutenue. Aux bruits succédait le silence. L'appartement semblait se préparer pour un deuxième cambriolage.

27.

Faisant son possible pour se comporter normalement, Ray se lança sur un de ses parcours préférés, suivant d'abord la rue piétonne qui partait de chez lui avant de descendre la Grand-rue jusqu'au campus, de grimper la colline de l'Observatoire et de parcourir le même trajet en sens inverse. Dix kilomètres en tout. Il déjeuna avec Carl Mirk au Bizou, un petit restaurant en vogue, à deux cents mètres de chez lui, et prit un café à la terrasse d'un bistrot. Fog avait réservé le Bonanza à 15 heures, pour une leçon de pilotage, mais le courrier arriva et ses projets tombèrent à l'eau.

L'enveloppe manuscrite, sans nom d'expéditeur, lui était adressée et portait le cachet de la poste de Charlottesville de la veille. Un bâton de dynamite posé sur la table n'aurait pas paru plus suspect. Elle contenait une feuille de papier pliée en trois ; il la déplia. Ce fut, l'espace d'un instant, comme si son cerveau était paralysé ; il était incapable de penser, de respirer, de percevoir quoi que soit.

Il avait devant les yeux une photo numérique en couleurs de la façade du box 14 B, produite par une imprimante sur du papier de format standard. Pas un mot, ni d'avertissement ni de menace. Ce n'était pas nécessaire.

Il reprit sa respiration, se mit aussitôt à transpirer.

Quand il sortit de sa torpeur, une douleur fulgurante lui déchira l'estomac. Encore étourdi, il ferma les yeux ; quand il les rouvrit pour regarder la photo, la feuille de papier tremblait dans sa main.

Sa première pensée, celle dont il garda le souvenir, fut qu'il n'y avait rien dans l'appartement dont il ne pût se passer. Il pouvait tout laisser, mais il remplit quand même un petit sac.

Trois heures plus tard, il fit le plein à Roanoke. Encore trois heures de route et il s'arrêta sur le parking bondé d'un restaurant de routiers, à la sortie de Knoxville. Il demeura longtemps immobile, enfoncé dans le siège de son Audi, observant les camionneurs qui arrivaient et repartaient, le va-et-vient du restaurant. Il lorgnait une table derrière la vitre ; dès qu'elle fut libre, il descendit de voiture, verrouilla les portières et entra dans le restaurant. De la table, il surveillait la voiture, garée à une quinzaine de mètres, les trois millions de dollars en espèces dans le coffre.

L'odeur de graillon flottant dans la salle donnait à penser que la friture était la spécialité de la maison. Ray commanda un hamburger et commença à jeter des notes sur une serviette en papier.

Pour mettre l'argent en sûreté, le mieux était évidemment une banque, dans la salle des coffres, derrière des portes blindées, sous l'œil de caméras de surveillance. Il pouvait diviser l'argent, le répartir entre plusieurs établissements, dans différentes villes, entre Charlottesville et Clanton, afin de brouiller les pistes. Les billets pouvaient être discrètement transportés dans une serviette ; une fois dans les coffres, le magot serait définitivement en sécurité.

Mais il laisserait derrière lui des indices en quantité. Formulaires de location, pièces officielles prouvant son identité, avec son domicile et le numéro de ses téléphones, rencontres avec un responsable de la clientèle extérieure, enregistrements vidéo, registres des entrées dans la salle des coffres, Dieu sait quoi encore. Ray n'avait jamais rien mis en sûreté dans une banque.

Il avait vu plusieurs garde-meubles au bord de l'autoroute. Il y en avait de plus en plus, toujours à proximité immédiate des grands axes routiers. Pourquoi ne pas en prendre un au hasard, payer un box comptant et réduire les formalités au minimum ? Il pouvait passer un ou deux jours dans la ville la plus proche, le temps d'acheter de nouvelles boîtes au revêtement ignifugé, y mettre le magot en sécurité et disparaître. Une idée merveilleuse qui prendrait son persécuteur de court.

Une idée stupide, car il ne serait plus en possession de l'argent.

Il pouvait aussi l'emporter à Maple Run et le cacher dans la cave. Harry Rex préviendrait le shérif afin que la police ouvre l'œil pour le cas où des étrangers suspects rôderaient en ville. Si quelqu'un l'avait suivi jusqu'à Clanton, il se ferait alpaguer ; dès le lever du jour, Dell, la serveuse du Coffee Shop, aurait tous les détails. Un client ne pouvait pas tousser sans que trois autres attrapent son rhume.

Les routiers arrivaient par petits groupes, parlant fort pour la plupart, avides de contacts humains après des heures de solitude dans leur cabine. Ils étaient tous habillés pareil : jean et chaussures à bout pointu. L'attention de Ray fut attirée par une paire de chaussures bateau. Un pantalon de toile kaki, pas un jean. L'homme était seul ; il prit place au comptoir. Ray découvrit son visage dans le miroir, un visage qu'il avait déjà vu. Large à la hauteur des pommettes, étroit au menton, long nez aplati, cheveux filasse, trente-cinq ans à peu de chose près. Ce devait être à Charlottesville, mais impossible de se rappeler précisément où.

Ou bien tout le monde lui était-il devenu suspect ?

Pour celui qui s'enfuit avec son magot, comme un assassin transportant sa victime dans le coffre, nombre de visages ont un air vaguement familier et éveillent l'inquiétude.

Son hamburger arriva, fumant et couvert de frites, mais il avait perdu l'appétit. Il commença à griffonner sur une troisième serviette en papier. Les deux premières ne l'avaient mené nulle part.

Il n'avait guère le choix. Comme il ne voulait pas perdre l'argent de vue, il allait conduire toute la nuit, s'arrêter pour prendre du café et peut-être un peu de repos, de manière à arriver à Clanton au petit matin. Quand il serait sur son territoire, il y verrait plus clair.

Cacher l'argent dans la cave n'était pas une bonne idée non plus. La foudre, un court-circuit, une allumette mal éteinte et la maison s'embraserait comme du petit bois.

L'homme assis au comptoir n'avait pas encore lancé un regard dans sa direction ; plus il l'observait, plus Ray était convaincu d'avoir fait erreur. Un visage anonyme, comme on en voit tous les jours et dont on garde rarement le souvenir. Il mangeait un gâteau au chocolat et buvait un café ; curieux, à 11 heures du soir.

Il arriva à Clanton peu après 7 heures. Les yeux rouges, brisé de fatigue, il n'aspirait qu'à une bonne douche et à deux jours de repos. Sur la route, quand il ne surveillait pas les phares des véhicules qui le suivaient ou qu'il ne se giflait pas pour éviter de s'endormir, il avait rêvé de longs moments de solitude à Maple Run. Une grande maison vide pour lui tout seul. Il pouvait dormir à l'étage, au rez-de-chaussée, sous le porche. Pas de sonneries de téléphone, personne pour l'importuner.

Il avait oublié les couvreurs. Les ouvriers étaient déjà au travail quand il s'engagea dans l'allée ; leurs échelles et leur matériel recouvraient la pelouse, leurs camions bloquaient le passage. Il trouva Harry Rex au Coffee Shop, attablé devant des œufs pochés, lisant deux journaux en même temps.

— Qu'est-ce que tu fiches ici ? lança-t-il en levant à peine la tête.

Il n'avait terminé ni ses œufs ni sa lecture et ne paraissait pas enchanté de voir Ray.

— Disons que j'ai faim.

— Tu as une mine épouvantable.

— Merci. Comme je ne pouvais pas dormir là-bas, je suis venu ici.

— Tu craques ?

— Oui.

Harry Rex finit par baisser son journal et creva un œuf baignant dans une sauce chaude.

— Tu as roulé toute la nuit depuis Charlottesville ?

—Ça ne fait que quinze heures de route.

Une serveuse apporta un grand café.

— Pour combien de temps en ont les couvreurs ?

— Ils sont là ?

— Oh ! oui. Il y en a au moins une douzaine. Moi qui espérais dormir pendant quarante-huit heures.

— C'est la famille Atkins. Ils travaillent vite, sauf quand ils commencent à boire et à s'engueuler. Il y en a un qui est tombé d'une échelle l'an dernier : il s'est cassé le cou. Il a touché trente mille dollars d'indemnités.

— Pourquoi as-tu choisi ceux-là ?

— Ils ne sont pas chers et l'exécuteur testamentaire est près de ses sous. Tu peux aller dormir dans mon bureau ; j'ai une planque au deuxième étage.

— Avec un lit ?

Harry Rex lança un regard méfiant autour de lui, comme si les murs du Coffee Shop avaient des oreilles.

— Tu te souviens de Rosetta Rhines ?

— Non.

— Ma cinquième secrétaire et ma troisième femme. C'est là-haut que tout a commencé.

— Les draps sont propres ?

— Quels draps ? C'est à prendre ou à laisser, mon

vieux ! L'endroit est très calme, mais le plancher craque. C'est pour ça que nous nous sommes fait prendre.

— Excuse-moi.

Ray avala une grande gorgée de café. Il avait faim, mais ne voulait pas d'un petit déjeuner pantagruélique. Un bol de corn-flakes avec du lait écrémé et des fruits, quelque chose de raisonnable, mais il se couvrirait de ridicule en faisant si maigre chère au Coffee Shop.

— Alors, tu manges ? grogna Harry Rex.

— Non. On a des trucs à entreposer, des cartons, des meubles… Tu connais un endroit ?

— *On ?*

— Bon, *j'ai* des trucs à entreposer.

— C'est bon à jeter. Brûle donc tout ça.

Il engloutit une bouchée de biscuit garni de saucisse et de cheddar, agrémenté de ce qui ressemblait à de la moutarde.

— Je ne peux pas. Pas tout de suite.

— Alors, fais ce que font les bons exécuteurs testamentaires : mets tout au garde-meubles pendant deux ans, propose-le à l'Armée du Salut et brûle ce qu'ils ne voudront pas.

— Y a-t-il, oui ou non, un garde-meubles à Clanton ?

— Tu n'étais pas à l'école avec ce petit cinglé de Cantrell ?

— Ils étaient deux.

— Non, ils étaient trois. Le troisième s'est fait écraser par un car Greyhound, près de Tobytown. Une grande gorgée de café, une grosse bouchée d'œufs.

— Un garde-meubles, Harry Rex…

— T'es de mauvais poil ?

— Non, je manque de sommeil.

— Je t'ai proposé ma garçonnière.

— Merci. Je vais tenter ma chance avec les couvreurs.

— Ils ont un oncle, Virgil Cantrell — je me suis occupé du deuxième divorce de sa première femme —, qui a transformé le vieux dépôt en garde-meubles.

— Il n'y en a pas d'autres ?

— Non. Lundy Staggs a installé des mini-box à l'ouest de la ville, mais son entrepôt a déjà été inondé. À ta place, je n'irais pas là-bas.

— Comment s'appelle le dépôt de Cantrell ?

— Le Dépôt.

Encore une bouchée de biscuit.

— Près des voies de chemin de fer ?

— C'est ça, fit Harry Rex en commençant à verser du Tabasco sur le monticule d'œufs pochés restant dans son assiette. En général, il y a de la place, mais ne va pas au sous-sol.

Ray hésita, sachant qu'il valait mieux ne pas céder à la curiosité. Il regarda sa voiture garée devant le tribunal.

— Pourquoi ? ne put-il s'empêcher de demander.

— Il y enferme son fils.

— Son fils ?

— Oui, il est timbré lui aussi. Virgil n'a pas pu le faire admettre à Whitfield et n'avait pas les moyens pour le faire entrer dans un établissement privé ; il a décidé de l'enfermer au sous-sol.

— Tu parles sérieusement ?

— Et comment ! Je lui ai dit que ce n'était pas illégal. Le petit a tout ce qu'il faut : chambre, salle de bains, télévision. Ça revient bien moins cher que l'asile.

— Comment s'appelle-t-il ?

— Petit Virgil.

— Petit Virgil ?

— Oui.

— Et quel âge a Petit Virgil ?

— Je ne sais pas. Entre quarante-cinq et cinquante ans.

Au grand soulagement de Ray, aucun des deux Virgil n'était présent quand il arriva au Dépôt. Une femme corpulente en bleu de travail expliqua que M. Cantrell était parti faire des courses et ne serait pas de retour avant deux heures. Ray demanda s'ils avaient de la place ; elle proposa de lui montrer les lieux.

Quand Ray était enfant, un cousin éloigné du Texas leur avait rendu visite. Sa mère l'avait récuré et pomponné, le mettant au supplice ; brûlant d'impatience, ils s'étaient rendus à la gare pour aller chercher le cousin. Forrest était bébé ; ils l'avaient laissé à la garde de la nounou. Ray avait gardé le souvenir de l'attente sur le quai, du coup de sifflet, de la locomotive qui se rapprochait, de l'excitation qui gagnait la foule. Le dépôt, à l'époque, était un endroit animé. Il avait été fermé quand Ray était au lycée et les voyous en avaient fait leur repaire. Le bâtiment avait failli être rasé, mais la municipalité était intervenue avec un projet de rénovation peu judicieux.

Il se présentait maintenant sous l'aspect d'une succession de salles séparées par des cloisons de plâtre sur deux niveaux, encombrées d'un bric-à-brac qui montait jusqu'au plafond. Des poutres et des carreaux de plâtre traînaient dans tous les coins, le sol était couvert de sciure : les travaux n'en finissaient pas. Un petit tour suffit à Ray pour se convaincre que le feu pouvait détruire le Dépôt encore plus facilement que la demeure familiale.

— Nous avons aussi de la place au sous-sol, déclara la femme en bleu de travail.

— Non, merci.

En sortant, il vit passer dans Taylor Street une Cadillac noire étincelant au soleil pâle du matin ; au volant de la voiture d'une irréprochable propreté, il reconnut Claudia avec des lunettes de soleil Jackie O.

Debout dans la chaleur matinale, regardant le véhicule rutilant disparaître à vive allure, Ray eut le sentiment que la ville de Clanton resserrait sur lui son étreinte. Claudia, les Virgil, Harry Rex, ses épouses et ses secrétaires, les Atkins qui travaillaient sur son toit, qui buvaient, qui en venaient aux mains…

Tout le monde est-il fou ici ? Ou bien est-ce que cela vient de moi ?

Il sauta dans sa voiture, démarra dans une projection de gravillons. À l'entrée de la ville, il arriva à un embranchement. Au nord il y avait Forrest, au sud la Côte. Aller voir son frère ne lui simplifierait certainement pas la vie, mais il avait une promesse à tenir.

28.

Deux jours plus tard, Ray arrivait sur le littoral du golfe du Mexique. Il voulait revoir de vieux amis, des copains de fac de Tulane, et l'envie le démangeait de faire la tournée des lieux fréquentés pendant ses études. Il avait la nostalgie d'un *po-boy* aux huîtres frites chez Franky & Johnny, près de la levée, d'un *muffaletta* chez Maspero, dans le Vieux Carré, d'une bière Dixie au Chart Room, dans Bourbon Street, d'un café chicorée et des beignets du Café du Monde, tous ces lieux où, vingt ans auparavant, il avait eu ses habitudes.

La délinquance était la plaie de La Nouvelle-Orléans et sa jolie petite voiture de sport ne pouvait qu'exciter les convoitises. Il imaginait la tête du voleur quand il ouvrirait le coffre. Mais il ne se ferait ni voler la voiture ni arrêter par la police de la route : il respectait scrupuleusement la vitesse imposée. Le conducteur parfait, surveillant avec attention les autres véhicules.

Sur l'A 90, la circulation se fit plus dense ; pendant une heure, il roula au pas en direction de l'est, traversant Long Beach, Gulport, Biloxi, sans s'éloigner des plages, longeant les casinos flambant neufs bâtis sur le front de mer, de nouveaux hôtels, des restaurants. La folie du jeu avait atteint la Côte aussi vite qu'elle avait gagné la campagne de Tunica.

Après la baie de Biloxi commençait le comté de Jackson. Peu avant Pascagoula, une enseigne lumineuse invitait les voyageurs à s'arrêter pour déguster le menu cajun : plats à volonté, treize dollars quatre-vingt-dix-neuf seulement. Une gargote, mais le parking était bien éclairé. Ray prit le temps de s'arrêter pour observer les lieux ; il vit qu'en s'installant devant la vitre, il pourrait surveiller sa voiture. C'était devenu une habitude.

Trois comtés s'étendaient le long de la côte du golfe du Mexique. Jackson à l'est, en bordure de l'Alabama, Harrison au milieu et Hancock à l'ouest, du côté de la Louisiane. Un politicien local qui avait réussi à Washington fournissait du travail aux chantiers navals du comté de Jackson. Les taxes sur les jeux d'argent permettaient d'équilibrer le budget et de construire des écoles dans le comté d'Harrison. C'est dans celui d'Hancock, le moins développé et le moins peuplé, que le juge Atlee s'était rendu en janvier 1999 pour juger une affaire dont personne à Clanton n'avait entendu parler.

Le service était lent, le repas se prolongea : écrevisses à l'étouffée, crevettes en rémoulade, quelques huîtres nature, Ray reprit la route en sens inverse, traversa Biloxi et Gulfport. Dans la ville de Pass Christian, il trouva ce qu'il cherchait : un motel neuf, en rez-de-chaussée, avec des portes ouvrant sur l'extérieur. L'endroit paraissait sûr, le parking était à moitié plein. Après avoir payé soixante dollars cash pour une nuit, il approcha la voiture aussi près que possible de la porte de sa chambre. Il était revenu sur sa décision de ne pas emporter une arme ; au premier bruit suspect, il se précipiterait dehors, le 9 mm du Juge au poing, chargé, cette fois. Il était prêt, si nécessaire, à dormir dans la voiture.

Le comté d'Hancock devait son nom à John Hancock, un des signataires de la déclaration d'Indépendance. Le palais de justice, érigé en 1911 au centre de Bay St. Louis, avait été pratiquement rasé en août 1969 par le cyclone Camille. La ville avait terriblement souffert ; il y avait eu plus de cent victimes et de nombreux disparus.

Après s'être avancé sur la pelouse pour lire l'inscription portée sur une stèle commémorative, Ray se retourna machinalement vers sa voiture. Le plus souvent, le public avait librement accès aux dossiers du greffe, mais il ne pouvait chasser une certaine nervosité. À Clanton, on surveillait les entrées et les sorties de ceux qui venaient les consulter. De plus, il ne savait pas très bien ni ce qu'il cherchait ni par où commencer. Mais il redoutait par-dessus tout ce qu'il pourrait découvrir.

Il resta assez longtemps dans le bureau pour attirer le regard d'une jolie jeune femme qui avait fiché un crayon dans ses cheveux.

— Je peux vous renseigner ? fit-elle d'une voix traînante.

Il avait un carnet à la main, comme si cela pouvait suffire pour lui ouvrir les bonnes portes.

— C'est ici que vous gardez les dossiers des procès ? demanda-t-il en exagérant l'accent traînant du Sud.

Elle prit un air méfiant, le regarda comme s'il avait commis un écart de langage.

— Nous avons les minutes des actes de procédure, articula-t-elle lentement. À l'évidence, il n'était pas très malin.

— Nous avons également le compte rendu des débats, poursuivit-elle pendant que Ray prenait des notes. Il y a aussi, ajouta-t-elle après un silence, la sténographie intégrale des procès faite par le greffier d'audience, mais nous ne les gardons pas ici.

— Je peux voir les minutes ? demanda-t-il en relisant la première ligne de ses notes.

— Bien sûr. Quelle période ?

— Janvier 1999.

Elle fit deux pas sur sa droite, commença à pianoter sur un clavier. Ray lança un regard circulaire dans la vaste pièce où plusieurs femmes tapaient à la machine, classaient des dossiers ou téléphonaient. La dernière fois qu'il était entré dans le greffe de la chancellerie de Clanton, il avait vu un seul ordinateur. Le comté d'Hancock avait dix ans d'avance.

Dans un coin de la salle, deux avocats buvaient un café dans un gobelet en plastique en chuchotant d'un air important. Devant eux s'étalaient des documents cadastraux vieux de deux cents ans. Ils avaient tous deux des lunettes sur le bout du nez, des mocassins éraflés et une cravate à gros nœud. Pour cent dollars, ils vérifiaient les titres de propriété, une des tâches ingrates qui étaient le lot quotidien de légions d'avocats dans les petites villes. L'attention de l'un des deux fut attirée par Ray ; il lui lança un regard soupçonneux.

Dire que je pourrais être comme eux, songea Ray.

La jeune femme se pencha pour prendre un gros registre rempli de listings. Elle commença à le feuilleter, s'arrêta et le fit pivoter sur le comptoir pour le présenter à Ray.

— Voilà, fit-elle. Janvier 99, une session de deux semaines. Voici le rôle, où sont portées par ordre chronologique les affaires soumises au tribunal ; il y en a plusieurs pages. Vous verrez que la plupart des affaires ont été reportées à la session de mars.

Ray lisait sans perdre un mot de ce qu'elle disait.

— Vous cherchez une affaire en particulier ?

— Vous souvenez-vous d'une cause soumise au juge Atlee, du comté de Ford ? Je crois qu'il est venu en tant que chancelier suppléant.

Il s'était efforcé de parler d'un ton détaché ; elle le foudroya du regard, comme s'il lui avait demandé de consulter le dossier de son propre divorce.

— Vous êtes journaliste ?

Ray réprima un mouvement de recul.

— Il faut être journaliste ?

Deux des autres employées avaient laissé leur travail en plan et lui lançaient des regards suspicieux.

— Non, répondit la jolie jeune femme avec un sourire contraint, mais c'était une grosse affaire. C'est ici, poursuivit-elle en indiquant une ligne sur le registre. *Gibson contre Miyer-Brack*. Ray hocha lentement la tête, comme s'il avait trouvé exactement ce qu'il cherchait.

— Où se trouve le dossier ? demanda-t-il.

— C'est qu'il est très épais.

Il la suivit dans une pièce remplie d'armoires métalliques contenant des milliers de dossiers. Elle savait précisément où chercher.

— Signez ici, fit-elle en lui tendant un registre. Juste votre nom et la date ; je remplirai le reste.

— Quel genre d'affaire était-ce ? s'enquit Ray en inscrivant son nom.

— Homicide par négligence.

Elle ouvrit un tiroir, fit courir son doigt sur toute la longueur.

— Il y a tout ça. Les conclusions des parties commencent ici, puis vous avez les pièces du dossier et enfin la sténo des débats. Vous pouvez vous installer sur la table, là-bas, mais le dossier ne doit pas quitter cette pièce. Ordre du juge.

— Quel juge ?

— Le juge Atlee.

— Il est mort, vous êtes au courant ?

— Ce n'est pas plus mal, lâcha-t-elle en s'éloignant.

Ray eut l'impression ne plus pouvoir respirer ; il fallut quelques secondes à son cerveau pour se remettre à fonctionner. Le dossier devait avoir un mètre vingt d'épaisseur. Aucune importance : il avait le reste de l'été devant lui.

Clete Gibson était mort en 1997, à l'âge de soixante et un ans. Cause du décès : insuffisance rénale. Cause de cette déficience : un médicament, le Ryax, fabriqué par Miyer-Brack. Telle était la thèse de la partie civile, acceptée par le juge Reuben V. Atlee, siégeant en qualité de chancelier suppléant.

M. Gibson avait pris du Ryax pendant huit ans. C'était un médicament censé faire baisser le taux de cholestérol, prescrit par son médecin traitant et vendu par son pharmacien, tous deux mis en cause par la veuve et les enfants du défunt. Après cinq années de prise régulière de ce médicament, les premières manifestations de troubles rénaux étaient apparues ; Gibson s'était fait traiter par d'autres médecins. À l'époque, le Ryax, depuis peu sur le marché, n'avait pas d'effets indésirables connus. Au moment où les reins de Clete Gibson avaient cessé de fonctionner, peu avant sa mort, il avait fait la connaissance d'un avocat, Me Patton French.

Patton French était associé chez French & French, un cabinet juridique de Biloxi. Six autres avocats avaient leur plaque sur la façade. Outre le fabricant, le médecin traitant et le pharmacien, les plaignants poursuivaient au civil un visiteur médical et la société de La Nouvelle-Orléans qui l'employait. Chaque défendeur s'était fait représenter par un gros cabinet juridique et même par des avocats new-yorkais de haut vol. Le procès avait donné lieu à des débats compliqués, parfois acharnés. Patton French et son petit cabinet de Biloxi avaient lutté pied à pied contre les géants de la partie adverse.

Miyer-Brack était une puissante société pharmaceutique suisse qui, d'après la déposition de son porte-parole aux États-Unis, avait des intérêts dans une soixantaine de pays. En 1998, ses bénéfices s'étaient élevés à 635 millions de dollars pour un chiffre d'affaires de 9,1 milliards. La lecture de cette déposition avait pris une heure.

Patton French avait décidé de porter l'affaire devant la chancellerie. Devant cette juridiction, il n'y avait pas de jury, sauf dans les affaires de contestation de testament ; Ray avait suivi plusieurs de ces procès quand il assistait le Juge.

La cause relevait de la compétence de la chancellerie pour deux raisons. D'une part, il s'agissait d'une succession ; d'autre part, le défunt avait un enfant mineur.

Gibson ayant trois autres enfants majeurs, les plaignants avaient le choix entre une procédure au civil et la chancellerie, une des nombreuses bizarreries de la législation du Mississippi. Ray avait un jour demandé à son père de lui expliquer cette énigme. « Nous avons le meilleur système judiciaire de tout le pays », avait simplement répondu le Juge. Tous les chanceliers d'un certain âge en étaient convaincus.

Laisser aux avocats le choix de l'instance n'était pas propre au Mississippi, mais quand une humble veuve intentait devant la chancellerie du comté d'Hancok une procédure contre une multinationale suisse commercialisant un médicament produit en Uruguay, une sonnette d'alarme retentissait. Il existait des tribunaux fédéraux pour régler des litiges d'une telle portée. L'armée d'avocats de Miyer-Brack avait fait des pieds et des mains pour porter l'affaire devant une autre juridiction. Reuben Atlee et le juge fédéral avaient rejeté leur demande, invoquant la présence, parmi les défendeurs, d'habitants du comté.

L'affaire était confiée au juge Atlee, le procès pouvait avoir lieu ; quand il s'ouvrit, les avocats de la défense l'avait mis à bout de patience. Ray ne put s'empêcher de sourire en lisant certaines de ses décisions. Laconiques, d'une implacable pertinence, elles visaient à affoler la nuée d'avocats s'agitant autour des défendeurs.

Au fil des débats, il était devenu évident que le Ryax était un mauvais produit. Patton French avait déniché deux experts qui l'avaient démoli ; leurs collègues appelés à témoigner pour la partie adverse n'étaient que les porte-parole du fabricant. Le Ryax faisait baisser le taux de cholestérol dans des proportions stupéfiantes.

Peu après l'autorisation de mise sur le marché, vendu à bas prix, il était devenu extrêmement populaire ; Patton French imputait à ce médicament la responsabilité de dizaines de milliers de reins détruits.

Le procès avait duré huit jours. Malgré les objections répétées de la défense, l'audience commençait tous les matins à 8 h 15 précises et se poursuivait le plus souvent jusqu'à 20 heures, en dépit de nouvelles protestations dont le juge Atlee ne tenait aucun compte. Ray ne s'en étonna pas. Son père était un grand travailleur ; sans jury à dorloter, il se montrait impitoyable.

Il avait rendu sa décision quarante-huit heures après l'audition du dernier témoin. Il était à l'évidence resté à Bay St. Louis et avait dicté une ordonnance de quatre pages au greffier d'audience. Il n'y avait, là encore, pas de quoi s'étonner : le Juge détestait faire traîner les choses.

De plus, il avait eu la possibilité de s'aider de ses notes. Les témoins s'étaient succédé sans interruption pendant huit jours ; il avait dû remplir une trentaine de carnets. Son ordonnance contenait assez de détails pour faire impression sur les experts.

Il accordait un million cent mille dollars de compensation à la famille de Clete Gibson, la valeur de la vie du défunt, d'après un économiste. Pour châtier Miyer-Brack d'avoir lancé sur le marché un médicament si nocif, le Juge condamnait la société pharmaceutique à dix millions de dollars de dommages-intérêts punitifs. Il faisait dans ses commentaires une critique acerbe de l'imprudence et de la cupidité des multinationales ; à l'évidence, le juge Atlee avait été profondément choqué par les pratiques de Miyer-Brack.

Ray n'avait pourtant jamais vu son père infliger des dommages-intérêts punitifs.

L'inévitable rafale de requêtes avait été rejetée en bloc par le Juge en quelques lignes cinglantes. Miyer-Brack demandait l'annulation des dommages-intérêts punitifs ; Patton French voulait les augmenter. Les deux parties en avaient pris pour leur grade.

Curieusement, il n'y avait pas eu de pourvoi en appel. Ray parcourut tout le dossier sans rien découvrir ; peut-être un arrangement avait-il été trouvé après coup. Il poserait la question à l'employée du greffe.

Le montant des honoraires avait provoqué de vives dissensions. Patton French avait en sa possession un contrat signé par la famille Gibson, qui lui accordait cinquante pour cent des dédommagements obtenus. Le Juge, comme de juste, trouvait cela excessif. Devant cette juridiction, le montant des honoraires était du seul ressort du juge ; il n'était jamais allé au-delà de trente-trois pour cent. Le calcul était facile à faire. Patton French s'était battu bec et ongles pour recevoir une rétribution qu'il jugeait bien méritée ; le Juge était resté inébranlable.

L'affaire Gibson avait montré le juge Atlee dans la plénitude de ses moyens. Ray se sentait à la fois fier et ému. Difficile de croire que ce procès ne remontait qu'à dix-huit mois, alors que le Juge avait déjà du diabète, une maladie de cœur et probablement un cancer, même si ce dernier ne devait être découvert que six mois plus tard.

Il ne pouvait s'empêcher d'éprouver de l'admiration pour le vieux guerrier.

À l'exception d'une seule, qui mangeait une tranche de pastèque à son bureau en surfant sur Internet, les employées du greffe étaient parties déjeuner. Ray sortit et se mit en quête d'une bibliothèque.

29.

D'un fast-food de Biloxi, Ray consulta sa messagerie vocale à Charlottesville : il y avait trois messages. Kaley disait qu'elle aimerait dîner avec lui ; il effaça le message, la chassant définitivement de sa vie. Fog Newton l'informait que le Bonanza serait libre toute la semaine et l'invitait à prendre une leçon. Martin Gage, le fonctionnaire du fisc, s'étonnait de ne pas avoir reçu le fax de la lettre. Tu n'es pas près de le recevoir, songea Ray.

Il mangea une salade préemballée sur une table de plastique orange ; la plage s'étendait de l'autre côté de la route. Il ne savait plus à quand remontait son dernier repas solitaire dans un fast-food. Il avait choisi cet endroit pour avoir sa voiture sous les yeux, mais la clientèle était constituée en majeure partie de jeunes mères et d'enfants, des groupes sociaux qui n'étaient pas réputés dangereux. Il renonça à terminer sa salade et appela Fog.

La bibliothèque municipale de Biloxi se trouvait dans Lameuse Street. Il s'aida d'un plan acheté dans une papeterie, trouva une place de stationnement près de l'entrée principale. Comme il en avait pris l'habitude, il observa la voiture et tout ce qui l'entourait avant d'entrer dans le bâtiment.

Les ordinateurs se trouvaient au premier étage, dans

une salle vitrée qui, à sa grande déception, n'avaient pas d'ouverture sur l'extérieur. Le quotidien le plus vendu sur cette partie de la Côte était le *Sun Herald* ; il était possible de consulter ses archives jusqu'en 1994. Ray chercha à la date du 24 janvier 1999, le lendemain du jour où le juge Atlee avait rendu son ordonnance ; comme il s'y attendait, un article en première page des nouvelles locales traitait du verdict de Bay St. Louis et de la réparation de onze millions cent mille dollars accordée aux plaignants. Ray constata sans étonnement que Me Patton French répondait volontiers aux journalistes alors que le juge Atlee n'avait rien à déclarer. Les avocats de la défense se prétendaient scandalisés et se promettaient de faire appel.

Il y avait une photographie de Patton French, un homme d'une bonne cinquantaine, au visage rond, aux cheveux ondulés et grisonnants. En poursuivant la lecture de l'article, Ray comprit que l'avocat avait téléphoné au journal pour annoncer la nouvelle et s'était fait un plaisir de la commenter... Le procès avait été « exténuant », « l'imprudence et la soif du gain » caractérisaient les pratiques de la société pharmaceutique, le juge avait pris une décision « courageuse et honnête ». Un pourvoi en appel ne ferait que « retarder l'action de la justice ».

Il se vantait d'avoir gagné bien des procès, mais n'avait jamais obtenu de si gros dommages-intérêts. Interrogé sur la récente multiplication de dédommagements d'un montant élevé, il s'efforçait de minimiser l'importance de la somme allouée aux plaignants. « Il y a deux ans, dans le comté d'Hinds, un jury a fixé à cinq cents millions de dollars le montant des indemnités. Dans d'autres villes du Mississippi, des jurys avisés ont infligé respectivement dix et vingt millions de dommages-intérêts punitifs à des sociétés trop cupides. Quel que soit le point de vue d'où l'on se place, cette décision est juridiquement défendable. »

Sa spécialité, ajoutait-il à la fin de l'article, était la responsabilité des sociétés pharmaceutiques. Rien que pour le Ryax, il avait déjà quatre cents clients et leur nombre grossissait de jour en jour.

Toujours dans le *Sun Herald*, Ray fit une recherche au mot Ryax. Le 29 janvier, cinq jours après l'article, était publiée une pleine page de publicité où s'étalait en gros caractères une question alarmante : Avez-vous pris du Ryax ? Elle était accompagnée de deux paragraphes de mise en garde sur les dangers du médicament et d'un troisième détaillant les récentes victoires judiciaires de Patton French, avocat spécialisé dans les actions contre le Ryax et autres médicaments douteux. Des séances de dépistage étaient organisées pendant dix jours dans un hôtel de Gulfport, sous la surveillance d'une équipe médicale qualifiée. Un dépistage gratuit pour ceux qui s'y soumettaient, sans aucun engagement de leur part. Il était indiqué au bas de la page, en caractères bien visibles, que cette annonce était payée par le cabinet juridique French & French. Suivaient les adresses et les numéros de téléphone de ses bureaux à Gulfport, Biloxi et Pascagoula.

Ray trouva à la date du 1er mars 1999 une annonce presque identique, ne différant que par l'heure et le lieu du dépistage. Une autre était passée le lendemain dans l'édition dominicale du quotidien.

En s'éloignant de la Côte, Ray trouva la même annonce dans le *Clarion-Ledger* de Jackson, le *Times-Picayune* de La Nouvelle-Orléans, le *Hattiesburg American*, le *Mobile Register*, le *Commercial Appeal* de Memphis et *The Advocate* de Baton Rouge. Patton French avait lancé une attaque frontale massive contre Ryax et Miyer-Brack.

Ray en avait assez vu. Convaincu que ces annonces pouvaient se multiplier aux quatre coins du pays, il passa à autre chose.

À tout hasard, il fit une recherche sur Internet et

tomba sur le site du cabinet French & French, un instrument de propagande parfaitement conçu.

Le cabinet, en pleine expansion, comptait maintenant quatorze avocats et avait des bureaux dans six villes. La flatteuse biographie de Patton French — une page entière — en aurait fait rougir plus d'un. Son père, l'associé principal, semblait avoir quatre-vingts ans bien sonnés.

L'activité principale du cabinet était la défense des victimes de mauvais médicaments ou de mauvais médecins. Il avait négocié avec brio l'arrangement le plus profitable conclu à ce jour pour le Ryax : neuf cents millions de dollars pour sept mille deux cents clients. Il s'attaquait désormais à Shyne Medical, le fabricant du Minitrin, un hypotenseur abondamment prescrit malgré son prix scandaleux et retiré du marché à cause de ses effets secondaires. Le cabinet French & French défendait plus de deux mille clients et leur nombre allait croissant.

Au terme d'une action judiciaire intentée contre Clark Pharmaceuticals, Patton French s'était vu accorder huit millions de dollars d'indemnités par un jury de La Nouvelle-Orléans. Le médicament visé était le Kobril, un antidépresseur soupçonné de provoquer une surdité partielle. Un premier groupe de victimes, au nombre de quatorze cents, avait été indemnisé pour un montant total de cinquante-deux millions de dollars.

Il était à peine fait mention des autres associés du cabinet ; l'impression donnée était celle d'un one-man show laissant à l'arrière-plan une équipe de figurants se colleter avec les milliers de clients racolés un peu partout. Une page présentait les prochaines interventions en public de Patton French, la suivante le calendrier détaillé des procès à venir, deux autres le programme de dépistage pour huit médicaments au nombre desquels figurait le Skinny Ben, l'amaigrissant dont Forrest avait parlé à Ray.

Pour mieux servir ses clients, le cabinet French avait fait l'acquisition d'un Gulfstream IV. Il y avait une grande photographie en couleurs de l'appareil sur le tarmac d'un terrain d'aviation. Il allait sans dire que Patton French, très élégant dans un complet sombre, posait devant le nez de l'avion, les lèvres ouvertes sur un sourire de carnassier, prêt à bondir dans l'appareil pour aller guerroyer contre les abus. Ray savait que cet avion coûtait dans les trente millions de dollars, sans compter les deux pilotes à temps plein et des frais d'entretien à faire hurler un expert-comptable.

Patton French était un monstre d'égocentrisme.

Ce fut la goutte d'eau qui fit déborder le vase ; Ray sortit de la bibliothèque. Adossé à sa voiture, il composa le numéro du cabinet French & French. Il lui fallut suivre les indications du menu enregistré : client, avocat, juge, autre, renseignements sur le dépistage, donnez les quatre premières lettres du patronyme de votre avocat. Il fut mis successivement en communication avec trois secrétaires zélées avant de joindre enfin celle qui s'occupait des rendez-vous de l'avocat.

— J'aimerais beaucoup rencontrer Me French, commença Ray, à bout de forces.

— Il est absent, répondit la secrétaire d'une voix courtoise.

Bien sûr. Le contraire eût été étonnant.

— Écoutez, poursuivit Ray avec rudesse. Je ne répéterai pas ce que j'ai à dire. Je m'appelle Ray Atlee ; mon père était le juge Reuben Atlee. Je suis à Biloxi et je voudrais voir Patton French.

Il laissa le numéro de son portable et monta dans sa voiture. Il se rendit à l'Acropolis, un casino ringard, à l'architecture de mauvais goût vaguement inspirée de la Grèce ancienne. Personne ne s'en souciait : le parking était presque plein et deux agents de sécurité se trouvaient à l'entrée. Peut-être surveillaient-ils les véhicules ; rien n'était moins sûr. Ray trouva un bar d'où il voyait les tables de jeu. Il buvait un soda quand son téléphone sonna.

— Monsieur Ray Atlee ?

— Oui, fit-il, pressant l'appareil contre sa joue.

— Patton French à l'appareil. Je suis si heureux que vous ayez appelé. Je regrette de vous avoir manqué.

— Vous devez être très occupé.

— En effet. Vous êtes sur la Côte ?

— Je viens d'arriver à l'Acropolis. Ravissant.

— Je suis sur le chemin du retour. J'avais une réunion avec des confrères d'un gros cabinet de Floride.

Et voilà, songea Ray, c'est parti.

— Toutes mes condoléances pour votre père, poursuivit French.

Des grésillements. Il devait être dans son avion privé, à quarante mille pieds.

— Merci.

— J'ai assisté à son enterrement. Je vous ai vu, mais je n'ai pas eu l'occasion de vous parler. Le Juge était un homme charmant.

— Merci, répéta Ray.

— Comment va Forrest ?

— Vous connaissez Forrest ?

— Je sais beaucoup de choses, Ray. La préparation de mes procès est méticuleuse. Nous réunissons des tonnes de renseignements : c'est le secret de la réussite. Il ne prend rien en ce moment, j'espère ?

— À ma connaissance, non, répondit Ray, agacé qu'un sujet si personnel soit abordé avec tant de désinvolture.

Ayant consulté le site Internet de l'avocat, il savait pourtant que la délicatesse n'était pas son fort.

— Bon, poursuivit French, j'arrive demain dans la journée. Je suis à bord de mon yacht ; l'allure n'est pas celle d'un avion. Pouvons-nous déjeuner ou dîner ?

Je n'ai pas vu de yacht sur votre page Web, maître French ; une distraction, sans doute. Ray aurait préféré lui consacrer une heure en prenant un café, plutôt que d'en passer deux à déjeuner, plus encore si c'était un dîner. Mais il était l'invité.

— Si vous pouviez ne pas prendre d'autre engagement pour demain... Le vent est en train de se lever et je ne sais pas exactement quand j'arriverai. Voulez-vous que ma secrétaire vous appelle ?

— Entendu.

— Nous parlerons du procès Gibson, j'imagine ?

— Oui, à moins qu'il n'y ait autre chose.

— Non. Tout a commencé avec cette affaire.

De retour à son motel, Ray suivit d'un œil une rencontre de base-ball après avoir coupé le son du téléviseur, puis il essaya de lire en attendant que le soleil se couche. Il avait besoin de sommeil, mais pas question de se mettre au lit avant la tombée de la nuit. Il appela Forrest, réussit à le joindre à la deuxième tentative ; ils parlaient des joies de la désintox quand le grelottement du portable se fit entendre. Ray promit à son frère de le rappeler et raccrocha.

Quelqu'un avait de nouveau pénétré dans son appartement par effraction : la société de surveillance l'informait par un message enregistré qu'un cambriolage était en cours. Quand l'enregistrement prit fin, Ray ouvrit la porte pour regarder sa voiture garée à moins de dix mètres. Le portable à la main, il attendit.

La société de surveillance avait également averti Corey Crawford, qui appela un quart d'heure plus tard pour confirmer la nouvelle. Pied-de-biche pour forcer la porte de la rue, pied-de-biche pour celle de l'appartement, une table renversée, des lumières allumées, rien ne manquait. Le même policier s'occupait du constat...

— Il n'y a pas d'objets de valeur, affirma Ray.

— Alors, pourquoi continue-t-on à vous cambrioler ? demanda Crawford.

— Je n'en sais rien.

Crawford appela le propriétaire, qui promit de trouver un menuisier et de faire réparer les portes. Il attendit le départ du policier pour rappeler Ray.

— Ce n'est pas une coïncidence, affirma-t-il.

— Pourquoi dites-vous cela ?

— Les cambrioleurs n'emportent rien. C'est de l'intimidation, rien d'autre. Qu'est-ce que cela cache ?

— Je ne sais pas.

— Je crois que si.

— Je vous jure que non.

— Je pense que vous ne me dites pas tout.

C'est le moins qu'on puisse dire, songea Ray.

— C'est un pur hasard, Corey, ne vous en faites pas. Sans doute des jeunes, avec des cheveux teints en rose et des piercings dans les joues. Des petits toxicos en quête d'un coup facile.

— Je connais le quartier. Ce n'est pas l'œuvre d'une bande de jeunes.

— Sachant qu'il y a une alarme, un professionnel ne serait pas revenu. Il n'y a pas de lien entre les deux effractions.

— Je ne suis pas de cet avis.

Ils en restèrent là : chacun savait à quoi s'en tenir.

Il se tourna et se retourna deux heures dans l'obscurité, incapable de fermer les yeux. Vers 23 heures, il prit sa voiture et se retrouva à l'Acropolis où il joua à la roulette jusqu'à 2 heures du matin en buvant du mauvais vin.

Il prit une chambre donnant sur le parking, pas sur la plage. De la fenêtre du deuxième étage, il surveilla sa voiture jusqu'à ce que le sommeil le prenne.

30.

Il dormit jusqu'à ce que la femme de chambre se lasse d'attendre. La chambre devait impérativement être libérée à midi. Quand, vers 11 heures, on commença à tambouriner contre la porte, il cria qu'il arrivait et se précipita sous la douche.

La voiture avait l'air en parfait état ; pas de traces de crochetage, pas de bosses, pas de rayures à l'arrière. Il ouvrit le coffre, jeta un coup d'œil à l'intérieur pour s'assurer que les trois sacs-poubelle remplis de billets étaient bien là. Tout allait bien. En se mettant au volant, il découvrit une enveloppe glissée sous le balai de l'essuie-glaces, du côté du conducteur. Pétrifié, il regarda fixement le rectangle blanc sur lequel aucune inscription n'était visible, du moins du côté collé au pare-brise.

Quel qu'en fût le contenu, cette enveloppe n'annonçait rien de bon. Ce n'était pas un prospectus pour une pizzeria ou un politicien local. Ni une contravention pour dépassement de la durée de stationnement ; le parking de l'Acropolis était gratuit.

Il y avait quelque chose dans cette enveloppe.

Ray descendit lentement de la voiture et lança un regard circulaire dans l'espoir de repérer un individu au comportement suspect. Il souleva le balai, prit l'enveloppe et l'examina avec l'attention que l'on porte à une pièce à conviction déterminante dans un procès d'assises. Puis il reprit sa place au volant ; il avait l'impression que quelqu'un l'observait.

L'enveloppe contenait une autre photo numérique en couleurs, cette fois du box 37 F de chez Chaney, le garde-meubles de Charlottesville, à quinze cents kilomètres et au moins dix-huit heures de route de l'endroit où il se trouvait. Même appareil photo, même imprimante, sans doute même photographe, qui devait savoir que le box 37 F n'était pas le dernier utilisé par Ray Atlee pour cacher sa fortune en billets de banque.

Abasourdi, il mit le moteur en marche et quitta précipitamment le parking du casino. Il prit la nationale 90 en surveillant les autres véhicules dans son rétroviseur, tourna brusquement à gauche et s'engagea dans une rue qu'il suivit sur près de deux kilomètres en remontant vers le nord, avant de s'arrêter sur le parking d'une laverie automatique. Personne ne le suivait. Il observa un long moment les véhicules qui passaient sans rien remarquer de louche. Il se sentait rassuré par le pistolet posé près de son siège. Encore plus rassuré de savoir que l'argent était là, à quelques centimètres de lui. Il n'avait besoin de rien d'autre.

La secrétaire de Patton French téléphona pour l'informer que des affaires de la plus haute importance rendaient un déjeuner impossible, mais que Me French se faisait un plaisir de l'inviter à dîner. Elle pria Ray d'arriver vers 16 heures au bureau de l'avocat ; la soirée commencerait à ce moment.

Le bureau en question, dont il avait vu une image flatteuse sur le site Internet de l'avocat, était une imposante demeure du XVIIIe siècle, donnant sur le golfe du Mexique et bâtie sur un terrain tout en longueur, ombragé de chênes drapés de mousse espagnole. Les constructions voisines étaient du même style architectural et remontaient à la même époque.

L'arrière avait été récemment aménagé en un parking ceint de hauts murs de brique et surveillé par des caméras. Un gardien habillé comme un agent du Service secret ouvrit pour Ray le portail métallique et le referma après son passage. Il gara sa voiture sur un emplacement réservé ; un autre gardien l'accompagna vers l'arrière du bâtiment. Des carreleurs posaient des dalles, une équipe de jardiniers plantait des arbustes ; d'importants travaux de rénovation arrivaient à leur terme.

— Le gouverneur sera là dans trois jours, murmura le gardien.

— Génial !

Le bureau de Me French se trouvait au premier étage, mais il n'était pas là. Une jeune et accorte brune en robe moulante expliqua qu'il n'avait pas encore quitté son yacht. Elle le conduisit quand même dans le bureau du patron, indiqua un fauteuil près des fenêtres et lui demanda d'attendre. Lambrissée de chêne clair, la pièce contenait assez de canapés en cuir, de fauteuils et d'ottomanes pour meubler un pavillon de chasse. Sur le bureau, de la taille d'une piscine, était exposée une collection de modèles réduits de yachts célèbres.

— Il aime les bateaux, dirait-on, fit Ray en laissant son regard courir dans la pièce où tout était fait pour impressionner le visiteur.

— Oui, monsieur.

À l'aide d'une télécommande, la jeune femme fit coulisser la porte d'un meuble, découvrant un grand écran plat.

— Il est en réunion, expliqua-t-elle, mais il va vous parler dans un moment. Voulez-vous boire quelque chose ?

— Un café noir, s'il vous plaît.

Ray vit une petite caméra dans l'angle supérieur droit de l'écran ; il supposa qu'il allait être mis en communication par satellite avec Patton French. Il sentait l'irritation monter. En temps normal, cette attente l'aurait fait bouillir, mais, à son corps défendant, il était captivé par la mise en scène réalisée à son intention. Il avait un rôle là-dedans. Détends-toi, se dit-il, profites-en. Tu as tout le temps.

La jolie brune revint avec son café, servi comme il se devait dans une tasse en porcelaine portant le monogramme F & F.

— Je peux sortir ?

— Certainement.

Une porte-fenêtre ouvrait sur un long balcon. Ray s'accouda à la balustrade pour boire son café en admirant le paysage. La pelouse s'étendait jusqu'à la route ; au-delà s'étirait la grève baignée par les eaux du golfe du Mexique. Pas de casino en vue et peu de constructions. Juste au-dessous de lui, des peintres échangeaient des plaisanteries en déplaçant leurs échelles. Tout avait l'air neuf, tout sentait le neuf ; Patton French avait tiré le gros lot depuis peu.

— Monsieur Atlee ! cria la jolie brune.

Ray revint dans le bureau ; il découvrit sur l'écran le visage de Patton French, légèrement décoiffé, les yeux plissés, des lunettes sur le bout du nez.

— Vous voilà ! lança-t-il d'une voix forte. Désolé de vous avoir fait attendre. Asseyez-vous donc, Ray, que je puisse vous voir.

La brune indiqua un siège ; Ray s'assit docilement.

— Tout va bien ? reprit French.

— Oui. Et vous ?

— Très bien. Désolé pour le changement de programme, mais j'ai eu une audioconférence qui a duré tout l'après-midi et je n'ai pas pu me libérer. J'ai pensé qu'il serait plus agréable et plus tranquille de dîner sur le bateau, qu'en dites-vous ? Il n'y a pas un cuisinier en ville qui arrive à la cheville de mon chef vietnamien. Le bateau n'est qu'à une demi-heure du rivage. Nous prendrons l'apéritif en tête à tête, puis nous ferons un bon dîner et nous parlerons de votre père. Ce sera agréable, je vous le promets.

— Ma voiture sera en sécurité chez vous ? glissa Ray dès que French s'arrêta pour reprendre son souffle.

— Évidemment. La propriété est fermée par des murs. Si vous y tenez, je demanderai aux gardiens de passer la soirée sur le capot.

— Parfait. Je vous rejoins à la nage ?

— Non, j'ai des annexes. Dickie vous amènera.

Dickie était le jeune costaud qui avait accompagné Ray jusqu'à la maison. Ils firent le chemin inverse jusqu'au parking où attendait une longue Mercedes gris métallisé. Dickie conduisit la voiture comme un char d'assaut jusqu'à la marina de Point Cadet où mouillait une flottille d'embarcations de toutes les tailles. Une des plus grosses appartenait évidemment à Patton French ; elle s'appelait *Lady of Justice*.

— La mer est calme, nous en avons pour vingt-cinq minutes, annonça Dickie en montant à bord.

Les moteurs tournaient au ralenti. Un steward à l'accent du Sud demanda à Ray s'il désirait boire quelque chose ; il commanda une boisson light.

Le bateau s'éloigna du quai à petite vitesse, se glissa entre les rangées d'embarcations au mouillage et sortit de la marina. Ray monta sur le pont supérieur pour regarder la côte s'éloigner.

Le *King of Torts* était un luxueux yacht de croisière de cent quarante pieds, avec cinq membres d'équipage et assez d'espace pour accueillir confortablement une douzaine d'amis. Il était ancré à dix milles nautiques de Biloxi ; Patton French attendait son invité sur le pont.

— Bienvenue à bord, Ray, déclara-t-il en lui secouant la main avant de tapoter son épaule. Ravi de vous rencontrer.

— Pareillement.

Ray ne bougea pas ; il avait compris que French aimait les contacts physiques. L'avocat mesurait quelques centimètres de plus que lui. Il avait le visage joliment hâlé et des yeux d'un bleu vif qu'il plissait sans ciller.

— Je suis si heureux que vous ayez pu venir, reprit-il en broyant la main de Ray, comme s'il retrouvait un vieil ami d'enfance. Restez là, Dickie ! ordonna-t-il en tournant la tête vers l'annexe. Et vous, Ray, suivez-moi.

Ils montèrent quelques marches pour atteindre le pont principal où un steward en veste blanche attendait, une serviette brodée au chiffre F & F sur le bras.

— Que voulez-vous boire, monsieur ?

— Quelle est la spécialité de la maison ? demanda Ray.

Son hôte ne devait pas se contenter du tout-venant en matière d'alcools.

— Vodka frappée, avec un zeste de citron vert, répondit French.

— C'est tentant.

— Une vodka en provenance directe de Norvège, une merveille, expliqua l'avocat du ton de celui qui s'y connaît.

French portait une chemise en lin noir, boutonnée jusqu'au cou, et un bermuda en lin beige, au pli impeccable. Il avait un peu de brioche, mais sa carrure était imposante et ses avant-bras faisaient le double de ceux d'un homme normal. Il devait aimer ses cheveux : il n'arrêtait pas d'y passer la main.

— Et le bateau, qu'en pensez-vous ? poursuivit l'avocat avec un grand geste du bras, de la proue à la poupe. Il a été construit il y a deux ans pour un prince saoudien, un membre éloigné de la famille royale. Vous n'allez pas le croire, mais ce cinglé a fait installer une cheminée. Le bateau lui a coûté vingt millions de dollars ; au bout d'un an, il l'a vendu pour en acheter un autre de deux cents pieds.

— Incroyable, souffla Ray en s'efforçant de paraître impressionné.

Il n'avait jusqu'alors jamais eu de contacts avec le

monde du yachting ; après cette expérience, il resterait probablement à l'écart.

— Il vient d'un chantier naval italien, reprit French en tapotant le garde-corps fait d'un bois précieux qui avait dû coûter les yeux de la tête.

— Pourquoi mouillez-vous au large ? demanda Ray.

— J'aime avoir du recul, répondit French en souriant. Prenez place.

Il indiqua deux transats. Quand ils furent confortablement installés, French pointa le menton vers le littoral.

— On distingue à peine la côte de Biloxi et c'est bien assez près. J'abats ici en une journée le travail d'une semaine. Et puis je suis en train de déménager ; il y a un divorce en cours. Le bateau me sert de planque.

— Désolé.

— C'est aujourd'hui le plus gros yacht de Biloxi et les gens le reconnaissent. Ma future ex-femme croit que je l'ai vendu ; si je m'approche trop du rivage, le petit avocat qui est à sa botte serait fichu de venir à la nage le photographier. Je ne veux pas m'approcher à moins de dix milles.

Les vodkas frappées arrivèrent, servies dans des verres hauts et étroits. Ray prit une petite gorgée ; il sentit le liquide descendre comme une boule de feu jusqu'à son estomac. French but une grande goulée et fit claquer sa langue avec satisfaction.

— Qu'en pensez-vous ? demanda-t-il fièrement.

— C'est de la bonne, répondit Ray qui ne se souvenait plus quand il avait bu une vodka pour la dernière fois.

— Dickie a apporté de l'espadon tout frais. Vous aimez ça ?

— J'adore.

— Et les huîtres sont parfaites en ce moment.

— J'ai fait mon droit à Tulane. J'ai mangé des huîtres pendant trois ans.

— Je sais.

French prit une petite radio dans la poche de sa chemise et communiqua à quelqu'un dans l'entrepont le menu qu'il avait composé. Il regarda sa montre, décréta qu'ils mangeraient dans deux heures.

— Vous avez fait vos études avec Hassel Mangrum, reprit-il en se tournant vers Ray.

— Oui. Il a terminé un an avant moi.

— Hassel s'est bien débrouillé. Il s'est mis de bonne heure sur le coup des procès de l'amiante.

— Je n'ai pas eu de ses nouvelles depuis vingt ans.

— Vous n'avez pas perdu grand-chose. C'est un pauvre crétin maintenant ; je suppose qu'il l'était déjà en fac.

— Oui. Comment savez-vous que j'ai étudié à Tulane avec lui ?

— J'ai pris des renseignements, Ray, un maximum de renseignements.

L'avocat descendit une nouvelle lampée de vodka ; Ray eut l'impression que sa troisième gorgée lui montait directement au cerveau.

— Nous avons dépensé une fortune pour enquêter sur le juge Atlee, reprit French. Sur sa famille, sa carrière, ses jugements, l'état de ses finances, tout ce que nous pouvions trouver. Rien d'illégal, rien d'indiscret, un travail de détective à l'ancienne. Nous étions au courant de votre divorce. Comment s'appelle-t-il déjà ? Lew le Liquidateur ?

Ray se contenta d'un petit hochement de tête. Il avait envie de lancer une remarque désobligeante au sujet de Lew Rodowski et de faire à French le reproche d'avoir fouillé dans sa vie, mais ses réactions étaient paralysées par la vodka. Il ne put que hocher la tête.

— Nous connaissons le montant de votre salaire. D'ailleurs, en Virginie, tout le monde a accès à ces renseignements.

— Exact.

— Vous gagnez bien votre vie, Ray. Il faut dire que c'est une bonne fac de droit.

— Excellente.

— En fouillant dans le passé de votre frère, nous avons vécu une véritable aventure.

— Je n'en doute pas. Toute la famille est passée par là.

— Nous avons eu connaissance de toutes les ordonnances de votre père en matière d'homicide par négligence. Il n'y en avait pas beaucoup, mais cela nous a permis de réunir des éléments. Il accordait des dommages-intérêts d'un montant raisonnable et il favorisait les ouvriers, les petites gens. Nous savions qu'il prononcerait un jugement conforme à la loi et nous savions aussi qu'un vieux magistrat comme votre père est enclin à interpréter cette même loi pour la faire correspondre à sa notion de l'équité. Des assistants étaient chargés de déblayer le travail, mais j'ai lu avec attention toutes ses décisions importantes. C'était un homme d'une rare intelligence, Ray, et qui avait le sens de la justice. Jamais je ne me suis trouvé en désaccord avec lui.

— C'est vous qui avez choisi mon père pour l'affaire Gibson ?

— Oui. Quand nous avons décidé de porter le litige devant cette instance et de nous passer d'un jury, nous avons aussi choisi de ne pas le soumettre à un magistrat local. Nous avons trois chanceliers ici. Le premier est apparenté à la famille Gibson ; le deuxième refuse de juger autre chose que des affaires de divorce ; le troisième est sénile : il a quatre-vingt-quatre ans et n'est pas sorti de chez lui depuis trois ans. En cherchant dans tout l'État, nous avons trouvé trois suppléants potentiels. Par bonheur, mon père et le vôtre se connaissaient depuis soixante ans : études supérieures à Sewanee, fac de droit à Ole Miss. Sans être intimes, ils étaient restés en contact.

— Votre père est encore en activité ?

— Non, il a pris sa retraite ; il vit en Floride et joue au golf tous les jours. Le cabinet m'appartient maintenant.

Mon père s'est donc rendu à Clanton pour voir le juge Atlee. Ils ont longuement discuté, évoqué la guerre de Sécession et le général Nathan Bedford Forrest. Ils sont même partis à Shiloh où ils ont passé deux jours ; ils ont fait le tour du champ de bataille. Votre père avait les larmes aux yeux quand il s'est trouvé à l'endroit où le général Johnston est tombé.

— J'y suis allé une dizaine de fois, glissa Ray avec un sourire.

— On ne fait pas pression sur un homme comme le juge Atlee, poursuivit French.

— Un jour, il a envoyé un avocat en prison pour cela, confirma Ray. Il était venu avant l'audience pour plaider sa cause en privé : le Juge l'a expédié douze heures derrière les barreaux.

— Vous parlez de Chadwick et cela s'est passé dans le comté d'Oxford, déclara French d'un ton suffisant. Ray en resta comme deux ronds de flan.

— Quoi qu'il en soit, reprit French, il nous fallait convaincre le juge Atlee de l'importance de l'affaire Ryax. Nous savions qu'il n'accepterait de venir sur la Côte et de siéger dans ce procès que s'il croyait à cette cause.

— Il ne supportait pas la Côte.

— Nous en étions conscients et c'était pour nous une difficulté majeure. Mais votre père était un homme à principes. Après avoir refait la bataille de Shiloh pendant deux jours, il a accepté de venir, sans enthousiasme.

— N'appartient-il pas à la Cour suprême du Mississippi de désigner le chancelier suppléant ?

La quatrième gorgée de vodka coula dans sa gorge sans le brûler ; cette fois, l'alcool avait bon goût.

French écarta l'objection d'un petit haussement d'épaules.

— Bien sûr, mais il y a toujours moyen de s'arranger. Nous avons des amis.

Dans le monde de Patton French, tout s'achetait.

Le steward revint avec une nouvelle tournée de vodka. Ray n'en avait pas besoin, mais il accepta quand même un verre.

French était hyperactif, incapable de demeurer longtemps en repos.

— Je vais vous montrer le bateau, déclara-t-il en sautant sans effort de son transat.

Ray quitta son siège plus prudemment, en veillant à ne pas renverser son verre.

31.

Le dîner était servi dans la cabine du capitaine, une pièce lambrissée d'une boiserie d'acajou, décorée de maquettes de clippers et de canonnières, de cartes du Nouveau Monde et de l'Extrême-Orient, et même d'une collection de mousquets destinée à donner l'impression que le *King of Torts* naviguait depuis des siècles. Elle se trouvait sur le pont principal, derrière la passerelle, au bout d'une coursive donnant dans la cuisine où le chef vietnamien était à ses fourneaux. Le salon de réception où les invités prenaient le plus souvent leur repas était disposé autour d'une table ovale en marbre, à laquelle une douzaine de personnes pouvaient prendre place et qui devait peser au moins une tonne. Ray en vint à se demander comment le yacht pouvait rester à flot.

Le couvert était dressé pour deux, ce soir-là, à la table du capitaine ; au plafond, un petit lustre se balançait en suivant le mouvement de la houle. Ray et Patton French prirent place l'un en face de l'autre. Le premier vin était un bourgogne blanc qui, après les deux vodkas frappées, parut manquer singulièrement de goût à Ray. Pas à son hôte ; French avait descendu trois vodkas et il commençait à avoir la langue pâteuse. Cela ne l'empêchait pas de discerner dans le vin différents arômes de fruits et même de percevoir un léger goût de fût de chêne ; comme tous les snobs du vin, il se sentit obligé de faire partager son savoir à Ray.

— Au Ryax ! lança l'avocat en levant tardivement son verre pour porter un toast.

Ray trinqua sans rien dire. Il ne parlerait pas beaucoup ce soir-là, il le savait. Il se contenterait d'écouter ; le vin délierait bientôt la langue de son hôte.

— Le Ryax m'a sauvé, Ray, affirma French en faisant tourner avec un regard admiratif le bourgogne dans son verre.

— De quelle manière ?

— De toutes les manières. Le Ryax a sauvé mon âme. J'ai le culte de l'argent et le Ryax a fait ma fortune.

Une petite gorgée, suivie du claquement de langue obligé et d'un roulement d'yeux.

— Je suis passé à côté des procès de l'amiante, il y a vingt ans, expliqua l'avocat. Les chantiers navals de Pescagoula ont longtemps utilisé de l'amiante et des dizaines de milliers d'ouvriers ont été malades. Mais je suis passé à côté : j'étais trop occupé à poursuivre des médecins et des compagnies d'assurances. Je gagnais bien ma vie, mais je n'imaginais pas ce que pouvait rapporter une action collective en responsabilité civile. Vous êtes prêt pour les huîtres ?

— Oui.

French appuya sur un bouton ; le steward apparut avec deux plateaux d'huîtres. Ray mélangea un peu de raifort à la sauce cocktail et se prépara au festin. French continuait de discourir en faisant tourner son verre.

— Puis est arrivé le tabac, poursuivit-il avec une pointe de tristesse dans la voix. Les mêmes avocats, des gars d'ici, se sont mis sur ce coup. J'ai cru, et je n'étais pas le seul, qu'ils étaient tombés sur la tête quand ils ont attaqué les fabricants de tabac dans tous les États ou presque. J'ai eu la possibilité de prendre le train en marche, mais je me suis dégonflé. Ce n'est pas facile d'avouer cela, Ray. J'ai eu peur de mettre des billes là-dedans.

— Que demandaient-ils ? s'enquit Ray en gobant sa première huître accompagnée d'une bouchée de biscuit salé.

— Un million de dollars pour aider à financer l'action en justice. Et j'avais l'argent.

— À combien ont été fixés les dommages-intérêts ?

— Plus de trois cents milliards : le plus gros jackpot financier et judiciaire de tous les temps. Pour simplifier, les fabricants de tabac ont offert un pactole aux avocats qui se sont laissé acheter. Un pactole, et je suis passé à côté.

French avait presque les larmes aux yeux de ne pas avoir pu en croquer ; il se ressaisit rapidement en prenant une goulée de vin.

— Les huîtres sont bonnes, déclara Ray avec un petit hochement de tête.

— Il y a vingt-quatre heures, elles étaient dans l'eau, par cinq mètres de fond.

French remplit les verres avant d'attaquer son plateau.

— Que vous aurait rapporté ce million de dollars ? demanda Ray.

— Deux cents fois la mise.

— Deux cents millions de dollars ?

— J'en ai été malade pendant un an et je ne suis pas le seul. Nous connaissions ceux qui ont placé des capitaux dans cette affaire et nous nous sommes déballonnés.

— C'est alors que le Ryax est arrivé.

— En effet.

— Comment êtes-vous tombé dessus ? poursuivit Ray.

Il savait que cette question appelait une réponse détaillée et qu'il allait pouvoir manger tranquillement.

— Je participais à un séminaire à Saint Louis. Le Missouri est un endroit très agréable mais qui reste à la traîne en matière d'action en responsabilité civile. Sur la

Côte, nous voyons depuis des années les avocats de l'amiante et du tabac mener une vie de nabab. Un soir, je prenais un verre avec un vieux confrère d'une petite ville des monts Ozarks. Son fils, qui enseigne la médecine à l'université Columbia, à New York, s'intéressait de près au Ryax. Ses recherches aboutissaient à des conclusions terrifiantes. Les reins sont littéralement rongés par cette saleté de médicament ; comme il était commercialisé depuis peu, aucune procédure n'avait encore été engagée. J'ai déniché un expert à Chicago ; il a rencontré Clete Gibson par l'intermédiaire d'un médecin de La Nouvelle-Orléans. Nous avons commencé le dépistage et l'affaire a fait boule de neige. Il restait à attendre que la justice nous accorde une forte indemnisation.

— Pourquoi n'avez-vous pas voulu d'un jury ?

— J'aime travailler avec un jury. J'aime choisir les jurés, leur parler, les manipuler et les retourner, les acheter s'il le faut, mais ils sont imprévisibles. Je voulais un verrouillage, une garantie. Et je voulais un procès rapide. Les rumeurs sur le Ryax se répandaient comme une traînée de poudre ; vous imaginez tous ces confrères qui se pourléchaient en apprenant qu'un nouveau médicament faisait des ravages. Les clients affluaient ; le premier qui obtiendrait une grosse indemnisation serait en position de force. Miyer-Brack est une société suisse…

— J'ai lu le dossier.

— Intégralement ?

— Oui. Hier, au greffe du tribunal du comté d'Hancock.

— Vous savez que les Européens ont une sacré trouille de notre système judiciaire.

— On ne peut les en blâmer.

— Assurément, mais reconnaissez qu'il a du bon. Ce qui devrait leur flanquer la trouille, c'est la possibilité qu'un de leurs fichus produits se révèle nocif pour ceux qui l'utilisent. Mais on ne prend pas cela en compte quand il y a des milliards en jeu. Il faut des gens comme moi pour les obliger à rester honnêtes.

— Ils savaient que le Ryax était nocif ?

French goba une huître, l'avala d'un coup et vida la moitié d'un verre de vin avant de répondre.

— Dès le début. Le médicament était si efficace pour abaisser le taux de cholestérol que Miyer-Brack, avec le soutien de l'administration, l'a lancé à la hâte sur le marché. Encore un médicament miracle aux résultats spectaculaires et sans effets secondaires les premières années ! Et puis, patatras ! Le tissu des néphrons… savez-vous comment fonctionne un rein ?

— Pour simplifier, disons que non.

— Un rein comprend environ un million de néphrons, des unités anatomiques chargées de la filtration. Le Ryax contenait un produit chimique de synthèse qui, en gros, détruisait les néphrons. Tout le monde n'en meurt pas, comme le pauvre Clete Gibson ; les dommages sont variables selon les individus mais permanents. Le rein est un organe admirable, souvent capable de se guérir lui-même, mais qui ne peut résister à cinq ans d'agression par le Ryax.

— Quand a-t-on compris chez Miyer-Brack qu'il y avait un problème ?

— Difficile à dire, mais nous avons présenté au juge Atlee des documents internes adressés à la direction par les responsables du laboratoire, dans lesquels ils conseillent la prudence et préconisent d'approfondir les recherches. Au bout de quatre années de commercialisation, malgré des résultats spectaculaires, les scientifiques commençaient à s'inquiéter. Puis des patients sont tombés gravement malades, certains sont morts : il était trop tard. De mon point de vue, il fallait trouver le client et le tribunal idéals, ce que nous avons fait. Il fallait aussi agir vite, empêcher les autres de nous couper l'herbe sous le pied. C'est à ce stade que votre père est entré en scène.

Le steward enleva les plateaux et présenta une salade de crabe. Il servit un autre bourgogne blanc choisi par Me French dans la cave du bord.

— Que s'est-il passé après le procès Gibson ? reprit Ray quand ils furent seuls.

— Je n'aurais pu rêver d'un dénouement plus heureux. Les représentants de Miyer-Brack se sont littéralement effondrés, ces petits merdeux arrogants. Avec tout le fric dont ils disposaient, ils cherchaient à toute force à acheter les avocats des plaignants. Avant le procès, j'avais quatre cents clients et personne ne me connaissait ; après, j'en avais cinq mille et onze millions de dollars de dommages-intérêts. Des centaines d'avocats m'ont téléphoné. J'ai passé un mois à sillonner le pays de long en large, voyageant en LearJet, pour signer des accords de coreprésentation avec des confrères. Un avocat du Kentucky avait une centaine de clients, un autre, à Saint Paul, en avait quatre-vingts et ainsi de suite. Quatre mois après le procès, nous nous sommes rendus à New York pour participer à une réunion au cours de laquelle six mille dossiers ont été réglés en moins de trois heures. Le montant des indemnités s'élevait à sept cents millions de dollars. Un mois plus tard, douze cents dossiers supplémentaires nous rapportaient deux cents millions.

— Quelle était votre part ?

En temps normal, la question eût été indiscrète, mais French ne demandait pas mieux que de parler de ses honoraires.

— Cinquante pour cent pour les avocats, le reste, après règlement des frais, revenant aux clients. C'est le mauvais côté de la chose : il faut en donner la moitié aux clients. Il a aussi fallu que j'en reverse une partie à mes confrères, mais il m'est resté trois cents millions et des poussières. C'est toute la beauté de ces actions collectives, Ray. Faites signer les clients à tour de bras, récoltez le maximum en dommages-intérêts et gardez la moitié de tout ça.

Ils ne mangeaient plus. Il y avait trop d'argent dans l'air.

— Trois cents millions d'honoraires, articula Ray d'une voix incrédule.

French fit tourner une gorgée de vin dans sa bouche.

— C'est beau, non ? L'argent arrive si vite que je n'ai pas le temps de le dépenser.

— On dirait pourtant que vous faites de votre mieux.

— Ce n'est que la partie visible de l'iceberg. Avez-vous entendu parler d'un autre médicament, le Minitrin ?

— J'ai consulté votre site Internet.

— C'est vrai ? Alors, qu'en pensez-vous ?

— Habilement présenté. Deux mille dossiers Minitrin.

— Nous en sommes à trois mille. C'est un médicament contre l'hypertension, qui a de dangereux effets secondaires. Shyne Medical, le fabricant, a proposé cinquante mille dollars par client ; j'ai refusé. J'ai quatorze cents dossiers Kobril, un antidépresseur qui provoque certainement une surdité partielle. Vous avez entendu parler de Skinny Ben ?

— Oui.

— Nous avons trois mille dossiers. Et quinze cents autres…

— J'ai vu la liste. J'imagine que votre site est actualisé.

— Naturellement. Je reçois des appels des quatre coins du pays. Il y a treize autres avocats dans mon cabinet ; il m'en faudrait quarante.

Le steward revint pour débarrasser. Il apporta l'espadon et le vin qui l'accompagnait ; la bouteille précédente était encore à moitié pleine. Après avoir accompli le rituel de la dégustation, French se décida enfin, presque à regret, à incliner légèrement la tête. Pour Ray, le goût du vin semblait très proche de celui des deux précédents.

— Je dois tout au juge Atlee, reprit lentement French.

— Que voulez-vous dire ?

— Il a eu le cran de faire le bon choix, de contraindre Miyer-Brack à plaider dans le comté d'Hancock sans leur laisser la possibilité de s'adresser à un tribunal fédéral. Il avait compris ce qui était en jeu et n'avait pas peur de les châtier. Dans la vie, Ray, l'important est de choisir son moment. Moins de six mois après son jugement, j'avais trois cents millions entre les mains.

— Vous avez tout gardé ?

La fourchette de French était près de sa bouche ; il arrêta son geste, prit la bouchée de poisson, mastiqua un moment.

— Je ne comprends pas votre question.

— Je crois que vous avez bien compris. Avez-vous donné une partie de l'argent au juge Atlee ?

— Oui.

— Combien ?

— Un pour cent.

— Trois millions de dollars ?

— Et des poussières. Ce poisson est délicieux, vous ne trouvez pas ?

— Absolument. Pourquoi avez-vous fait cela ?

French posa son couvert et passa les deux mains dans sa chevelure argentée. Il s'essuya sur sa serviette, fit tourner le vin dans son verre.

— J'imagine qu'il y a un tas de questions. Pourquoi, quand, comment, qui.

— Vous aimez raconter des histoires. J'ai envie d'entendre celle-là.

Une gorgée de vin, un claquement de langue satisfait.

— Ce n'est pas ce que vous croyez, Ray, même si, pour un tel jugement, je n'aurais pas hésité à acheter votre père ou un autre magistrat. Je l'ai déjà fait et je le referai, s'il le faut. Cela entre dans les frais généraux.

Pour être franc, j'étais si intimidé par sa personnalité et sa réputation que je n'ai pas osé lui proposer un arrangement. Il m'aurait fait jeter en prison.

— Il vous y aurait laissé croupir.

— Je sais : mon père m'en a convaincu. Nous avons donc décidé de jouer franc-jeu. Le procès fut un affrontement sans merci, mais la vérité était de mon côté. J'ai gagné, puis j'ai gagné gros et je gagne de plus en plus gros. L'an dernier, à la fin de l'été, quand l'argent a été viré sur notre compte, j'ai voulu faire un cadeau au juge Atlee. Je sais récompenser ceux qui m'aident, Ray. Une voiture par ici, un appartement par là, un gros sac de billets pour un service rendu. C'est un univers sans pitié et je protège mes amis.

— Il n'était pas votre ami.

— Pas au sens où on l'entend généralement, mais dans le monde qui est le mien, je n'ai jamais eu meilleur ami que lui. Tout a commencé grâce au juge Atlee. Avez-vous une idée de ce que je vais gagner dans les cinq années à venir ?

— Étonnez-moi encore.

— Un demi-milliard de dollars. Tout cela grâce à votre père.

— Quand en aurez-vous assez ?

— Je connais un avocat des procès du tabac qui a empoché un milliard. Il faut que je le rattrape.

Ray saisit son verre, examinant le vin comme s'il savait ce qu'il fallait y chercher, puis le vida d'un trait. French prit une bouchée d'espadon.

— Je pense que vous ne mentez pas, déclara Ray.

— Je triche, j'achète, mais je ne mens pas. Il y a six mois, pendant que j'étais occupé à choisir un avion, un bateau, une maison donnant sur la mer, un chalet à la montagne et de nouveaux bureaux, j'ai appris que votre père était atteint d'un cancer et que le pronostic n'était pas bon. J'ai eu envie de faire quelque chose pour lui.

Je savais qu'il ne possédait pas de fortune personnelle et qu'il s'évertuait à distribuer le peu qu'il avait.

— Vous lui avez donc fait parvenir trois millions de dollars en espèces.

— Oui.

— Comme ça ?

— Comme ça. Je lui ai téléphoné pour annoncer qu'il allait recevoir un colis. Il y en avait quatre en réalité, quatre gros cartons. Un de mes employés les a transportés dans une camionnette et les a laissés sous le porche ; le juge Atlee n'était pas chez lui.

— Des billets non marqués ?

— Pourquoi les aurais-je marqués ?

— Comment a-t-il réagi ? demanda Ray.

— Je n'ai jamais eu de nouvelles et je n'en voulais pas.

— Qu'en a-t-il fait ?

— À vous de me le dire. Vous êtes son fils, vous le connaissez mieux que moi. À vous de me dire ce qu'il a fait de cet argent.

Ray recula son siège et s'écarta de la table. Son verre à la main, il croisa les jambes en s'efforçant de se détendre.

— Il a trouvé l'argent à son retour et, quand il a compris d'où il venait, il vous a traité de tous les noms.

— J'espère que non.

— Il a transporté les cartons dans le vestibule où ils ont rejoint des dizaines d'autres. Il avait l'intention de les charger dans sa voiture pour les rapporter à Biloxi. Il a laissé passer un ou deux jours. Il était affaibli par la maladie et avait de la peine à conduire. Il savait que ses jours étaient comptés ; je suis sûr que cela changeait sa façon de voir les choses. Au bout de quelques jours, il a décidé de cacher l'argent, mais il avait toujours l'intention de vous le rapporter et de vous dire sans prendre de gants ce qu'il pensait de vos méthodes. Le temps a passé, la maladie a eu raison de lui.

— Qui a trouvé l'argent ?

— Moi.

— Où est-il ?

— Chez vous, dans le coffre de ma voiture.

French éclata d'un rire sonore.

— Retour à l'envoyeur ! lança-t-il en reprenant son souffle.

— Il s'est bien promené. J'ai découvert l'argent dans le bureau de mon père juste après l'avoir trouvé mort. Quelqu'un a essayé d'entrer par effraction pour le dérober. Je l'ai d'abord emporté en Virginie et je l'ai rapporté ici, mais on me suit.

Le rire de French s'arrêta net.

— Combien y avait-il ? demanda l'avocat en s'essuyant la bouche.

— Trois millions cent dix-huit mille dollars.

— Ça alors ! Il n'a pas dépensé un sou !

— Et il n'en parle pas dans son testament. Il l'avait juste caché dans des cartons, au fond d'un meuble de son bureau.

— Qui a essayé d'entrer par effraction ?

— J'espérais que vous pourriez me le dire.

— J'ai ma petite idée sur la question.

— Je suis tout ouïe.

— Encore une longue histoire, soupira French.

32.

Le steward apporta un assortiment de purs malts sur le pont supérieur où French avait entraîné Ray pour prendre un dernier verre en racontant une dernière histoire. Au loin les lumières de Biloxi scintillaient dans l'obscurité. Ray, qui ne buvait pas de whisky, ne s'y connaissait absolument pas en malts, mais il accepta d'en prendre un. L'ivresse allait gagner French et le flot de révélations n'était pas encore tari.

Ils se décidèrent pour un Lagavulin, en raison de son goût fumé ; un whisky tourbé, dans le vocabulaire de French. Il y avait quatre autres bouteilles, fièrement alignées comme de vieux soldats, chacune dans la tenue distinctive de son terroir. Ray se dit qu'il avait assez bu. Il goûterait le whisky à toutes petites gorgées et, si l'occasion se présentait, jetterait le contenu de son verre par-dessus bord. À son grand soulagement, le steward servit une petite dose dans un verre court et épais, assez lourd, s'il tombait, pour briser un carreau de terre cuite.

Il était à peine 22 heures, mais Ray avait l'impression que la nuit était beaucoup plus avancée. Une brise tiède soufflait du sud et balançait mollement le yacht.

French goûta le malt, fit claquer sa langue.

— Qui est au courant de l'existence de cet argent ?

— Vous, moi et celui qui l'a transporté.

— C'est notre homme.

— Qui est-ce ?

Une autre gorgée de whisky, suivie d'un claquement de langue. Ray porta le verre à ses lèvres et le regretta aussitôt en sentant le feu de l'alcool.

— Gordie Priest. Il a travaillé huit ans pour moi, d'abord comme coursier, puis comme rabatteur et livreur. Sa famille est d'ici et a toujours vécu en marge. Son père et ses oncles avaient différentes occupations : paris clandestins, filles, alcool de contrebande, boîtes louches, rien de très légal. Ils appartenaient à ce qu'on appelait autrefois la mafia de la Côte, une bande de voyous qui crachaient sur le travail et refusaient une vie honnête. Il y a vingt ans, ils contrôlaient un certain nombre d'activités, mais c'est de l'histoire ancienne. La plupart ont fini en prison et le père de Gordie, que je connaissais bien, s'est fait descendre à la sortie d'un bar, près de Mobile. De pauvres gens, au fond. Ma famille les a longtemps fréquentés.

Il laissait entendre que sa famille faisait partie de la bande mais ne pouvait se résoudre à le dire. Les avocats donnaient aux voyous une façade d'honnêteté ; ils souriaient aux caméras et réglaient les affaires dans la coulisse.

— Gordie avait vingt ans quand il est allé en prison pour la première fois : trafic de voitures volées. Je l'ai recruté à sa sortie et il est devenu un des meilleurs rabatteurs de la Côte. Particulièrement sur les plates-formes pétrolières où il connaissait du monde ; dès qu'il y avait un accident du travail ou un décès, le client était pour nous. Je lui offrais un bon pourcentage : il faut bien traiter les rabatteurs. Une année, je lui ai versé près de quatre-vingt mille dollars, en liquide. Il a tout claqué, bien entendu : le casino et les femmes. Il aimait partir à Las Vegas où il ne dessoûlait pas pendant une semaine et claquait son fric comme un gros bonnet. Il se conduisait comme un imbécile mais n'était pas idiot. Ses poches étaient toujours soit pleines, soit vides. Quand il était fauché, il se débrouillait pour gagner de l'argent ; quand il en avait, il s'empressait de le dépenser.

— Je suis sûr que c'est lui, glissa Ray.

— Attendez. Après le procès Gibson, quand nous avons touché le pactole, l'argent a coulé à flots. J'avais des gens à récompenser pour des services rendus. Des confrères qui m'adressaient leurs clients, des médecins qui effectuaient des dépistages par milliers. Tout cela n'était pas illégal, mais des tas de gens préféraient qu'il n'y ait pas de traces. J'ai commis l'erreur de prendre Gordie comme livreur. Je le croyais digne de confiance, je le croyais loyal : je l'ai mal jugé.

Son premier verre terminé, French était prêt à déguster un autre malt. Ray refusa, prétextant qu'il voulait rester sur le Lagavulin.

— C'est donc lui qui a transporté l'argent à Clanton et l'a déposé sous le porche ?

— Exactement. Trois mois plus tard, il m'a volé un million en espèces et il a disparu. Gordie a deux frères ; depuis dix ans, il y en a toujours eu un des trois en prison. Pas en ce moment. En ce moment, ils sont tous les trois en liberté conditionnelle et ils essaient de me soutirer un gros paquet. L'extorsion de fonds est un délit, mais vous comprendrez que je ne peux décemment pas m'adresser au FBI.

— Qu'est-ce qui vous fait croire qu'il cherche à s'approprier les trois millions ?

— Des enregistrements de conversations téléphoniques réalisés il y a quelques mois. J'ai engagé des professionnels de haut vol pour retrouver Gordie.

— Que ferez-vous quand vous l'aurez attrapé ?

— Sa tête est mise à prix, voyez-vous.

— Vous voulez dire qu'il y a un contrat sur lui ?

— Exactement.

Sur ce, Ray se servit un autre verre.

Il dormit à bord du yacht, dans une grande cabine, sous la ligne de flottaison. Quand il déboucha sur le pont principal, le soleil était déjà haut dans le ciel et la chaleur moite. Le capitaine le salua et lui indiqua l'avant du navire où il trouva French s'époumonant au téléphone.

Le steward zélé apparut, portant une cafetière. Le petit déjeuner était servi sur le pont supérieur, là où la soirée s'était terminée, à l'ombre d'un abri de toile.

— J'adore manger en plein air, déclara French en prenant place au côté de Ray. Vous avez dormi dix heures, ajouta-t-il.

— C'est vrai ? s'étonna Ray en regardant sa montre.

Il se trouvait sur un yacht luxueux, dans le golfe du Mexique, sans être sûr ni du jour ni de l'heure, à des milliers de kilomètres de chez lui, et il avait eu la confirmation que des gens dangereux étaient à sa poursuite.

Sur la table étaient disposés différents pains et des céréales.

— Tin Lu peut préparer tout ce que vous désirez, expliqua French. Bacon, œufs, gaufres, gruau de maïs.

— Cela ira très bien, merci.

French était frais et dispos. Il avait déjà attaqué une lourde journée de travail avec l'énergie qui ne peut venir que de la perspective d'encaisser une fortune en honoraires. Il portait une chemise de lin blanc, boutonnée jusqu'au cou comme la noire de la veille, un bermuda et des chaussures de bateau. Il avait l'œil vif, pétillant.

— Je viens d'engranger trois cents dossiers Minitrin supplémentaires, annonça-t-il en se servant généreusement de corn-flakes dans un grand bol portant, comme chaque pièce du service de porcelaine, le chiffre F & F.

Ray en avait assez des exploits judiciaires de French.

— Je vous en félicite, dit-il, mais ce qui m'intéresse, c'est Gordie Priest.

— Nous le retrouverons. J'ai déjà donné quelques coups de téléphone.

— Il ne doit pas être loin, poursuivit Ray en prenant dans sa poche arrière une feuille de papier pliée. C'était la photographie du box 37 F, trouvée la veille sur son pare-brise.

French y jeta un coup d'œil et cessa de manger.

— Elle a été prise en Virginie ?

— C'est le deuxième des trois box que je loue dans un garde-meubles. Ils ont trouvé les deux premiers ; je suis sûr qu'ils connaissent aussi le troisième. Et ils savaient exactement où j'étais hier matin.

— À l'évidence, ils ne savent pas où est caché l'argent. Sinon, ils auraient tout simplement forcé votre coffre pour le dérober pendant votre sommeil. Ou ils vous auraient forcé à vous arrêter quelque part sur la route entre Clanton et la Côte, et ils vous auraient tiré une balle dans la tête.

— Vous ne savez pas comment ils raisonnent.

— Bien sûr que si. Il faut penser comme un voleur, Ray. Il faut penser comme un malfrat.

— Facile pour vous, peut-être, moins pour d'autres.

— Si Gordie et ses frères savaient qu'il y a trois millions dans le coffre de votre voiture, ils prendraient l'argent. C'est aussi simple que ça.

French reposa la photo et revint à ses flocons de maïs.

— Rien n'est simple, objecta Ray.

— Que voulez-vous faire ? Me laisser l'argent ?

— Oui.

— Ne dites pas de bêtises, Ray. Trois millions de dollars en espèces !

— À quoi me serviront-ils si je prends une balle dans la tête ? Mon salaire me suffit.

— L'argent est en sécurité, Ray, n'y touchez pas. Laissez-moi un peu de temps pour mettre la main sur les trois frères et les neutraliser.

Cette idée coupa définitivement l'appétit à Ray ; il resta pétrifié devant son café.

— Mangez donc ! gronda French.

— C'est trop pour moi. De l'argent sale, des voyous qui me cambriolent et me filent le train sur plus de mille kilomètres, des téléphones sur écoute, des tueurs à gages. Qu'est-ce que je fais dans cette histoire ?

French n'avait pas cessé de mastiquer ; il devait avoir l'intestin blindé.

— Si vous gardez votre calme, vous conserverez l'argent.

— Je ne veux pas de cet argent !

— Bien sûr que si.

— Absolument pas.

— Alors, donnez-le à Forrest.

— Ce serait une catastrophe.

— Distribuez-le à des œuvres de bienfaisance. Offrez-le à votre faculté de droit. Consacrez-le à une cause qui vous fasse plaisir.

— Pourquoi ne pas le donner à Gordie pour éviter qu'il m'abatte comme un chien.

La cuillère de French s'immobilisa ; il regarda autour de lui comme si quelqu'un pouvait surprendre leur conversation.

— Nous avons repéré Gordie hier soir, avoua-t-il en baissant la voix. Nous lui collons au train ; dans moins de vingt-quatre heures, nous aurons mis la main sur lui.

— Et il sera neutralisé ?

— Refroidi.

— Refroidi ?

— On n'entendra plus parler de Gordie. Votre argent sera à l'abri : un peu de patience.

— J'aimerais partir maintenant.

French essuya sa lèvre inférieure, puis il prit sa radio miniature et ordonna à Dickie de préparer l'annexe.

Quelques minutes plus tard, Ray montait à bord.

— Vous jetterez un coup d'œil là-dessus, dit French en lui tendant une enveloppe en papier kraft de grand format.

— Qu'est-ce que c'est ?

— Des photos des frères Priest. Pour le cas où vous croiseriez leur route.

Ray n'ouvrit l'enveloppe qu'à Hattiesburg, après une heure et demie de route, quand il s'arrêta pour faire le plein et acheter un sandwich infect, emballé sous film plastique. Il repartit aussitôt, pressé d'arriver à Clanton où Harry Rex connaissait le shérif et tous les policiers de la ville.

La photo, datée de 1991, venait des archives de la police. Gordie Priest y arborait un rictus cruel qui faisait froid dans le dos. La mine de ses frères, ATT et Alvin, était tout aussi patibulaire. Ray n'aurait su dire lequel était l'aîné et il n'y en avait pas deux qui se ressemblaient. Milieu défavorisé, même mère, probablement des pères différents.

Ils pouvaient avoir un million chacun, Ray s'en balançait. Il ne voulait pas avoir affaire à eux.

33.

Quand la route commença à s'élever dans les collines, entre Jackson et Memphis, la Côte semblait déjà à des années-lumière. Ray s'était souvent demandé comment un État de dimensions si modestes pouvait avoir une telle diversité. La région du delta du Mississippi, de part et d'autre du fleuve, avec ses riches producteurs de coton et de riz, et pour certains, une pauvreté qui paraissait impensable aux visiteurs ; la Côte avec ses immigrés et sa nonchalance à la manière de La Nouvelle-Orléans ; les collines où le commerce de l'alcool était encore interdit dans la majorité des comtés et où la plupart des habitants allaient à l'église le dimanche. Quelqu'un venant des collines ne se ferait jamais à la manière de vivre de la Côte et ne serait jamais accepté dans le Delta. Ray se réjouissait de vivre en Virginie.

Patton French n'existe pas, c'est un rêve, ne cessait-il de se répéter. Un personnage de dessin animé venu d'un autre monde. Un guignol plein de suffisance, dévoré d'orgueil. Un menteur, un corrupteur, un escroc sans vergogne.

Puis il tournait la tête vers l'autre siège et la face sinistre de Gordie Priest lui apparaissait. Un regard suffisait à Ray pour avoir la certitude que Gordie et ses frères ne reculeraient devant rien pour s'approprier le magot qu'il continuait de trimbaler dans tout le Sud.

À cent kilomètres de Clanton, quand il fut à portée d'un relais, son téléphone cellulaire sonna. C'était Fog Newton, très agité, semblait-il.

— Où étais-tu passé ?

— Tu ne me croiras jamais.

— J'ai essayé de te joindre toute la matinée.

— Que se passe-t-il, Fog ?

— Nous avons eu de l'animation ici. Hier soir, après la fermeture du terrain, quelqu'un a placé un engin incendiaire sur l'aile gauche du Bonanza. Boum ! Un gardien du terminal principal a aperçu les flammes et envoyé les pompiers en quatrième vitesse.

Ray s'était garé sur le bas-côté de l'autoroute. Il grommela quelque chose d'inintelligible ; Newton poursuivit son récit.

— Les dégâts sont importants. Il ne fait aucun doute qu'il s'agit d'un incendie volontaire. Tu es toujours là ?

— J'écoute, répondit Ray. Parle-moi des dégâts.

— Aile gauche, moteur, une grande partie du fuselage. L'assurance ne voudra certainement rien rembourser. Un spécialiste des incendies criminels est déjà sur place, le type de l'assurance aussi. Si le réservoir avait été plein, l'avion aurait explosé comme une bombe.

— Les copropriétaires sont au courant ?

— Tout le monde a été prévenu. Comme tu peux t'en douter, ils sont en bonne place sur la liste des suspects. Heureusement que tu étais loin d'ici. Quand reviens-tu ?

— Bientôt.

Ray prit la première sortie et se gara sur le parking d'un routier. Il resta un long moment assis dans la voiture, lançant de loin en loin un coup d'œil en direction de Gordie. Les frères Priest ne perdaient pas de temps : Biloxi la veille au matin, Charlottesville dans la soirée. Où étaient-ils maintenant ?

Il descendit de voiture, prit un café au bar, dans la

salle bourdonnant des conversations des camionneurs. Pour penser à autre chose, il appela Alcorn Village afin de prendre des nouvelles de Forrest. Il était dans sa chambre, où il dormait, selon ses propres termes, du sommeil du juste. La durée de son sommeil pendant les cures de désintoxication était pour lui un perpétuel sujet d'étonnement. Il s'était plaint de la nourriture : il y avait une légère amélioration. À moins qu'il n'ait pris goût à la gelée rose. Il demanda combien de temps il pouvait rester, comme un gamin à Disney world. Ray répondit qu'il ne savait pas : l'argent qui avait paru inépuisable était maintenant menacé de disparaître.

— Ne me fais pas sortir, mon grand, implora Forrest. Je veux rester ici jusqu'à la fin de mes jours.

À Maple Run les Atkins avaient achevé sans incident la remise en état de la toiture. Quand Ray arriva, il n'y avait personne. Il appela Harry Rex, l'invita à boire une ou deux bières sous le porche.

Harry Rex n'était pas homme à refuser une invitation de cette nature.

Il y avait devant la maison un espace plat, recouvert d'une herbe grasse ; après mûre réflexion, Ray décida que l'endroit était parfait pour un lavage. Il gara l'Audi face à la rue, le coffre à quelques mètres du porche. Il trouva un vieux seau en fer-blanc dans la cave et un tuyau d'arrosage qui fuyait dans la remise. Torse et pieds nus, il passa deux heures sous un soleil ardent à briquer le roadster. Et une heure de plus à l'astiquer et le lustrer. À 17 heures, il ouvrit une canette de bière fraîche et s'assit sur les marches pour admirer son œuvre.

Il composa le numéro du portable personnel de Patton French, mais l'avocat était évidemment trop occupé pour répondre. Ray voulait certes le remercier pour son hospitalité, mais surtout savoir si la traque des frères Priest avançait. Il n'aurait pas posé directement la question, mais un hâbleur comme French ne pourrait s'empêcher de la ramener s'il y avait du nouveau.

French avait déjà dû l'oublier. Peu lui importait que les frères Priest dessoudent Ray Atlee ou quelqu'un d'autre. Il avait encore un demi-milliard de dollars à empocher grâce à ses combines et il y consacrerait toute son énergie. Qu'on accuse French de distribuer des pots-de-vin et d'employer des tueurs, il engagera cinquante avocats et achètera tout le monde, des greffiers aux jurés, en passant par le juge et le procureur.

Ray appela Corey Crawford ; le privé lui apprit que le propriétaire avait fait réparer les portes. La police avait promis de surveiller son appartement quelques jours, jusqu'à son retour.

Une camionnette s'engagea dans l'allée peu après 18 heures ; un coursier souriant sauta du véhicule et remit à Ray une enveloppe express qu'il garda longtemps à la main avant de l'ouvrir.

Le pli urgent était une enveloppe à en-tête de la faculté de droit de l'université de Virginie, adressée à M. Ray Atlee, Maple Run, 816 4e Rue, Clanton, Mississippi, et portant le cachet de la poste de la veille, le 2 juin. Ça paraissait louche.

Il n'avait donné à personne de la fac l'adresse de Clanton et rien n'était assez urgent pour justifier une distribution en courrier express. Il ne voyait aucune raison pour que le secrétariat de la fac lui envoie un courrier. Il alla chercher une autre bière, revint s'asseoir sur les marches et ouvrit rageusement le pli.

L'enveloppe blanche unie portait simplement « Ray » écrit à la main ; à l'intérieur, une nouvelle photographie en couleurs d'un box du garde-meubles, cette fois le 18 R. Sous la photo, en caractères hétéroclites découpés dans un journal, un message disait : « Vous n'avez pas besoin d'un avion. Cessez de gaspiller l'argent. »

Décidément, ils étaient très bons. Pas facile de retrouver les trois box du garde-meubles et de les photographier. Gonflé mais stupide de mettre le feu au Bonanza. Curieusement, ce qui impressionnait le plus Ray, c'est de savoir qu'ils avaient réussi à se procurer une enveloppe à en-tête au secrétariat de la fac.

Il demeura un long moment abasourdi, puis comprit quelque chose qui aurait dû immédiatement lui venir à l'esprit. Puisqu'ils avaient trouvé le 18 R, ils savaient que l'argent n'était pas là-bas. Ni chez Chaney ni dans l'appartement. Ils l'avaient donc suivi depuis la Virginie jusqu'à Clanton ; s'il s'était arrêté en route pour cacher le magot, ils l'auraient su. Ils avaient dû profiter de son escapade sur la Côte pour fouiller dans tous les coins et les recoins de Maple Run.

Le filet se resserrait d'heure en heure. Toutes les pièces s'assemblaient, tous les points étaient reliés. L'argent était nécessairement avec lui et il n'avait pas d'autre endroit où se réfugier.

Il jouissait d'un salaire confortable et avait un train de vie modeste. Assis sous le porche, torse nu et les pieds dans l'herbe, une bière à la main, dans l'humidité qui tombait au terme d'une longue et chaude journée de juin, Ray se dit qu'il préférait continuer à vivre comme avant. Il laissait la violence à Gordie Priest et à ses semblables, aux tueurs de Patton French ; il n'était pas dans son élément.

Et c'était de l'argent sale.

— Pourquoi t'es-tu garé devant la maison ? bougonna Harry Rex.

— J'ai lavé la voiture et je ne l'ai pas déplacée. Ray s'était douché ; il avait mis un bermuda et un tee-shirt.

— Il y a des gens qui se conduiront toujours comme des péquenauds. Donne-moi une bière.

Harry Rex avait passé la journée à batailler au tribunal : une sale affaire de divorce où les questions cruciales étaient de savoir lequel des deux conjoints avait fumé plus d'herbe que l'autre dix ans auparavant et lequel avait eu plus d'aventures que l'autre. Le droit de garde de quatre enfants était en jeu ; ni le père ni la mère n'était digne de l'obtenir.

— Je suis trop vieux pour ces choses-là, soupira Harry Rex d'une voix lasse.

Après la deuxième bière, il commença à dodeliner de la tête.

Il avait depuis vingt-cinq ans la responsabilité des affaires de divorce dans le comté de Ford. Dans les couples en guerre chacun voulait être le premier à l'engager ; un fermier de Karraway lui versait une provision afin de s'assurer de sa disponibilité quand viendrait le moment d'entamer la procédure de son prochain divorce. Non seulement Harry Rex était d'une grande intelligence, mais il pouvait se montrer vicieux et porter des coups bas : des atouts précieux dans l'affrontement sans merci qu'était un divorce.

Mais il commençait à être usé par le travail. Comme tous les avocats des petites villes, Harry Rex aspirait à finir sur un gros coup, quarante pour cent sur d'importants dommages-intérêts, de quoi assurer sa retraite.

La veille au soir, Ray buvait de grands vins sur un yacht de vingt millions de dollars passé d'un prince saoudien à un avocat du Mississippi qui attaquait des multinationales. Vingt-quatre heures plus tard, il buvait une Bund à la bouteille en compagnie d'un autre avocat du Mississippi qui, lui, avait passé la journée à chicaner sur un droit de garde et une pension alimentaire.

— L'agent immobilier a fait visiter la maison ce matin, reprit Harry Rex. Il m'a appelé à l'heure du déjeuner ; je faisais la sieste.

— Qui est intéressé ?

— Tu te souviens des frères Kapshaw qui habitaient près de Rail Springs ?

— Non.

— De bons petits gars. Ils ont commencé à fabriquer des fauteuils dans une vieille grange, il y a une dizaine d'années, peut-être un peu plus. Ils ont poursuivi leur petit bonhomme de chemin et ont fini par décrocher un gros marché en Caroline. Ils ont empoché un million de dollars chacun. Junkie et sa femme cherchent une maison.

— Junkie Kapshaw ?

— C'est ça. Mais le bougre est radin comme pas deux et ne veut pas mettre quatre cent mille dollars dans cette bicoque.

— Comment lui donner tort ?

— Sa femme est complètement cinglée ; elle se croit faite pour vivre dans une vieille demeure. L'agent immobilier est convaincu qu'ils feront une proposition, mais le chiffre sera bas, probablement autour de cent soixante-quinze mille.

Harry Rex étouffa un bâillement. Ils parlèrent un moment de Forrest, puis le silence se fit. Harry Rex termina sa troisième bière.

— Je ferais mieux d'y aller, déclara-t-il en se levant péniblement.

Il s'étira, se tourna vers Ray.

— Quand repars-tu en Virginie ?

— Demain, peut-être.

— Passe-moi un coup de fil avant ton départ. Harry Rex bâilla à s'en décrocher la mâchoire et descendit pesamment les marches.

Ray suivit les feux arrière de la voiture jusqu'à ce qu'elle tourne dans la rue ; il se retrouva soudain seul. Complètement seul. Il perçut un bruissement dans un bosquet d'arbustes, en bordure de la propriété, un chien errant peut-être. Même s'il n'y avait rien à craindre, cela lui donna le frisson et il rentra précipitamment.

34.

L'assaut fut donné peu avant 2 heures du matin, au cœur de la nuit, à l'heure où le sommeil est le plus profond et les réactions les moins vives. Ray dormait comme une souche dans le vestibule, étendu sur un matelas, le pistolet à portée de la main, les trois sacs-poubelle bourrés de billets au pied de son lit de fortune.

Ce fut d'abord une brique qui fracassa une vitre. Elle fit trembler la vieille maison et projeta une pluie de verre et de débris sur la table de la salle à manger et le parquet ciré. L'assaillant avait bien visé et choisi la bonne heure ; il n'était pas là pour plaisanter et ne devait pas en être à son coup d'essai. Comme un chat de gouttière mal en point Ray se mit sur son séant en plantant les ongles dans le matelas ; il chercha le pistolet en tâtonnant et eut de la chance de ne pas se blesser. Il traversa le vestibule en rampant, trouva un interrupteur et vit la brique contre une plinthe, près du dressoir.

À l'aide d'une couverture, il écarta les débris de verre et ramassa délicatement la brique ; elle était neuve, d'un rouge soutenu, avec des arêtes aiguës. Une feuille maintenue par deux gros élastiques y était attachée. Il retira les rubans de caoutchouc en regardant la vitre brisée. Ses mains tremblaient tellement qu'il était incapable de lire le texte du message ; la gorge serrée, la respiration haletante, il parvint difficilement à déchiffrer l'avertissement écrit à la main.

Le message disait simplement : « Remettez l'argent où vous l'avez trouvé et quittez immédiatement la maison. »

Il vit du sang sur sa main : une petite coupure faite par un éclat de verre. C'était la main avec laquelle il tenait le pistolet ; horrifié, il se demanda comment il allait pouvoir se protéger. Il s'accroupit dans l'ombre d'un angle de la pièce, s'exhorta à respirer, à réfléchir.

La sonnerie du téléphone retentit. Il sursauta, couvert d'une sueur d'effroi. À la deuxième sonnerie, il se précipita dans la cuisine où, à la lueur d'une petite ampoule éclairant la cuisinière, il décrocha le combiné d'une main tremblante.

— Allô ! articula-t-il d'une voix rauque.

— Remettez l'argent où il était et quittez la maison.

C'était une voix calme mais déterminée, qu'il ne connaissait pas, mais dans laquelle son esprit troublé crut discerner une pointe d'accent du Sud.

— Tout de suite ! Avant que cela se passe vraiment mal pour vous !

Il avait envie de crier « Non », ou « Arrêtez », ou « Qui êtes-vous ? » Il eut un moment d'hésitation ; la communication fut coupée. Il se laissa tomber par terre, s'adossa au réfrigérateur et envisagea différentes solutions, aussi peu satisfaisantes les unes que les autres.

Il pouvait avertir la police. Planquer l'argent, pousser les sacs-poubelle sous un lit, enlever le matelas, cacher le message d'avertissement tout en laissant la brique en vue pour faire croire que des voyous vandalisaient une vieille maison juste pour le plaisir. Le policier de service ferait le tour du jardin avec une torche électrique, il resterait une ou deux heures et finirait par repartir.

Les frères Priest, eux, ne repartiraient pas ; ils ne le lâchaient pas d'une semelle. Ils se rendraient peut-être invisibles un moment, mais ne lèveraient pas le siège.

Ils étaient bien plus prompts que le policier de Clanton et bien plus motivés.

Il pouvait aussi appeler Harry Rex, lui dire qu'il avait une raison urgente de le réveiller en pleine nuit, le faire venir à Maple Run et déballer toute l'histoire. Il avait besoin de parler à quelqu'un. Combien de fois s'était-il retenu d'avouer la vérité à Harry Rex ? Ils pouvaient partager l'argent, l'inclure dans la succession ou partir à Tunica et flamber dans les casinos pendant un an.

Non. Il ne voulait pas mettre la vie d'Harry Rex en danger ; pour trois millions, les autres n'en seraient pas à un cadavre près.

Pourquoi ne pas essayer de se défendre avec son arme ? Il avait de quoi repousser les assaillants. Dès qu'ils entreraient, il ouvrirait le feu ; les détonations alerteraient les voisins, on accourrait de partout.

Mais il suffisait d'une balle atteignant sa cible, un petit projectile effilé qu'il ne verrait même pas et ne sentirait pas plus d'une ou deux secondes. De plus, ses assaillants avaient l'avantage du nombre et une autre expérience des armes à feu que celle du professeur Ray Atlee. Il avait déjà pris sa décision : il ne voulait pas mourir, il tenait trop à sa vie.

Au moment où son rythme cardiaque commençait à ralentir, une autre brique fit voler en éclats la petite fenêtre de l'évier. Il sursauta en poussant un cri, lâcha le pistolet et le poussa du pied en rampant vers le vestibule. Toujours à quatre pattes, il traîna les trois sacs-poubelle dans le bureau du Juge. Il écarta le canapé des rayonnages et entreprit de remettre les liasses de billets dans le meuble où il les avait trouvées. Il transpirait en jurant entre ses dents, s'attendant à tout moment à entendre le fracas d'une autre vitre brisée par une brique ou une rafale d'arme automatique. Quand tout l'argent fut de retour dans sa cachette, Ray ramassa le pistolet et ouvrit la porte d'entrée. Il bondit dans sa voiture et démarra en trombe, creusant des ornières dans la pelouse.

Il était sain et sauf ; pour l'heure, rien d'autre ne comptait.

Au nord de Clanton la route descendant en pente douce vers la rive du lac Chatoula formait une ligne droite toute plate de trois bons kilomètres. Cette zone, baptisée simplement Le Fond, avait longtemps été le domaine réservé des conducteurs de voiture au moteur gonflé, des voyous et des fauteurs de désordre de tout poil. Avant les moments pénibles qu'il vivait, Ray y avait frôlé la mort quand il était étudiant. Il s'était trouvé à l'arrière d'une Pontiac Firebird conduite par Bobby Lee West, un copain complètement pété, pour faire une course départ arrêté avec la Camaro de Doug Terring, encore plus bourré que son adversaire. Les deux véhicules au moteur gonflé avaient avalé la ligne droite à plus de cent soixante kilomètres à l'heure. Ray était sorti indemne de cette aventure. Bobby Lee s'était tué un an plus tard ; sa Firebird avait quitté la route avant de s'écraser contre un arbre.

En abordant cette même ligne droite, Ray appuya à fond sur la pédale d'accélérateur de l'Audi TT. Il était 2 heures et demie du matin ; tout le monde devait être couché.

Elmer Conway, qui dormait dans sa voiture venait d'être réveillé par un gros moustique qui l'avait piqué au front. Il vit des phares, un véhicule qui s'approchait à vive allure : il brancha son radar. Quand, six kilomètres plus loin, le petit bolide de marque étrangère se rangea enfin sur le bas-côté, Elmer était dans tous ses états.

Ray commit l'erreur d'ouvrir sa portière et de descendre ; ce n'est pas ce qu'Elmer avait prévu.

— On ne bouge plus, connard ! rugit-il.

Ray constata aussitôt que l'arme de service du policier était braquée sur sa tête.

— Calmez-vous, calmez-vous, articula-t-il en levant

les mains pour montrer qu'il n'avait pas de mauvaise intention.

— Écartez-vous de la voiture ! gronda Elmer.

Il indiqua du canon de son pistolet un endroit proche de la ligne continue.

— Il n'y a pas de problème, restons calmes, fit Ray en se dirigeant lentement vers l'endroit indiqué.

— Comment vous appelez-vous ?

— Ray Atlee. Je suis le fils du juge Atlee. Pourriez-vous baisser votre arme, s'il vous plaît ?

Elmer abaissa de quelques centimètres le canon de son pistolet, de sorte qu'un projectile toucherait Ray au ventre et non à la tête.

— Vous avez une plaque minéralogique de Virginie.

— J'habite en Virginie.

— C'est votre destination ?

— Oui.

— Pourquoi êtes-vous si pressé ?

— Je ne sais pas, je roulais…

— J'ai mesuré votre vitesse à cent cinquante-huit kilomètres à l'heure.

— Je regrette.

— Mon œil ! C'est une conduite dangereuse.

Elmer fit un pas vers Ray, qui avait oublié la coupure de sa main et n'avait pas remarqué qu'il en avait une autre sur le genou.

Le policier alluma sa torche et l'inspecta de la tête aux pieds, sans s'approcher à moins de trois mètres.

— Pourquoi avez-vous du sang ?

C'était une bonne question. Debout au milieu d'une route noire et déserte, le faisceau d'une torche dirigé sur son visage, Ray ne trouva aucune réponse satisfaisante. Dire la vérité lui prendrait une heure et il se heurterait à l'incrédulité du policier ; inventer un mensonge ne ferait qu'aggraver les choses.

— Je ne sais pas, murmura-t-il.

— Que transportez-vous dans cette voiture ? poursuivit Elmer.

— Rien.

— Naturellement.

Il passa les menottes à Ray et le fit asseoir à l'arrière de la voiture de police, une Impala de couleur brune, à la carrosserie poussiéreuse, sans enjoliveurs, au pare-chocs arrière surmonté d'une forêt d'antennes. Ray suivit le policier du regard tandis qu'il faisait le tour du roadster et passait la tête à l'intérieur. Quand Elmer eut terminé, il prit place à l'avant de sa voiture.

— À quoi sert le pistolet ? demanda-t-il sans tourner la tête. Ray avait essayé de glisser l'arme sous le siège avant ; à l'évidence, elle était visible de l'extérieur.

— À me protéger.

— Vous avez un permis ?

— Non.

Elmer appela le poste de police et se lança dans un rapport détaillé sur sa dernière arrestation, qu'il conclut par un « Je vous l'amène » vibrant, comme s'il venait d'alpaguer un suspect figurant sur la liste des dix personnes les plus recherchées sur le territoire national.

— Que devient ma voiture ? demanda Ray.

— Je ferai venir une dépanneuse.

Elmer mit les feux clignotants en marche ; l'aiguille du compteur de vitesse monta à cent trente kilomètres à l'heure.

— Puis-je appeler mon avocat ?

— Non.

— Il ne s'agit que d'un excès de vitesse. Mon avocat me rejoint au poste de police, il paie la caution et, dans une heure, je reprends la route.

— Qui est votre avocat ?

— Harry Rex Vonner.

Elmer poussa un grognement et s'affaissa légèrement.

— Ce salopard m'a nettoyé, pour mon divorce.

Ray renversa la tête en arrière et ferma les yeux.

Ray était déjà entré deux fois dans la prison du comté de Ford. Les souvenirs remontèrent à sa mémoire tandis qu'il suivait Elmer sur le trottoir du poste de police. En ces deux occasions, il apportait des papiers à des pères indignes qui n'avaient rien versé depuis des années pour leurs enfants et que le juge Atlee avait envoyés derrière les barreaux. Haney Moak, le gardien légèrement attardé, flottant dans son uniforme, était encore là, quelques revues ouvertes devant lui. Comme il assurait aussi la permanence du poste de police, il était au courant de l'infraction commise par Ray.

— Voilà donc le fils du juge Atlee, fit-il avec un sourire tordu.

Il avait la tête de traviole, ses yeux n'étaient pas à la même hauteur ; quand il parlait, on ne savait jamais où regarder.

— Eh oui ! acquiesça poliment Ray, désireux de se faire un allié dans la place.

— Votre père était quelqu'un de bien, poursuivit Haney en passant derrière Ray pour détacher les menottes.

En se frottant les poignets, Ray tourna la tête vers l'adjoint Conway qui remplissait des papiers avec zèle.

— Excès de vitesse, pas de permis de port d'armes, annonça Conway.

— Tu ne vas pas le coller au trou ? lança vivement Haney à Elmer comme s'il prenait les choses en main, à la place du shérif adjoint.

— Et comment ! riposta Elmer.

Une certaine tension fut aussitôt perceptible.

— Puis-je appeler Harry Rex Vonner ? demanda humblement Ray.

Haney indiqua de la tête un téléphone mural, comme si c'était le dernier de ses soucis. Il continuait de considérer Elmer d'un œil torve ; il y avait à l'évidence un lourd contentieux entre ces deux-là.

— Ma prison est pleine, déclara Haney.

— Tu dis toujours ça.

Ray composa rapidement le numéro personnel d'Harry Rex. Il était plus de 3 heures du matin ; le dérangement serait mal pris. L'épouse du moment répondit à la troisième sonnerie. Ray s'excusa d'appeler à cette heure indue et demanda à parler à Harry Rex.

— Il n'est pas là.

Ray savait qu'il ne devait pas être loin ; six heures auparavant, ils buvaient une bière ensemble.

— Pourrais-je savoir où il est ?

Derrière lui Haney et Elmer échangeaient des aménités en haussant le ton.

— Il est chez vous, répondit Mme Vonner.

— Non, il est reparti il y a plusieurs heures. Nous étions ensemble.

— On vient de nous prévenir. La maison brûle.

Sirène hurlante, tous feux allumés, la voiture de police fit le tour de la grand-place sur les chapeaux de roues. À deux cents mètres, ils voyaient le brasier de la maison en feu.

— C'est pas Dieu possible ! murmura Haney sur la banquette arrière.

Rares étaient les événements qui provoquaient à Clanton autant d'excitation qu'un bon incendie. Les deux camions de pompiers de la ville étaient là. Des dizaines de bénévoles couraient en tous sens ; tout le monde semblait hurler en même temps. Les voisins étaient rassemblés sur le trottoir, de l'autre côté de la rue.

Les flammes dévoraient déjà le toit. Ray enjamba un tuyau et fit quelques pas sur la pelouse ; une odeur d'essence arriva par bouffées à ses narines.

35.

Tout compte fait, la garçonnière n'était pas désagréable pour se reposer un moment. Longue et étroite, la pièce était pleine de poussière et de toiles d'araignée ; une ampoule pendait du plafond voûté. L'unique fenêtre qui n'avait pas été repeinte depuis des décennies donnait sur la grand-place. Sur l'antique lit de fer ni draps ni couvertures ; Ray s'efforça de ne pas penser aux mésaventures d'Harry Rex sur ce même sommier. Son esprit revenait sans cesse à la vieille demeure familiale glorieusement partie en fumée. Le toit s'était effondré devant la moitié de la ville. Ray était resté à l'écart, sur la branche basse d'un sycomore, isolé de tous, s'efforçant vainement de faire resurgir de précieux souvenirs de l'enfance merveilleuse qu'il n'avait pas eue. Quand les flammes avaient commencé à jaillir par toutes les fenêtres, il n'avait pensé ni au magot, ni au bureau du Juge, ni à la table de salle à manger de sa mère ; il avait simplement eu devant les yeux le portrait du général Forrest considérant le monde du haut de son mur d'un regard implacable.

Trois heures de sommeil ; à 8 heures, il était réveillé. La température montait rapidement dans le lieu de perdition. Des pas lourds s'approchèrent.

Harry Rex ouvrit la porte et alluma la lumière.

— Debout, le délinquant ! gronda-t-il. On t'attend à la prison.

— Je suis parti sans me cacher, protesta Ray en pivotant sur le lit pour poser les pieds par terre.

Il avait perdu les deux policiers dans la foule et suivi Harry Rex sans se poser de questions.

— Tu leur as dit qu'ils pouvaient fouiller ta voiture ?

— Oui.

— C'est malin ! On se demande où tu as appris le droit !

Harry Rex approcha une chaise pliante adossée au mur et s'assit près du lit.

— Je ne cachais rien.

— Qu'est-ce que tu as donc dans la tête ? Ils ont fouillé la voiture et n'ont rien trouvé.

— À quoi s'attendaient-ils ?

— Pas de vêtements, pas de sac de voyage, pas même une brosse à dents, pas le moindre indice pour confirmer ta version des faits, à savoir que tu venais de quitter Clanton et que tu rentrais chez toi.

— Je n'ai pas mis le feu à la maison, Harry Rex.

— Tu fais quand même un excellent suspect. Tu pars en pleine nuit sans rien emporter et tu roules comme un fou dès la sortie de la ville. La vieille Mme Larrimore, qui habite au bout de ta rue, t'a vu filer à toute allure dans ton petit bolide jaune ; dix minutes plus tard, les camions de pompiers arrivaient. Tu te fais arrêter par le shérif adjoint le plus borné du Mississippi : tu roulais à cent cinquante-huit kilomètres à l'heure. Qu'as-tu à dire pour ta défense ?

— Je n'ai pas incendié la maison.

— Pourquoi es-tu parti à 2 heures et demie du matin ?

— On a lancé une brique qui a fracassé une vitre de la salle à manger. J'ai pris peur.

— Tu avais une arme.

— Je ne voulais pas m'en servir. J'ai préféré prendre la fuite plutôt que de blesser quelqu'un.

— Tu as vécu trop longtemps dans le Nord.

— Je ne vis pas dans le Nord.

— Comment t'es-tu fait cette coupure ?

— La brique a brisé la vitre, il y avait des éclats de verre partout. Je suis allé voir et je me suis coupé.

— Pourquoi n'as-tu pas averti la police ?

— Je me suis affolé. J'ai décidé de partir tout de suite.

— Et, dix minutes plus tard, quelqu'un a inondé la maison d'essence avant de gratter une allumette.

— Je ne sais pas ce qui s'est passé.

— Je te déclarerais coupable.

— Impossible, tu es mon avocat.

— Non, je suis l'avocat en charge de la succession qui, à ce propos, vient de perdre son unique bien.

— Il y a une assurance contre l'incendie.

— Oui, mais tu ne seras pas remboursé.

— Pourquoi ?

— Si tu fais une déclaration de sinistre, l'assurance cherchera à savoir s'il n'y a pas eu incendie volontaire. Tu affirmes que ce n'est pas toi, je te crois. Mais je doute que les autres fassent de même. Si tu cherches à te faire indemniser, ils ne te rateront pas.

— Je n'ai pas mis le feu à la maison.

— Tant mieux. Qui, alors ?

— Celui qui a lancé la brique.

— Tu ne sais pas qui cela pourrait être ?

— Aucune idée. Peut-être quelqu'un qui s'estime lésé par un jugement de divorce.

— C'est malin. Il aurait attendu neuf ans pour se venger du Juge qui, soit dit en passant, n'est plus de ce monde. Je ne serai pas au banc des avocats le jour où tu soumettras cela à un jury.

— Je n'en sais rien, Harry Rex. Je te jure que ce n'est pas moi. Oublions l'assurance.

— Ce n'est pas si simple. La moitié de la maison est à toi, l'autre moitié appartient à Forrest. Il peut demander à l'assu-rance le remboursement du sinistre.

— J'ai besoin de ton aide, soupira Ray en se grattant le menton couvert d'une barbe dure.

— Le shérif est en bas avec un de ses enquêteurs. Ils vont te poser des questions. Réponds lentement, dis la vérité. Je serai là ; prends ton temps pour répondre.

— Il est en bas ?

— Dans ma salle de réunion. Je lui ai demandé de venir afin de régler cette histoire au plus vite. Je pense sincèrement qu'il faut que tu quittes cette ville.

— C'est ce que j'essayais de faire.

— Les infractions ne seront pas jugées avant plusieurs mois. Cela me laissera le temps de me retourner. Tu as dans l'immé-diat un problème plus grave à régler.

— Je n'ai pas mis le feu à la maison, Harry Rex.

— Bien sûr que non.

Ils sortirent, descendirent les marches branlantes du petit escalier menant au premier étage.

— Qui est le shérif ? demanda Ray par-dessus son épaule.

— Il s'appelle Sawyer.

— Un type bien ?

— Peu importe.

— Tu as de bons rapports avec lui ?

— Je me suis occupé du divorce de son fils.

La salle de réunion offrait aux regards un magnifique fouillis d'épais volumes de droit entassés sur des étagères, des meubles et la longue table occupant le centre de la pièce. Harry Rex voulait donner l'impression qu'il y passait des heures en recherches fastidieuses. Il n'en était rien.

La politesse n'étouffait ni Sawyer ni son assistant, un petit Italien nerveux du nom de Sandroni. Les Italiens n'étaient pas nombreux dans cette région du Mississippi ; pendant les présentations guindées, Ray décela dans sa voix une pointe d'accent du Delta. L'air grave, Sandroni prenait consciencieusement des notes tandis que Sawyer, un gobelet de café à la main, surveillait tous les mouvements de Ray.

L'incendie avait été signalé par un appel téléphonique de Mme Larrimore à 2 h 34, dix à quinze minutes après avoir vu Ray passer à toute allure, au volant de sa voiture jaune. À 2 h 36, Elmer Conway avait appelé par radio le poste de police pour indiquer qu'il était à la poursuite d'un abruti roulant à cent soixante kilomètres à l'heure sur la ligne droite du Fond. Comme il était établi que Ray roulait vite, Sandroni passa un long moment à refaire son itinéraire, avec sa vitesse estimée, les feux de signalisation, tout ce qui aurait pu le ralentir à cette heure de la nuit.

Quand l'itinéraire fut établi, Sawyer appela à la radio un de ses adjoints qui se trouvait devant les ruines fumantes de Maple Run ; il lui demanda de parcourir le même trajet, à la même vitesse et de rouler jusqu'au Fond où Elmer attendait.

Douze minutes plus tard, le policier appela pour dire qu'il était en compagnie d'Elmer.

— Ainsi, récapitula Sandroni, en moins de douze minutes, quelqu'un — nous supposons que cette personne n'était pas déjà dans la maison, n'est-ce pas, monsieur Atlee ? —, quelqu'un, disais-je, est arrivé avec une grande quantité d'essence qu'il a répandue dans toute la maison. Une telle quantité que le capitaine des pompiers affirme n'avoir jamais senti une odeur d'essence si forte. Ce quelqu'un a ensuite lancé une allumette, peut-être deux, d'après le capitaine des pompiers qui se dit presque certain qu'il y avait plusieurs foyers. Dès que les premières flammes sont apparues, notre mystérieux incendiaire s'est fondu dans l'obscurité et a disparu. C'est bien cela, monsieur Atlee ?

— Je ne sais pas ce qu'a fait l'incendiaire.

— Mais l'horaire est exact.

— Si vous le dites.

— Je le dis.

— Poursuivons, grommela Harry Rex au bout de la table.

Sandroni passa au mobile. La maison était assurée pour une valeur de trois cent quatre-vingt mille dollars, mobilier compris. L'agent immobilier, déjà consulté, avait reçu une proposition d'achat pour la somme de cent soixante-quinze mille dollars.

— Une sacrée différence, fit Sandroni. N'est-ce pas, monsieur Atlee ?

— En effet.

— Avez-vous informé votre compagnie d'assurances du sinistre ?

— Non. Je me suis dit qu'ils pouvaient attendre jusqu'à l'ouverture de leurs bureaux. Vous n'êtes pas obligé de le croire, mais il y a des gens qui ne travaillent pas le samedi.

— Le camion des pompiers est encore sur place, glissa Harry Rex. Et nous avons six mois pour leur faire parvenir la déclaration.

Sandroni s'empourpra, mais réussit à se contenir. Il se pencha sur ses notes, passa à la suite.

— Voyons s'il y a d'autres suspects, reprit-il.

Le mot « autres » ne plaisait pas à Ray. Il parla de la brique qui avait fait voler la vitre en éclats, sans mentionner le message qui y était attaché, puis du coup de téléphone l'exhortant à quitter immédiatement la maison. Il invita les policiers à vérifier auprès de la compagnie du téléphone. Pour faire bonne mesure, il évoqua l'épisode précédent, quand un fou furieux s'était acharné sur les fenêtres, la nuit où il avait découvert le corps du Juge.

— Je crois que tout le monde en a assez, déclara Harry Rex au bout d'une demi-heure. En d'autres termes, mon client ne répondra à aucune autre question.

— Quand quittez-vous la ville ? demanda Sawyer.

— J'essaie de le faire depuis six heures, répondit Ray.

— Très bientôt, affirma Harry Rex.

— Je reviendrai quand on aura besoin de moi, ajouta Ray.

Harry Rex poussa les policiers vers la porte et rejoignit Ray dans la salle de réunion.

— Je pense que tu mens comme un arracheur de dents, lança-t-il.

36.

Il n'y avait aucune trace du vieux camion de pompiers, celui que Ray et ses copains d'adolescence suivaient les soirs d'été, quand ils s'ennuyaient. Un bénévole au tee-shirt souillé enroulait des tuyaux. La rue était en piteux état et il y avait de la boue partout.

En milieu de matinée, plus un seul curieux ne s'arrêtait devant Maple Run. La cheminée du côté est était encore debout, soutenue par un pan de mur calciné. Tout le reste s'était effondré, formant une montagne de débris. Ray et Harry Rex firent le tour des décombres pour gagner l'arrière de la maison où une rangée de vieux pacaniers marquait la limite de la propriété. Ils prirent des chaises de jardin en fer forgé, peintes en rouge par Ray il y avait bien longtemps, et s'installèrent à l'ombre pour manger des *tamales*.

— Ce n'est pas moi qui ai mis le feu à la maison, affirma Ray au bout d'un long moment.

— Tu sais qui c'est ?

— J'ai ma petite idée.

— Alors, tu accouches ?

— Je pense à Gordie Priest.

— Ah !

— C'est une longue histoire.

Ray commença par le Juge, trouvé sans vie sur son

canapé, puis la découverte accidentelle du magot. Mais était-elle vraiment fortuite ? Il donna tous les détails, les faits dont il avait gardé le souvenir, il fit part à Harry Rex de toutes les questions qui le taraudaient depuis des semaines. Ils cessèrent de manger, regardant fixement sans les voir les décombres fumants, trop pris par le récit. Harry Rex tombait des nues, Ray éprouvait un profond soulagement d'ouvrir enfin son âme. Il énuméra ses déplacements. L'aller et retour de Clanton à Charlottesville. Les casinos de Tunica et d'Atlantic City, la seconde visite à Tunica. Le voyage sur la Côte, la rencontre avec Patton French, l'objectif d'un milliard de dollars que l'avocat s'était fixé, grâce à un homme, le juge Reuben Atlee, un humble serviteur de la loi.

Ray ne cacha rien ; il fit appel au moindre de ses souvenirs. Les cambrioleurs qui avaient tout saccagé dans son appartement, une manœuvre d'intimidation, sans doute. L'achat malencontreux en copropriété d'un Bonanza. Tout au long du récit, Harry Rex garda le silence ; les questions se bousculaient dans sa tête.

— Pourquoi aurait-il mis le feu à la maison ?

— Pour effacer toute trace de son passage, peut-être. Je n'en sais rien.

— Ce n'est pas le genre à laisser des traces.

— Alors, peut-être était-ce l'ultime manœuvre d'intimidation.

Ils réfléchirent un moment en silence.

— Tu aurais dû m'en parler, grommela Harry Rex en s'essuyant la bouche.

— Je voulais garder l'argent, tu comprends ? J'avais tous ces billets, trois millions de dollars, c'était une sensation merveilleuse. Mieux que l'amour, mieux que tout ce que j'ai connu. Trois millions pour moi tout seul, tu te rends compte ? J'étais riche. Avide. Corrompu. Je voulais que personne, ni toi ni Forrest ni le fisc, personne au monde ne sache que j'avais tout cet argent.

— Que voulais-tu en faire ?

— Le déposer dans une dizaine de banques différentes, des versements de neuf mille dollars pour ne pas attirer l'attention, ne pas y toucher pendant dix-huit mois, puis le placer chez des spécialistes. J'ai quarante-trois ans ; dans deux ans, l'argent aurait été blanchi et aurait rapporté gros. En admettant que le capital double tous les cinq ans, j'aurais eu six millions à cinquante ans. Douze à cinquante-cinq ans. À soixante ans, j'aurais eu vingt-quatre millions de dollars. Tout était prévu, Harry Rex ; je préparais l'avenir.

— Tu n'as pas à t'en vouloir. Ta réaction était normale.

— Je ne crois pas.

— Comme escroc, tu es au-dessous de tout.

— Je sentais déjà des changements en moi. Je me voyais aux commandes d'un avion, au volant d'une plus grosse voiture, dans un appartement plus chic. Il y a de l'argent à Charlottesville et je voulais avoir une place au soleil. Country clubs, chasse au renard…

— Chasse au renard ?

— Ouais.

— Avec la culotte de cheval et la bombe ?

— Franchir des clôtures sur un cheval fougueux, suivre une meute de chiens courants lancés à la poursuite d'un renard de douze kilos qu'on ne voit même pas.

— Pourquoi ferais-tu ça ?

— Il y a des gens qui le font.

— Je préfère tirer le gibier à plume.

— Je me sens allégé d'un poids. Littéralement. J'ai trimbalé cet argent partout, pendant des semaines.

— Tu aurais pu en laisser une partie à mon cabinet.

— Tu crois que j'ai été stupide ? demanda Ray en prenant une gorgée de cola.

— Je crois surtout que tu as eu de la chance. Ce type ne plaisante pas.

— Chaque fois que je fermais les yeux, je voyais une balle arriver vers moi.

— Tu sais, Ray, tu n'as rien fait de mal. Le Juge ne voulait pas que cet argent entre dans la succession. Tu l'as pris pour qu'il ne tombe pas dans de mauvaises mains mais aussi pour protéger la réputation de ton père. Il y a un cinglé qui voulait s'approprier l'argent bien plus que toi. Avec un peu de recul, tu peux t'estimer heureux d'être sorti indemne de cette histoire. N'y pense plus.

— Merci, Harry Rex, fit Ray en se penchant pour suivre du regard le pompier bénévole qui s'éloignait. Qu'allons-nous faire pour l'incendie ?

— Nous trouverons un moyen. Je ferai une déclaration de sinistre, l'assurance enquêtera. Ils croiront à un incendie volontaire et pousseront les hauts cris. Nous attendrons quelques mois, le temps que les choses se tassent. S'ils refusent de payer, nous porterons l'affaire devant la justice, dans le comté de Ford. Ils ne prendront pas le risque d'un procès contre la succession de Reuben Atlee dans le propre tribunal du Juge. Je pense qu'ils essayeront de trouver un arrangement avant le procès. Nous serons peut-être obligés de faire un effort de notre côté, mais nous toucherons un joli paquet.

— J'ai vraiment envie de partir maintenant, déclara Ray en se levant.

Ils firent le tour des ruines de la maison dans la fumée et la chaleur.

— J'en ai soupé de tout ça, fit Ray en se dirigeant vers la rue.

Il respecta scrupuleusement la limite de vitesse dans la ligne droite du Fond, sans voir Elmer Conway. L'Audi semblait plus légère avec le coffre vide. Il se sentait libéré d'un grand poids, aspirait à retrouver une vie normale.

Il redoutait la rencontre à venir avec Forrest. Leur héritage venait de partir en fumée et il serait bien embarrassé pour expliquer les raisons de l'incendie. Peut-être était-il préférable de ne rien dire. La cure de désintoxication se passait bien et l'expérience avait appris à Ray que la moindre complication pouvait déstabiliser son frère. Peut-être valait-il mieux laisser un mois s'écouler. Puis un autre.

L'employé de l'accueil lui lança un drôle de regard à son arrivée à Alcorn Village. Il feuilleta des revues un long moment dans le salon mal éclairé où attendaient les visiteurs. Quand il vit entrer Oscar Meave avec une tête d'enterrement, Ray comprit.

— Il est parti hier, en fin d'après-midi, commença Meave, en se recroquevillant sur la table basse à laquelle ils avaient pris place. J'ai essayé de vous joindre toute la matinée.

— J'ai perdu mon portable cette nuit, expliqua Ray.

Il avait laissé des tas de choses dans la maison avant de prendre la fuite, mais comment avait-il pu abandonner son portable ?

— Il s'était inscrit pour la balade de la corniche, poursuivit Meave, un circuit de huit kilomètres en pleine nature, comme il le faisait tous les jours. Le chemin contourne la propriété et il n'y a pas de clôture, mais, pour nous, Forrest ne présentait pas de risque. Je n'arrive toujours pas à y croire.

Il n'en allait pas de même pour Ray. Son frère s'évadait de ses centres de désintoxication depuis près de vingt ans.

— Ce n'est pas un centre fermé, expliqua Meave. Nos patients veulent rester, sinon c'est un échec.

— Je comprends, fit doucement Ray.

— Tout se passait si bien, poursuivit Meave, visiblement plus touché que Ray. Il vivait sainement et il en était fier. Il avait pris sous son aile deux adolescents qui en sont à leur première cure ; il travaillait avec eux tous les matins. Décidément, je ne comprends pas.

— Je croyais que vous étiez un ex-toxico.

— Je sais, je sais, marmonna Meave en secouant la

tête. On dit que le toxico décroche quand il a décidé, pas avant.

— En avez-vous connu un qui soit incapable de décrocher ? demanda Ray.

— Question inacceptable.

— Je sais, mais nous savons, vous et moi, que certains ne décrocheront jamais.

Meave haussa les épaules, acquiesçant à regret.

— Forrest en fait partie, Oscar. Nous vivons cela depuis vingt ans.

— Je le prends comme un échec personnel.

— N'en faites rien.

Ils sortirent, conversèrent un moment sous une véranda. Meave se confondait en excuses ; pour Ray, la situation n'avait rien d'exceptionnel.

En suivant la route sinueuse qui rejoignait la nationale, Ray se demanda comment son frère avait pu s'enfuir d'un établissement qui se trouvait à treize kilomètres de l'agglomération la plus proche. Il est vrai qu'il s'était déjà évadé d'endroits encore plus isolés.

Il retournerait à Memphis, retrouverait sa chambre au sous-sol dans la maison d'Ellie et la rue où les revendeurs l'attendaient. Le prochain coup de téléphone pouvait être le dernier ; Ray s'y préparait depuis de longues années. Forrest était malade, mais il avait fait preuve jusqu'alors d'une stupéfiante capacité à survivre.

Ray traversait le Tennessee ; la Virginie se trouvait encore à sept heures de route. Avec ce ciel limpide, sans un souffle de vent, il songea au plaisir qu'il aurait à voler à cinq mille pieds, aux commandes de son Cessna de location préféré.

37.

Les deux portes était neuves, sans peinture, bien plus lourdes que les anciennes. Ray remercia silencieusement son propriétaire, mais il savait qu'il n'y aurait plus de cambriolages. La traque était terminée. Plus besoin de jeter d'incessants coups d'œil par-dessus son épaule. Plus besoin de jouer à cache-cache chez Chaney. Plus besoin de parler avec Corey Crawford d'un ton de conspirateur. Et plus besoin de se ronger les sangs pour l'argent sale qu'il trimbalait partout. Soulagé de ce poids, il se prit à sourire et son pas se fit plus rapide.

Il allait reprendre une vie normale. Longues courses dans la chaleur du matin. Longs vols solo au-dessus du Piedmont. Il était même impatient de reprendre ses recherches sur les monopoles ; il avait promis le manuscrit soit pour le Noël qui venait soit pour le suivant. Pour Kaley, il se montrait moins intransigeant ; il était disposé à lui donner une dernière chance en l'invitant à dîner. Elle avait son diplôme maintenant et elle était trop jolie pour qu'il fasse une croix sur elle sans avoir tenté sa chance.

Son appartement était dans l'état où il l'avait laissé en partant. À part la porte, aucune trace de l'effraction. Il savait maintenant que son cambrioleur n'était pas un vrai voleur, qu'il s'agissait simplement de le harceler, de l'intimider. Gordie ou un de ses frères, sans doute ; il ignorait comment ils s'étaient réparti le travail. Aucune importance.

Il n'était pas loin de 11 heures. Il se fit un café fort et parcourut son courrier. Plus de lettres anonymes ; quelques factures, des sollicitations.

Deux fax attendaient. Le premier était un message d'un étudiant, le second venait de Patton French. Il avait essayé de joindre Ray, mais son portable ne marchait pas. C'était un message manuscrit, sur une feuille à en-tête du *King of Torts*, probablement envoyé du yacht au mouillage dans les eaux grises du golfe du Mexique, où French essayait d'échapper à l'avocat de sa femme.

Bonne nouvelle ! Gordie Priest avait été localisé ainsi que ses deux frères. Ray pouvait-il lui donner un coup de fil. Sa secrétaire saurait où le joindre.

Ray passa deux heures au téléphone, jusqu'à ce que French rappelle d'un hôtel de Fort Worth, où il était en réunion avec des avocats du Ryax et du Kobril.

— Je suis en passe de récupérer un millier de clients, annonça-t-il, incapable de contenir son exaltation.

— Tant mieux pour vous.

Ray était résolu à ne pas écouter un mot de plus sur les actions collectives en responsabilité civile avec indemnisations astronomiques.

— Votre ligne est sûre ? demanda French.

— Oui.

— Écoutez bien. Priest ne représente plus une menace. Nous l'avons retrouvé peu après votre départ, rond comme une queue de pelle, au lit avec sa vieille copine. Nous avons aussi trouvé ses frères. Vous n'avez plus rien à craindre pour votre argent.

— Quand l'avez-vous trouvé exactement ?

Ray était penché sur la table de la cuisine sur laquelle était étalé un grand calendrier. La chronologie était de la plus haute importance. Il avait griffonné quelques notes sur le calendrier en attendant l'appel de French.

French prit une seconde de réflexion.

— Voyons… Quel jour sommes-nous ?

— Lundi, 5 juin.

— Lundi… Quand avez-vous quitté la Côte ?

— Vendredi dernier, à 10 heures.

— Alors, nous l'avons trouvé vendredi, en début d'après-midi.

— Vous en êtes sûr ?

— Naturellement. Pourquoi cette question ?

— Ils n'ont pas pu quitter la Côte après que vous les avez trouvés ?

— Ils ne quitteront plus jamais la Côte, Ray, vous pouvez me croire. Disons que ce sera leur dernière demeure.

— Épargnez-moi les détails.

Ray s'assit à la table, les yeux fixés sur le calendrier.

— Qu'est-ce qui vous chiffonne ? poursuivit French. Il y a un problème ?

— On peut dire ça.

— Expliquez-moi.

— La maison a été détruite par un incendie.

— La maison du juge Atlee ?

— Oui.

— Quand ?

— Dans la nuit de samedi à dimanche.

— Ce ne sont pas les frères Priest, je vous le garantis, affirma French après un silence. Où est l'argent ? reprit-il au bout d'un moment, comme Ray ne disait plus rien.

— Je n'en sais rien.

Un jogging de huit kilomètres ne réussit pas à faire baisser sa tension nerveuse, mais il était en état de réfléchir, de mettre de l'ordre dans ses idées. Il faisait plus de 30 °C ; quand il rentra chez lui, il était trempé de sueur.

Maintenant qu'Harry Rex savait tout, il était réconfortant d'avoir quelqu'un avec qui partager les dernières nouvelles. Il appela son cabinet ; on l'informa que Me Vonner plaidait à Tupelo et rentrerait tard. Il appela chez Ellie ; personne ne se donna la peine de répondre. Il appela Oscar Meave ; il n'avait, comme il fallait s'y attendre, aucune idée de l'endroit où se trouvait son frère.

Après une éprouvante matinée de marchandages de couloir pour déterminer à qui reviendrait le bateau, à qui la cabane sur le lac et quel montant forfaitaire monsieur accepterait de verser à madame, les avocats se mirent d'accord une heure après le déjeuner. Harry Rex défendait le mari, un cow-boy irascible qui croyait connaître le code mieux que son avocat. L'épouse numéro trois était une jeune écervelée, approchant quand même de la trentaine, qui l'avait surpris avec sa meilleure amie. Une histoire banale, sordide. Harry Rex en avait par-dessus la tête quand il s'avança vers le juge pour présenter le projet de règlement âprement disputé.

Le chancelier était un vieux de la vieille, qui avait prononcé une multitude de divorces.

— La disparition du juge Atlee m'a touché, glissa-t-il à Harry Rex en parcourant les documents.

Harry Rex se contenta d'un petit signe de tête. Il était fatigué, il avait soif, il commençait à rêver de la bière fraîche qu'il s'arrêterait pour boire sur la route de Clanton. Il connaissait une épicerie à la limite du comté.

— Nous avons été collègues pendant vingt-deux ans, reprit le juge.

— C'est une grande perte.

— Vous vous occupez de la succession ?

— Oui, Votre Honneur.

— Transmettez mes amitiés au juge Farr.

— Je n'y manquerai pas.

Le juge signa les documents sanctionnant la dissolution du mariage ; les ex-époux repartirent chacun de son côté. Harry Rex avait déjà parcouru la moitié du chemin jusqu'à sa voiture quand un avocat le rattrapa et l'arrêta sur le trottoir. Il s'appelait Jacob Spain, exerçait à Tupelo, comme un millier de ses confrères. Il se trouvait dans la salle d'audience et avait entendu le chancelier prononcer le nom du juge Atlee.

— Il a bien un fils prénommé Forrest ? interrogea Spain.

— Deux fils. Ray et Forrest.

Harry Rex respira un grand coup ; il espérait ne pas en avoir pour trop longtemps.

— J'ai joué au football contre Forrest, dans une rencontre scolaire. Je ne l'oublierai jamais : il m'a cassé la clavicule en faisant un plaquage à retardement.

— C'est Forrest tout craché.

— J'étais dans l'équipe de New Albany. Forrest avait un an de moins que moi. Vous l'avez vu jouer ?

— Souvent.

— Vous souvenez-vous de cette rencontre où il a lancé pour un total de trois cents yards rien qu'en première mi-temps ? Il a fait marquer quatre ou cinq essais.

— Je m'en souviens, affirma Harry Rex.

Il commençait à s'impatienter ; combien de temps cela allait-il durer ?

— Je jouais en défense ce soir-là et Forrest faisait un festival. J'ai intercepté une de ses passes juste avant la mi-temps, la balle est sortie en touche et il s'est jeté sur moi pendant que j'étais au sol.

— Une de ses spécialités.

Plaquer fort et à retardement, telle était la devise de Forrest. Surtout les défenseurs qui avaient eu le malheur d'intercepter une de ses passes.

— Je crois que c'est la semaine d'après qu'il s'est fait arrêter, poursuivit Spain. Quel gâchis ! À propos, je l'ai vu ici, il y a quelques semaines, avec le juge Atlee.

Harry Rex en oublia la bière dont il se délectait à l'avance.

— Quand exactement ?

— Juste avant la mort du juge. Une scène pour le moins bizarre.

Les deux avocats firent quelques pas pour gagner l'ombre d'un arbre.

— Racontez-moi ça, fit Harry Rex en desserrant sa cravate. Il s'était déjà débarrassé de son blazer marine tout froissé.

— Ma belle-mère est traitée pour un cancer du sein à la clinique Taft. Un jour, c'était un lundi après-midi, je l'ai conduite à la clinique où elle avait une séance de chimio.

— Le juge Atlee y était soigné, glissa Harry Rex. Je me souviens des factures de la clinique.

— C'est là que je l'ai vu. Après avoir accompagné ma belle-mère dans son service, comme il y avait de l'attente, j'en ai profité pour aller téléphoner dans ma voiture. J'ai vu arriver le juge Atlee dans une longue Lincoln noire conduite par quelqu'un que je n'ai pas reconnu. Ils se sont garés tout près de ma voiture. La tête du conducteur me disait pourtant quelque chose : un grand type, solide, les cheveux longs, la démarche assurée, tout cela me rappelait quelqu'un. En le voyant marcher, cela m'est revenu. C'était Forrest. Il portait des lunettes noires et une casquette vissée sur le crâne. Ils sont entrés ; Forrest est ressorti au bout de quelques secondes.

— Quelle casquette ?

— Des Cubs, je crois. D'un bleu délavé.

— Ça me rappelle quelque chose.

— Il paraissait très nerveux, comme quelqu'un qui ne veut pas être vu. Il s'est enfoncé dans les arbres, près du bâtiment ; je distinguais à peine sa silhouette. J'ai cru au début qu'il voulait satisfaire un besoin naturel, mais non, en fait, il se cachait. Au bout d'une heure, je suis allé chercher ma belle-mère. En ressortant, j'ai vu Forrest : il était toujours dans les arbres.

— Quel jour était-ce ? demanda Harry Rex, son organiseur à la main.

Spain prit le sien ; les deux avocats comparèrent leurs déplacements récents.

— Le lundi 1er mai, déclara Spain.

— Six jours avant la mort du juge, fit Harry Rex à mi-voix.

— Je suis certain de la date. Et j'ai trouvé ce comportement bizarre.

— Forrest est un garçon pour le moins bizarre.

— Il n'est pas en cavale ou quelque chose comme ça ? s'enquit Spain.

— Pas pour l'instant.

Les deux avocats partirent d'un rire nerveux. Spain fut soudain pressé de prendre congé.

— Quand vous le reverrez, fit-il, rappelez-lui que je lui en veux toujours pour ce plaquage.

— Comptez sur moi, assura Harry Rex en le regardant s'éloigner.

38.

Les Vonner quittèrent Clanton par un matin brumeux de juin dans leur nouveau monospace à quatre roues motrices, dont la consommation ne devait pas dépasser vingt litres aux cent kilomètres, emportant assez de bagages pour passer un mois en Europe. Leur destination était le District de Columbia, où vivait une sœur de Mme Vonner, qu'Harry Rex ne connaissait pas. Ils passèrent la première nuit à Gatlinburg, la deuxième à White Sulphur Springs, en Virginie-Occidentale. Ils arrivèrent à Charlottesville le lendemain, vers midi ; après la visite obligatoire de Monticello, ils firent une balade dans le campus de l'université et dînèrent dans un bistrot pour étudiants dont la spécialité était l'œuf au plat sur hamburger, un régal selon Harry Rex.

Le lendemain matin, laissant sa femme endormie à l'hôtel, il gagna le quartier piéton, trouva l'adresse qu'il cherchait et attendit.

À 8 heures passées de quelques minutes, Ray fit un double nœud aux lacets de ses chaussures de sport, s'étira et sortit pour parcourir ses huit kilomètres quotidiens. Il faisait déjà chaud ; juillet approchait, le soleil avait pris ses quartiers d'été.

— Déjà debout ! lança à l'angle de la rue une voix familière.

Harry Rex était assis sur un banc, un gobelet de café à la main, un journal plié à côté de lui. Ray s'immobilisa ; il lui fallut quelques secondes pour rassembler ses esprits.

— Qu'est-ce que tu fais ici, exactement ? demanda-t-il en s'avançant vers son avocat.

— Tu es mignon, comme ça, fit Harry en laissant son regard courir sur le short, le vieux tee-shirt, la casquette rouge et les lunettes d'athlétisme dernier cri de Ray. Je suis en voyage avec ma légitime. Elle a une sœur qui habite à Washington ; elle croit que j'ai envie de faire sa connaissance. Assieds-toi.

— Pourquoi n'as-tu pas téléphoné ?

— Je ne voulais pas te déranger.

— Tu aurais dû appeler, Harry Rex. On peut dîner ensemble, je vais te montrer la ville.

— Je ne suis pas venu pour ça. Assieds-toi.

Flairant des complications, Ray prit place à côté d'Harry Rex en marmonnant qu'il aurait dû téléphoner.

— Tais-toi et écoute.

— C'est grave ? fit Ray en retirant ses lunettes.

— Disons que c'est curieux.

Harry Rex lui fit part de sa conversation avec Jacob Spain et répéta ce que l'avocat avait raconté sur Forrest, comment il l'avait vu se cacher dans les arbres de la clinique, six jours avant la mort du Juge. Ray écouta, incrédule, en se tassant sur le banc. Puis il se pencha en avant, les coudes sur les genoux, la tête baissée.

— D'après le dossier médical, poursuivit Harry Rex, il a reçu ce jour-là, le 1er mai, une dose de morphine. On dirait que Forrest lui a servi de chauffeur pour aller chercher son analgésique.

Dans le long silence qui suivit, une jolie jeune femme à la démarche ondulante, visiblement pressée, passa devant eux. Harry Rex prit une gorgée de café.

— J'ai toujours eu des doutes sur le testament que tu as trouvé dans son bureau, reprit-il. Ton père et moi, nous avons souvent abordé ce sujet pendant les six derniers mois de sa vie. Je ne peux pas croire qu'il ait pondu un nouvel acte de dernière volonté juste avant de mourir. J'ai longuement étudié les signatures sur les deux testaments ; à mon humble avis, le dernier est un faux.

Ray s'éclaircit la voix.

— Si Forrest l'a conduit à Tupelo, il est probable qu'il était à la maison.

— Et qu'il y faisait ce qu'il voulait.

Harry Rex avait fait appel à un privé de Memphis pour retrouver Forrest, mais il semblait s'être volatilisé. Il prit une enveloppe glissée entre les feuilles du journal.

— Voici ce que j'ai reçu il y a trois jours.

Ray sortit une feuille de papier de l'enveloppe, la déplia. C'était un message d'Oscar Meave, qui disait : « Cher maître. Je n'ai pas réussi à joindre Ray Atlee. Je sais où se trouve Forrest, si cela l'intéresse. Appelez si vous voulez en parler. Tout restera confidentiel. Amicalement. Oscar Meave. »

— J'ai tout de suite décroché le téléphone, reprit Harry Rex en suivant des yeux une autre jolie passante. Un de ses anciens patients est maintenant conseiller dans un ranch pour toxicos, dans l'Ouest. Forrest est arrivé il y a une semaine ; il exigeait que sa famille ne soit pas informée de l'endroit où il se trouvait. Cela arrive de temps en temps et les responsables des cliniques sont bien embêtés. Ils sont tenus de respecter les désirs des patients, mais, d'un autre côté, le soutien de la famille est essentiel pour la réussite de la réadaptation. Les conseillers qui se connaissent en parlent entre eux ; Meave a pris la décision de te mettre au courant.

— Où dans l'Ouest ?

— Dans le Montana ; le ranch Morningstar. D'après Meave, c'est exactement ce qu'il faut à Forrest. Un établissement fermé, agréable, isolé, spécialisé dans les cas difficiles ; il voudrait y passer un an.

Ray se redressa et commença à se frotter le front, comme s'il venait de recevoir un projectile.

— Inutile de préciser que cela coûte la peau des fesses, ajouta Harry Rex.

— Bien sûr.

Il n'y avait rien d'autre à dire, du moins au sujet de Forrest. Au bout de quelques minutes, Harry Rex se leva pour partir. Le message était transmis ; il n'avait rien à ajouter. Sa femme était impatiente de voir sa sœur. Ils se verraient plus longtemps la prochaine fois, ils dîneraient ensemble. Il prit congé de Ray avec une petite tape sur l'épaule, en lui donnant rendez-vous à Clanton.

Les jambes flageolantes, la respiration entrecoupée, Ray était incapable de courir. Il resta assis sur le banc de la rue piétonne, sous les fenêtres de son appartement, une sarabande d'images défilant dans sa tête. Les passants se firent plus nombreux, commerçants, employés de banque, avocats se rendant au travail. Ray ne vit absolument rien.

Carl Mirk enseignait le droit des assurances ; comme Ray, il était membre du barreau de Virginie. Ils discutèrent en déjeunant du rendez-vous de Ray et arrivèrent à la conclusion qu'il entrait dans le cadre d'une enquête de routine, qu'il n'y avait pas lieu de s'inquiéter. Carl allait rester avec Ray et se présenterait comme son avocat.

L'enquêteur de la compagnie d'assurances s'appelait Ratterfield. Ils le conduisirent dans la salle de réunion de la fac de droit. Ratterfield enleva sa veste comme pour montrer qu'ils en avaient pour plusieurs heures. Ray portait un jean et une chemise de golf ; Carl était habillé aussi décontracté.

— En règle générale, j'enregistre les entretiens, déclara Ratterfield avec gravité en prenant dans sa serviette un magnétophone qu'il plaça entre Ray et lui. Pas d'objection ? s'enquit-il quand l'appareil fut en place.

— Allez-y.

L'enquêteur enfonça une touche, consulta ses notes, fit une présentation de l'affaire pour l'enregistrement. Expert indépendant, il travaillait pour le compte d'Aviation Underwriters qui l'avait chargé d'enquêter sur une demande de dédommagement formulée par Ray Atlee et les trois autres copropriétaires d'un Beech Bonanza de 1994, à la suite de l'incendie de l'appareil, le 2 juin de l'année en cours. D'après les conclusions de l'enquêteur de la police, il s'agissait d'un incendie volontaire.

Pour commencer, il demanda à Ray de lui présenter son carnet de vol. Il le parcourut, sans rien trouver d'intéressant.

— Quatorze heures de vol dans le Bonanza ?

— Oui.

Ratterfield passa au consortium de propriétaires, posa des questions sur les conditions dans lesquelles il avait été formé. Il avait déjà interrogé les autres propriétaires qui lui avaient présenté les contrats et tous les documents. Ray ne mit pas en cause leur validité.

— Où étiez-vous le 1er juin ? interrogea Ratterfield, passant à l'offensive.

— À Biloxi, Mississippi, répondit Ray, certain que l'enquêteur ignorait où cela se trouvait.

— Depuis combien de temps ?

— Quelques jours.

— Puis-je vous demander pour quelle raison ?

Ray lui présenta une version expurgée de ses récentes allées et venues. La raison officielle de ce séjour sur la Côte était une visite à de vieux copains, des condisciples de Tulane.

— Certains d'entre eux, je n'en doute pas, pourront confirmer que vous étiez là-bas le 1er juin.

— Plusieurs personnes. J'ai aussi des factures d'hôtel.

Ratterfield parut convaincu que Ray se trouvait dans le Mississippi.

— Les autres propriétaires étaient tous chez eux,

poursuivit-il en tournant une page pour arriver à une liste de notes dactylographiées. Tout le monde a un alibi. S'il s'agit d'un incendie volontaire, il convient d'abord de trouver le mobile de cet acte, puis l'identité de celui qui l'a commis. Avez-vous une idée ?

— Je ne vois pas qui aurait pu faire ça, affirma Ray avec conviction.

— Et le mobile ?

— Nous venions d'acheter l'appareil. Pourquoi l'un de nous aurait-il voulu le détruire ?

— Pour toucher l'argent de l'assurance, peut-être. Cela arrive, vous savez. Un des copropriétaires s'est peut-être rendu compte que la charge financière était trop lourde. Le coût n'est pas négligeable : près de deux cent mille dollars sur six ans, pas loin de neuf cents par mois, par personne.

— Nous le savions quand nous avons signé, objecta Ray.

Ratterfield resta un moment sur le sujet délicat de la situation financière de Ray : salaire, dépenses, obligations. Quand il fut enfin convaincu que Ray avait les moyens d'honorer ses engagements, il passa à autre chose.

— Et maintenant, poursuivit-il en parcourant un rapport, parlez-moi de cet incendie dans le Mississippi.

— Que voulez-vous savoir ?

— Faites-vous l'objet d'une enquête pour incendie volontaire ?

— Non.

— En êtes-vous sûr ?

— J'en suis sûr. Vous pouvez appeler mon avocat, si vous le désirez.

— C'est déjà fait. Et votre appartement a été cambriolé deux fois en peu de temps.

— Rien n'a été volé. De simples effractions.

— Votre vie ne manque pas d'animation.

— C'est une question ?

— Il semble que quelqu'un vous en veuille.

— Est-ce aussi une question ?

Ce fut la seule passe d'armes de tout l'entretien ; les deux adversaires décidèrent d'en rester là.

— Avez-vous déjà fait l'objet d'une enquête pour incendie volontaire ?

— Non, répondit Ray en souriant.

Ratterfield tourna la page, vit qu'il n'y avait plus rien dans son dossier. L'entretien touchait à sa conclusion.

— Nous resterons en contact par l'intermédiaire de nos avocats, déclara-t-il en arrêtant le magnétophone.

— J'attends de vos nouvelles avec impatience.

Sa veste sur l'épaule, sa serviette sous le bras, Ratterfield quitta la pièce.

— Je crois que tu en sais plus long que tu veux le dire, glissa Carl dès qu'il fut sorti.

— Peut-être, fit Ray. Mais je n'ai rien à voir avec ces deux incendies.

— J'en ai assez entendu.

39.

Pendant près d'une semaine, sous l'effet d'un chapelet de perturbations, le plafond resta bas et le vent trop violent pour permettre à un petit avion de voler. Quand les prévisions météo montrèrent un temps calme et sec sur tout le pays à l'exception du sud du Texas, Ray quitta Charlottesville aux commandes d'un Cessna pour le plus long vol de sa courte carrière de pilote. Évitant les secteurs où le trafic était dense, à l'affût de repères géographiques faciles à trouver, il prit un cap à l'ouest, traversa la vallée de la Shenandoah, survola la Virginie-Occidentale et se posa dans le Kentucky pour se ravitailler en carburant sur un petit terrain, pas très loin de Lexington. Le Cessna pouvait passer trois heures et demie en l'air avant que l'aiguille de la jauge indique qu'il restait moins du quart du réservoir. Il fit un nouvel arrêt à Terre Haute, traversa le Mississippi à la hauteur d'Hannibal et atterrit à Kirksville, Missouri, où il prit une chambre dans un motel.

Son premier motel depuis la mémorable odyssée avec le magot du Juge — s'il se retrouvait dans un motel du Missouri, c'était encore à cause de l'argent… En zappant sur les chaînes muettes du téléviseur de la chambre, il se remémora l'histoire de Patton French. Il avait fait lors d'un séminaire la connaissance d'un confrère d'une petite ville des monts Ozarks dont le fils, enseignant à l'université de Columbia, avait établi la nocivité du Ryax. À cause de l'avidité insatiable de Patton French, Ray passait la nuit dans un motel d'une ville dont il n'avait jamais entendu parler.

Une perturbation était annoncée sur l'Utah. Ray décolla juste après le lever du soleil, monta à cinq mille pieds et ouvrit un grand gobelet de café noir. Il prit un cap nord-ouest et se trouva vite au-dessus des champs de maïs de l'Iowa.

À mille six cents mètres au-dessus du plancher des vaches, seul dans le ciel pur et frais du petit matin, sans même la voix d'un autre pilote sur la fréquence, Ray essaya de se concentrer sur la tâche à accomplir. Mais il était plus facile de jouir de la solitude et du panorama en sirotant un bon café. Loin du monde, loin de son frère.

Après un arrêt à Sioux Falls, il remit le cap à l'ouest, suivit l'A90 à travers le Dakota du Sud avant de longer la zone réglementée du mont Rushmore. Il se posa à Rapid City, loua une voiture et partit pour une longue balade dans le parc national des Badlands.

Le ranch Morningstar se trouvait quelque part dans les collines, au sud de Kalispell, mais le site Internet demeurait volontairement vague. Oscar Meave avait vainement essayé de le localiser avec précision. À la fin du troisième jour de son voyage, Ray atterrit à la nuit tombée à Kalispell. Il loua une voiture, trouva un restaurant, puis un motel et passa plusieurs heures à étudier des cartes.

Il effectua toute la journée suivante des survols à basse altitude de la région de Kalispell, au-dessus des agglomérations de Woods Bay, Polison, Bigfork et Elmo. Après avoir traversé une demi-douzaine de fois le lac Flathead, il s'apprêtait à abandonner les reconnaissances aériennes pour passer à une offensive terrestre quand, près de la petite ville de Sommers, sur la rive nord du lac, il aperçut ce qui ressemblait à une enceinte.

Il décrivit des cercles à quinze cents pieds jusqu'à ce qu'il distingue une solide clôture à mailles métalliques vertes, à moitié cachée par les arbres et presque invisible du ciel. Il y avait de petits bâtiments qui pouvaient être des logements, un autre, plus important, sans doute celui de l'administration, une piscine, des courts de tennis, une écurie et des chevaux au pré. Il tourna assez longtemps pour que plusieurs silhouettes interrompent leur activité et lèvent la tête, la main en visière.

Retrouver l'emplacement au sol de l'établissement était difficile, mais, le lendemain midi, Ray se garait devant la grille surveillée par un garde armé au regard chargé d'hostilité. Après un échange de propos peu amènes, l'homme finit par reconnaître qu'il s'agissait bien de l'établissement que Ray cherchait. Il ajouta d'un air satisfait que les visiteurs n'étaient pas acceptés.

Ray inventa une histoire de famille déchirée, insistant sur la nécessité de voir d'urgence son frère. Pour suivre la procédure, expliqua le garde en se faisant prier, il devait laisser un nom et un numéro de téléphone ; il y avait une petite chance qu'on prenne contact avec lui. Le lendemain, Ray pêchait la truite dans la rivière Flathead quand son portable sonna. Une voix revêche appartenant à une nommée Allison, de Morningstar, demanda à parler à Ray Atlee.

Sur qui pensait-elle tomber ?

Quand il eut avoué être celui qu'elle cherchait, Allison demanda ce qu'il avait à faire dans leur établissement.

— Mon frère est chez vous, expliqua-t-il aussi courtoisement que possible. Il s'appelle Forrest Atlee ; j'aimerais le voir.

— Qu'est-ce qui vous fait croire qu'il se trouve ici ?

— Il y est. Vous le savez, je le sais. Auriez-vous l'amabilité de cesser de tourner autour du pot ?

— Je vais me renseigner, mais n'espérez pas trop un appel.

Elle raccrocha sans lui laisser le temps de réagir.

Une autre voix revêche, appartenant cette fois à un Darrel, administrateur quelconque, grinça dans les oreilles de Ray en fin d'après-midi, alors qu'il était sur une piste des monts Swan, près du réservoir de Hungry Horse. Darrel fut aussi brusque qu'Allison.

— Pas plus d'une demi-heure, annonça-t-il à Ray. Trente minutes. Demain matin, 10 heures.

Une prison de haute sécurité eût été plus agréable. Le garde de la veille fouilla Ray et inspecta sa voiture.

— Suivez-le, ordonna le garde en montrant un de ses collègues qui attendait dans une voiture de golf sur l'allée étroite.

Ray suivit la voiturette jusqu'au petit parking du bâtiment principal. Allison l'attendait, sans arme. Elle était grande, assez masculine. Quand elle lui serra la main, Ray pensa que jamais il ne s'était senti aussi dominé physiquement. Elle l'accompagna à l'intérieur, où des caméras qu'on n'avait pas cherché à cacher enregistraient tous ses mouvements. Allison le conduisit dans une pièce sans fenêtres où elle le remit entre les mains d'un autre garde hargneux. Celui-ci, avec la délicatesse d'un manutentionnaire, entreprit de le palper sur toutes les coutures. Horrifié, Ray se demandait jusqu'où il irait.

— Je viens juste voir mon frère, protesta-t-il, ce qui faillit lui valoir un revers de main.

Quand la fouille fut terminée, Allison revint le chercher pour l'emmener dans un petit couloir donnant dans une pièce nue et carrée ; Ray eut l'impression que les murs étaient capitonnés. La seule vitre était celle de la porte.

— Nous surveillerons, déclara Allison en l'indiquant du doigt.

— Vous surveillerez quoi ? demanda Ray.

L'air mauvais, elle semblait prête à se jeter sur lui.

Une petite table carrée occupait le centre de la pièce ; de chaque côté, deux chaises se faisaient face.

— Asseyez-vous là, ordonna-t-elle en indiquant un des sièges.

Il passa dix minutes à regarder les murs, le dos tourné à la porte.

Elle s'ouvrit enfin. Forrest entra, seul, sans chaînes ni menottes, sans un malabar pour le pousser en avant. Il prit place en face de Ray, croisa sans un mot les mains sur la table, comme si l'heure était venue de méditer. Il n'avait plus de cheveux. Il n'en restait que trois millimètres sur le crâne et le poil était coupé à ras au-dessus des oreilles. Rasé de près, il donnait l'impression d'avoir perdu sept ou huit kilos. Il portait une ample chemise olive de coupe militaire, avec un petit col boutonné et deux grosses poches de poitrine. Elle permit à Ray d'engager la conversation.

— C'est un véritable camp d'instruction, ici.

— C'est dur, en effet, répondit lentement Forrest, d'une voix très douce.

— On te fait un lavage de cerveau ?

— Exactement.

Ray était là pour l'argent ; il décida d'aborder directement le sujet.

— Alors, qu'est-ce qu'on t'offre pour sept cents dollars par jour ?

— Une nouvelle vie.

Ray marqua son approbation d'une inclination de tête. Forrest plongeait dans les yeux de son frère un regard sans expression, un peu triste, comme s'il était un étranger.

— Et tu es ici pour un an ?

— Au moins.

— Cela représente deux cent cinquante mille dollars.

Forrest eut un petit haussement d'épaules, comme si l'argent ne comptait pas, comme s'il pouvait rester trois ans, même cinq.

— Tu es sous sédatif ? poursuivit Ray en cherchant à le provoquer.

— Non.

— À voir ton attitude, on le dirait.

— Non. On n'utilise pas de drogues ici, je me demande bien pourquoi.

Sa voix avait pris un peu de mordant.

Ray n'oubliait pas la pendule. Trente minutes précisément après le début de l'entretien, Allison reviendrait le chercher pour l'escorter jusqu'à la grille de l'établissement et lui en interdire définitivement l'accès. Il lui aurait fallu bien plus de temps pour aborder tous les sujets. Va à l'essentiel, se dit-il, tu verras bien ce qu'il avoue.

— J'ai pris le testament du Juge et la lettre qu'il nous a envoyée, celle qui nous convoquait le dimanche 7 mai. J'ai étudié les deux signatures : je pense que ce sont des faux.

— Tant mieux pour toi.

— Je ne sais pas qui les a imitées, mais je te soupçonne.

— Poursuis-moi en justice.

— Tu ne nies pas ?

— À quoi bon ?

Ray répéta ces mots à mi-voix, d'un air dégoûté, comme s'il y trouvait matière à alimenter sa colère. Un long silence suivit. L'heure tournait.

— J'ai reçu ma convocation le jeudi, reprit-il. La lettre avait été postée à Clanton le lundi, le jour où tu l'as conduit à Tupelo, à la clinique Taft, pour faire le plein de morphine. Je me demande comment tu as réussi à taper cette lettre sur la vieille machine à écrire.

— Je n'ai pas à répondre à tes questions.

— Bien sûr que si, Forrest. C'est toi qui as monté cette supercherie. Le moins que tu puisses faire est de m'expliquer comment tu t'y es pris. Tu as gagné. Le Juge est mort. La maison est partie en fumée. Tu as l'argent.

Personne d'autre que moi ne sait à quoi s'en tenir et, dans quelques minutes, je ne serai plus là. Dis-moi comment cela s'est passé.

— Il avait déjà de la morphine.

— Mais tu l'as conduit à Tupelo pour qu'il fasse le plein, une nouvelle dose, une recharge, je ne sais pas. Là n'est pas la question.

— C'est important.

— Pourquoi ?

— Il était défoncé.

Une craquelure dans l'impassibilité de façade ; Forrest décroisa les mains et détourna les yeux.

— Il souffrait ? fit Ray, espérant susciter une émotion chez son frère.

— Oui, répondit Forrest sans la plus petite trace d'une émotion.

— En le maintenant sous morphine, tu avais la maison pour toi seul ?

— On peut dire ça comme ça.

— Quand es-tu retourné là-bas ?

— Je suis brouillé avec les dates. Ce n'est pas nouveau.

— Tu me prends pour un imbécile, Forrest ? Il est mort un dimanche.

— Je suis arrivé un samedi.

— Huit jours avant sa mort.

— Sans doute.

— Pourquoi es-tu allé à la maison ?

Forrest croisa les bras sur sa poitrine ; il baissa le menton et les yeux. La voix aussi.

— Il m'a appelé pour me demander de venir le voir. J'y suis allé le lendemain. Il était méconnaissable, si vieux, si malade, si seul.

Forrest prit une longue inspiration, leva les yeux vers son frère.

— La douleur était atroce, poursuivit-il. Les analgésiques ne faisaient que l'atténuer. Nous avons parlé de la guerre sous le porche, de ce qui aurait changé si

Jackson ne s'était pas fait tuer à Chancellorsville, de toutes ces vieilles batailles qu'il avait refaites toute sa vie. Il changeait constamment de position pour essayer de contenir la douleur. À certains moments, il en avait le souffle coupé. Mais il avait envie de parler. Nous ne nous sommes pas réconciliés, nous n'avons pas essayé d'arranger les choses. Nous n'en éprouvions ni l'un ni l'autre le besoin ; ma présence lui suffisait. J'ai dormi sur le canapé de son bureau ; au milieu de la nuit, j'ai été réveillé par des hurlements. Il était dans sa chambre, recroquevillé sur le parquet, tremblant de tous ses membres. Je l'ai recouché, je l'ai aidé à prendre sa morphine et il a fini par se calmer. Il était 3 heures du main ; j'étais secoué. J'ai commencé à fureter.

Le récit traînait en longueur ; les minutes s'égrenaient.

— C'est cette nuit-là que tu as trouvé l'argent ? reprit Ray.

— Quel argent ?

— Celui qui te permet de débourser sept cents dollars par jour.

— Ah ! tu parles de ça !

— Oui.

— Je l'ai trouvé cette nuit-là, au même endroit que toi. Vingt-sept cartons. Le premier contenait cent mille dollars ; j'ai fait le calcul. Je ne savais pas quoi faire. Je suis resté plusieurs heures à regarder des cartons empilés innocemment dans le meuble. Je me disais qu'il allait peut-être se lever, descendre et me surprendre dans cette position. En fait, je l'espérais : il m'aurait donné des explications.

Forrest reposa les mains sur la table et regarda son frère dans les yeux.

— Quand le jour s'est levé, reprit-il, après avoir longuement réfléchi, j'ai décidé de te laisser te débrouiller avec l'argent. Toi, l'aîné, le chouchou, le grand frère, l'étudiant brillant, le professeur de droit, l'exécuteur testamentaire, celui qui avait sa confiance. Je me suis dit que j'allais observer Ray, voir comment il s'y prenait avec l'argent ; ce qu'il fera sera bien. Alors, j'ai refermé le meuble, repoussé le canapé et essayé de faire comme s'il ne s'était rien passé. J'ai failli demander au Juge d'où venait cet argent, mais je me suis dit que, s'il avait voulu que je le sache, il m'en aurait parlé.

— Quand as-tu tapé ma convocation sur la vieille Underwood ?

— Le même jour. Il était dans les vapes sous les pacaniers, dans son hamac. Il se sentait mieux ; la dépendance à la morphine. Il n'a pas dû se souvenir de grand-chose pendant sa dernière semaine.

— Le lundi, tu l'as conduit à Tupelo ?

— Oui. Il avait l'habitude d'y aller seul, mais, comme j'étais là, il m'a demandé de l'emmener.

— Tu t'es caché dans les arbres, à côté de la clinique, pour que personne ne te voie.

— Bravo ! Que sais-tu d'autre ?

— Rien. Je n'ai que des questions. Tu m'as appelé le soir où j'ai reçu la convocation, disant que tu avais eu la tienne aussi. Tu m'as demandé si j'allais appeler le Juge ; j'ai dit non. Que se serait-il passé si j'avais téléphoné ce soir-là ?

— Le téléphone ne marchait pas.

— Pourquoi ?

— La ligne passe dans la cave. À un endroit, il y a un mauvais contact.

Ray hocha la tête comme si un petit mystère de plus était résolu.

— De toute façon, ajouta Forrest, il ne répondait pas une fois sur deux.

— Et le testament, quand l'as-tu refait ?

— La veille de sa mort. J'ai trouvé l'ancien, je n'ai pas beaucoup aimé ce qu'il disait. J'ai décidé de faire ce qu'il fallait en partageant également le patrimoine entre nous deux. Quelle idée ridicule ! Quel imbécile j'ai fait ! Je ne savais pas ce qu'était la loi dans ce genre de situation. Comme nous étions les seuls héritiers, je m'étais dit que tout devait être partagé par moitié. J'ignorais que les hommes de loi sont formés pour garder ce qu'ils trouvent, pour dépouiller leurs frères, pour dissimuler des biens qu'ils ont le devoir de protéger, pour trahir leurs serments. Personne ne me l'avait dit. Je cherchais à être honnête. Quel imbécile !

— Quand est-il mort ?

— Deux heures avant ton arrivée.

— Tu l'as tué ?

Un grognement. Un ricanement Pas une réponse.

— Tu l'as tué ? répéta Ray.

— C'est le cancer qui l'a tué.

— Je tiens à comprendre, fit Ray en se penchant en avant, tel un avocat s'apprêtant à interroger le témoin de la partie adverse. Tu as passé huit jours à la maison, il était la majeure partie du temps sous l'effet de la morphine et il est mort opportunément deux heures avant mon arrivée.

— Exactement.

— Tu mens.

— Oui, je lui ai fait prendre de la morphine pour l'aider. Ça te va, comme ça ? La douleur le faisait pleurer. Il ne pouvait plus ni marcher ni manger, ni boire ni dormir, ni faire ses besoins, ni rester assis dans un fauteuil. Tu n'étais pas là, moi oui. Il s'était mis sur son trente et un pour toi. Je l'ai rasé, je l'ai aidé à s'étendre sur le canapé. Il n'avait même pas la force d'appuyer sur le bouton pour prendre la morphine ; je l'ai fait pour lui. Il s'est endormi et j'ai quitté la maison. Quand tu es arrivé, tu l'as découvert dans son bureau, tu as trouvé l'argent et les mensonges ont commencé.

— Sais-tu d'où venait cet argent ?

— Non. Quelqu'un de la Côte, j'imagine. Je m'en fiche.

— Qui a mis le feu à mon avion ?

— C'est un acte criminel ; je ne suis au courant de rien.

— Est-ce la personne qui m'a suivi pendant un mois ?

— Ils sont deux, des gars que j'ai connus en prison, de vieux potes. Ils font bien leur boulot et tu étais un gibier facile. Ils ont placé un émetteur sous le pare-chocs de ton petit bolide et t'ont suivi à l'aide du GPS. Un jeu d'enfants.

— Pourquoi as-tu mis le feu à la maison ?

— Je nie tout acte criminel.

— Pour l'assurance ? Ou peut-être pour me priver de tout héritage ?

Forrest continua de secouer la tête, niant tout en bloc. La porte s'ouvrit, le visage anguleux d'Allison s'encadra dans l'embrasure.

— Tout va bien, là-dedans ?

Oui, ça baigne, merci.

— Sept minutes, annonça-t-elle avant de se retirer.

Un silence interminable. Deux regards rivés sur le sol. Pas un bruit à l'extérieur.

— Je n'en voulais que la moitié, Ray, dit enfin Forrest.

— Prends-en la moitié maintenant.

— Trop tard. Maintenant, je sais ce que je dois faire de l'argent. Tu me l'as montré.

— J'avais peur de te le donner, Forrest.

— Peur de quoi ?

— Que tu te tues avec.

— Eh bien, tu vois où je suis, lança Forrest avec un geste circulaire du bras englobant la pièce, le ranch, tout l'État du Montana. Voilà ce que je fais de l'argent. Tu appelles ça se tuer ? Je ne suis pas aussi fou que tout le monde le croyait.

— J'ai eu tort.

— Sois plus précis. Tort de t'être fait prendre ? Ou

parce que je ne suis pas aussi bête que tu le croyais ? Ou bien parce que tu veux la moitié de l'argent ?

— Tout ça.

— J'ai peur de le partager, Ray, exactement comme toi. Peur que cet argent te monte à la tête. Peur que tu le claques dans les avions et les casinos. Peur que tu deviennes encore plus con que tu ne l'es déjà. Il faut que je te protège, Ray.

Ray garda son sang-froid. Il ne serait pas sorti vainqueur d'une bagarre à coups de poing avec son frère ; même s'il parvenait à prendre le dessus, qu'aurait-il eu à y gagner ? Il aurait aimé lui taper sur la tête à coups de batte, mais à quoi bon ? S'il le tuait, il ne reverrait jamais l'argent.

— Alors, quel est ton programme ? demanda-t-il en s'efforçant à l'indifférence.

— Je ne sais pas. Rien de précis. Quand on est en désintox, on passe beaucoup de temps à rêver, mais, quand on sort, ces rêves paraissent idiots. Je sais que je ne retournerai pas à Memphis ; j'y connais trop de monde. Et je ne retournerai jamais à Clanton. Je trouverai un nouvel endroit, quelque part. Et toi ? Que vas-tu faire, maintenant que tu as laissé passer ta chance ?

— J'avais ma vie, Forrest. Je l'ai toujours.

— C'est vrai. Tu gagnes cent soixante mille dollars par an — je me suis renseigné — et tu ne dois pas beaucoup travailler. Pas de famille, pas de grosses dépenses, tu as de quoi vivre comme tu l'entends. La cupidité est une drôle de chose, pas vrai, Ray. Tu as mis la main sur trois millions et tu as décidé qu'il te fallait le tout. Pas un sou pour ton camé de petit frère. Rien. Tu as pris l'argent et tu es parti avec.

— Je ne savais pas vraiment quoi en faire. Comme toi.

— Mais tu l'as pris, tu as pris le tout. Et tu m'as menti.

— Ce n'est pas vrai ! Je le gardais.

— Tu en dépensais aussi : les casinos, les avions.

— Mais non ! Je ne suis pas un flambeur et je vole dans des avions de location depuis trois ans ! Je gardais l'argent, Forrest, en essayant de trouver comment l'employer. Cela ne fait que quelques semaines !

Le ton avait monté, la voix se répercutait sur les murs. Allison passa de nouveau la tête dans l'ouverture de la porte, prête à mettre fin à l'entretien si son patient devait s'énerver.

— Un peu d'indulgence, poursuivit Ray. Tu ne savais pas quoi faire de l'argent, moi non plus. Dès le premier soir, quelqu'un — j'imagine que c'était toi ou un de tes potes — a commencé à me flanquer la trouille. Tu ne peux pas m'en vouloir d'être parti avec l'argent.

— Tu m'as menti !

— Toi aussi. Tu as dit que tu n'avais pas parlé au Juge, que tu n'avais pas mis les pieds dans la maison depuis neuf ans. Que de mensonges, Forrest ! Tout ça pour me tendre un piège. Pourquoi as-tu fait ça ? Pourquoi ne m'as-tu pas parlé de ce que tu avais trouvé ?

— Et toi, pourquoi ne m'en as-tu pas parlé ?

— Qui te dit que je ne l'aurais pas fait ? Je n'avais rien décidé encore. Tu crois qu'il est facile de garder les idées claires quand on découvre le corps de son père, quand on trouve une fortune en billets de banque, qu'on se rend compte que quelqu'un d'autre connaît l'existence de cette fortune et ne reculera devant rien pour se l'approprier. Ce ne sont pas des choses qui arrivent tous les jours. Pardonne-moi si l'expérience m'a fait défaut.

Un nouveau silence. Les yeux levés au plafond, Forrest tapota le bout de ses doigts les uns contre les autres. Ray avait dit tout ce qu'il avait prévu de dire. Allison agita la poignée de la porte, mais elle n'entra pas.

— Pour les deux incendies, fit Forrest en se penchant, il y a d'autres suspects ?

Ray secoua la tête.

— Je ne dirai rien à personne, affirma-t-il.

Encore un moment de silence ; la demi-heure était terminée.

Forrest se leva lentement et regarda son frère bien en face.

— Donne-moi un an, fit-il. Quand je sortirai d'ici, nous parlerons.

La porte s'ouvrit. En passant, Forrest effleura du bout des doigts l'épaule de Ray. Pas une tape affectueuse, une caresse légère, un frôlement.

— Rendez-vous dans un an, mon grand.

Et il disparut.

Le coton de la colère

(Pocket n° 11909)

Luke Chandler a sept ans et se prépare à la cueillette du coton. Avec son oncle, l'exploitant du champ, il attend les saisonniers. Parmi eux, des Mexicains. Les journées harassantes s'enchaînent. Les tensions montent et Luke est témoin d'un meurtre. C'était dans les années cinquante, en Arkansas. Luke se souviendra toujours du goût de la sueur et du sang...

Il y a toujours un Pocket à découvrir

Impression réalisée sur Presse Offset par

BRODARD & TAUPIN

GROUPE CPI

27182 – La Flèche (Sarthe), le 29-12-2004
Dépôt légal : janvier 2005

POCKET – 12, avenue d'Italie - 75627 Paris cedex 13
Tél. : 01.44.16.05.00

Imprimé en France